Bläserklang und Blasinstrumente im Schaffen Richard Wagners

Kongreßbericht Seggau/Österreich 1983

# ALTA MUSICA

EINE PUBLIKATION DER INTERNATIONALEN GESELLSCHAFT
ZUR ERFORSCHUNG UND FÖRDERUNG DER BLASMUSIK

In Zusammenarbeit
mit der Abteilung 04 (Blas- und Schlaginstrumente)
der Hochschule für Musik und darstellende Kunst in Graz

Herausgegeben von

Wolfgang Suppan und Eugen Brixel

BAND 8

BLÄSERKLANG UND BLASINSTRUMENTE
IM SCHAFFEN RICHARD WAGNERS
Kongreßbericht Seggau/Österreich 1983

Herausgegeben von Wolfgang Suppan

VERLEGT BEI HANS SCHNEIDER · TUTZING

# BLÄSERKLANG UND BLASINSTRUMENTE
# IM SCHAFFEN RICHARD WAGNERS

Kongreßbericht Seggau/Österreich 1983

HERAUSGEGEBEN VON
WOLFGANG SUPPAN

VERLEGT BEI HANS SCHNEIDER · TUTZING
1985

ISBN 3 7952 0445 3

Druck: Ernst Vögel GmbH, 8491 Stamsried

# VORWORT

Vom 31. Mai bis 2. Juni 1983 trafen sich im südsteirischen Schloß Seggau bei Leibnitz Spezialisten der Blasmusikforschung mit Musikpraktikern, um in Vorträgen, Diskussionen und Konzerten Fakten zur Beantwortung der Frage nach Richard Wagners Verhältnis zum Bläserklang und zu seinem Einfluß auf die Entwicklung des Instrumentenbaues beizubringen. Neben diesem, dem „Jahresregenten" Richard Wagner gewidmeten Hauptthema bestand in Seggau — wie stets an den Tagungen der Internationalen Gesellschaft zur Erforschung und Förderung der Blasmusik — die Möglichkeit, freie Referate vorzutragen.

Der vorliegende Sammelband enthält alle jene Vorträge der Seggauer Konferenz, die dem Herausgeber zeitgerecht und in druckwürdiger Form eingereicht wurden. Auch wenn damit der übliche „Kodex" der deutschsprachigen Musikwissenschaft verletzt erscheint, so freuen wir uns doch, den Einleitungs-Vortrag von Friedrich Oberkogler in seiner originalen und originellen Form eines Essays ebenso abdrucken zu können wie die der Philharmoniker-Praxis entsprungenen Aufsätze von Kurt Janetzky und Friedrich Körner. Und zwar gerade deshalb, weil in unserer Internationalen Gesellschaft zur Erforschung und Förderung der Blasmusik neben den Musikologen verschiedener Spezialisierungen, neben Soziologen, Volkskundlern, Kultur- und Verhaltensforschern auch zahlreiche Ausübende und viele Freunde der Musik für Bläser sich zusammengefunden haben. Dies — so wurde in den Berichten über unsere bisherigen Fachtagungen stets positiv angemerkt — trägt zu lebendigem Gedankenaustausch bei — und es verhindert eine blutleere, praxisferne Wissenschaft um ihrer selbst willen.

Blasmusikforschung möchte dazu beitragen, eine zahlenmäßig sehr stark gewordene und heute vorzüglich von der Jugend getragene Blasmusikbewegung (10 000 Blasorchester mit rund 500 000 Aktiven allein in den deutschsprachigen Ländern Mitteleuropas!) zu fördern: Nur so ist der Name unserer Gesellschaft zu verstehen.

Für die weitgehend historisch orientierten Beiträge zu diesem Sammelband möchte nicht gelten, was der Konstanzer Philosoph Franz Koppe moniert: „Was die Geschichtswissenschaft wohl am meisten in Mißkredit gebracht hat und schließlich, angesichts der heutigen Forderungen nach gesellschaftlicher Rechtfertigung, nahezu ruiniert hat, sind die Folgen der ‚Historismus' genannten Einstellung zur Geschichte, die einen Brückenschlag zwischen Vergangenheit und Gegenwart nicht mehr ins Auge faßte und die Möglichkeit, aus der Geschichte zu lernen, einem historischen Relativismus opferte."[1]

---

[1] F. K o p p e , *Sprache und Bedürfnis. Zur sprachphilosophischen Grundlage der Geisteswissenschaften,* Stuttgart 1977 (problemata 56), S. 21.

Das von uns aufbereitete Wissen um Herkunft und Funktion der Phänomene trägt zur gesellschaftlichen Orientierung zeitgenössischen Blasmusikgeschehens bei. Die Vergangenheit nicht kennen zu wollen, käme ja der Absicht gleich, in allem ständig wieder von vorn anzufangen. Franz Koppe spricht daher von einer „nichtantiquarischen Geschichtswissenschaft", deren programmatische Aufgabe es sei, die Gründe vergangenen Handelns nicht in Vergessenheit geraten zu lassen oder sie wieder ans Licht zu ziehen, wo sie bereits in Vergessenheit geraten sind, um diese so für gegenwärtige Entscheidungsorientierung verfügbar zu haben. Der kollektive Fall naiver Geschichtsvergessenheit ließe sich mit jemandem vergleichen, der „zwar nicht ohne, aber mit einem kurzen Gedächtnis durch den Tag läuft und nicht mehr weiß, was er tags zuvor geplant und begonnen hat, und es aber dennoch nicht für nötig hält oder auch nur auf die Idee kommt, sich z. B. ein paar Notizen zu machen. Nicht schon das schlechte Gedächtnis als solches macht hier die Naivität aus — in der Verlegenheit sind wir ja mehr oder weniger alle —, sondern das für Überflüssighalten besonderer Anstrengungen, um die Gedächtnislücken zu verhindern oder sie notfalls möglichst wieder zu schließen. Nur dann kann man sich wohl auch in dem, was man je in sozialen Kontexten tut, selber verstehen. Die Gegenwart und ihre Praxis hat mit anderen Worten immer schon begonnen, und wer sich in ihr auskennen will, muß daher die Vergangenheit — und das heißt vor allem: die in ihr verborgenen Handlungsgründe und -zwecke — kennen ...

Eine kritische Geschichtswissenschaft wird sich überdies nicht mit der Rolle des Lieferanten faktischer Genesen ... begnügen, sondern kontrafaktisch normative Genesen mitkonstruieren, wo immer sich Schritte in der faktischen Genese zwar als in Berücksichtigung partikularer Interessen wohlbegründet, jedoch als gesellschaftlich ungerechtfertigt aufweisen lassen. Anders gesagt wird Geschichtswissenschaft dann nicht nur darüber Auskunft geben können und wollen, aus welchen Gründen etwas, das in der Gegenwart erneut zur Alternativdiskussion steht, entschieden und gemacht worden ist, sondern auch darüber, was diese Gründe unter dem Anspruch ihrer sozialen Rechtfertigung taugen" (Koppe, ebda., S. 22—26).

Dieses ausführliche Zitat erscheint dem Herausgeber deshalb geboten, weil der Verfasser so präzise und allgemeinverständlich wie kaum ein „reiner" Historiker die Kernfrage nach dem Zweck historischer Materialaufbereitung und Analyse beantwortet hat, und weil eben diese Antwort — das sei nochmals gesagt — dem Sinn der Verbindung von „Erforschung u n d Förderung" in jener Gesellschaft entspricht, die diese Alta-musica-Buchreihe ediert. Es geht um aktuelle Orientierungsbemühungen, um die Zukunft des als Amateur in Blaskapellen musizierenden und/oder Blasmusik hörenden, gesellschaftlich und anthropologisch[2] davon ergriffenen Menschen.

Zu danken ist dem österreichischen Bundesministerium für Wissenschaft und Forschung in Wien und der Steiermärkischen Landesregierung in Graz, die die finanzielle Basis für die Durchführung der Tagung geschaffen haben, — aber auch dem h. t. rector magnificus der Hochschule für Musik und darstellende Kunst in Graz, o. Prof. Dr. Otto Kolleritsch, der als Ordinarius am Institut für Wertungsforschung selbst tätiges Interesse am Thema der Tagung gezeigt hat. Der Grazer Musikhochschulboden mit seinen Schwerpunktbildungen in der ethnologisch-anthropologischen, in der kritisch-ästhetischen, aufführungspraktischen, jazz- und blasmusikgeschichtlichen Musikforschung ermöglicht solche multidisziplinäre Zusammenarbeit in selten begangenen Bereichen der Musikwissenschaft.

Nach sieben Alta-musica-Bänden darf auch ein Verleger genannt und bedankt werden, der in unbürokratischer und entgegenkommender Weise unser Unternehmen fördert: Ohne Hans Schneider hätten wir wohl längst resignieren müssen!

Wolfgang Suppan

---

[2] Was ich darunter verstehe, habe ich in meinem Buch *Der musizierende Mensch. Eine Anthropologie der Musik*, Mainz 1984 (Musikpädagogik. Forschung und Lehre, hg. von S. A b e l - S t r u t h, Band 10), Verlag B. Schott's Söhne, dargestellt.

Friedrich Oberkogler, Graz

## DER SPIRITUELLE BLÄSERSATZ
## BEI RICHARD WAGNER

In der 1840 erschienenen Schrift „Eine Pilgerfahrt zu Beethoven", in welcher der siebenundzwanzigjährige Richard Wagner sein damaliges musikalisches Glaubensbekenntnis Beethoven in den Mund legt, lesen wir über das Wesen der Instrumente:

> „Aus den Instrumenten der Musik klingt etwas heraus, wie wenn sie Organe wären der Schöpfungsgeheimnisse, nach denen sich das Chaos ordnete, und die bei der Harmonisierung des Weltchaos wirkten, lange bevor wohl ein menschliches Herz vorhanden gewesen wäre, um diese Urgefühle der Schöpfung zu vernehmen."

Wenn man diese Worte nicht als schwärmerische Poetik einer romantischen Musikerseele verstehen, sondern die in ihnen verborgene Spiritualität als eine geistige Realität erkennen will, bergen sie Konsequenzen in sich, die unserem heutigen, nur an der Sinneswelt sich orientierenden Denken phantastisch-unwirklich erscheinen mögen, dem Bewußtsein einer vergangenen Menschheit jedoch eine, der Sinneswirklichkeit durchaus gleichwertige Wahrheit bedeuteten. Zum ersten weist dieser Ausspruch Wagners auf eine „musica mundana", eine Welten- und Sphärenmusik, deren Wirkenskräfte das Chaos ordneten; Musik als „Weltenbauprinzip", als kosmische Wirkenskraft, die gleichsam zum gliedernden, differenzierenden „Tanz der Stoffe" führte, wie man dies im sinnlich-empirischen Abbild bei den sogenannten „Chladnischen Klangfiguren", dem Versuch mit Eisenfeilspänen, erleben kann.

Zum zweiten sprechen diese Worte von „Urgefühlen der Schöpfung", also von einer „anima mundi", einer „Weltenseele", die waltete, lange ehe ein empfindsames menschliches Herz schlug. Daraus schließlich ergibt sich ein Drittes, die Tatsache nämlich, daß dieses menschliche Herz, das vorzüglichste Organ der Menschenseele, selbst erst durch diese klangätherischen und sphärenharmonikalen Wirkenskräfte gebildet und gestaltet wurde; denn nur ein Gleiches kann Gleiches nachempfinden, wie es Goethe in seinen „Zahmen Xenien" so treffend ausspricht:

> „Wär' nicht das Auge sonnenhaft,
> Die Sonne könnt' es nie erblicken;
> Läg' nicht in uns des Gottes eigne Kraft,
> Wie könnt' uns Göttliches entzücken?"

Kein Zweifel daher, daß auch der Mensch von dieser Harmonisierung des Weltenchaos umgriffen ist, daß Musik als Weltenbauprinzip auch ihn durchtönt. So schildert uns Platon in seinem Timaios-Dialog sehr ausführlich, wie die Menschenseele aus der Weltenseele nach zahlenmusikalischen Proportionen herausgebildet wurde. Aber nicht nur die Seele, der ganze Mensch, so müssen wir ergänzen, ist bis in seine physisch-sinnliche Leiblichkeit aus dem Kosmos „herausgesungen" worden. Davon wußte man noch im Mittelalter, wenn man von einer „musica humana" sprach und darunter den Menschen als Musik verstand. So schreibt etwa Hugo von St. Victor:

> „Die Körpermusik ertönt im vegetativen Leben, derzufolge der Körper wächst, und diese Musik kommt allem zu, was als Lebewesen ins Dasein tritt; sie ertönt in den Säften, aus denen der Menschenleib aufgebaut wird ..."

Aber auch die rein körperliche Struktur ist musikalisch zu verstehen. Ich verweise auf die aufschlußreichen Ausführungen des Arztes Armin Husemann in seiner Arbeit „Der musikalische Bau des Menschen". Es sei beispielsweise der Bau der Lunge herausgegriffen, der sich bekanntlich in dem Quintverhältnis 2 : 3 darstellt; wobei die Atemluftmenge, die pro Minute mit dem Blut in Wechselwirkung tritt (Ventilationsvolumen), zu der Blutmenge, die pro Minute in der Luft sich austauscht (Perfusionsvolumen), beim Gesunden im Verhältnis 4 : 5, also im Verhältnis einer großen Terz steht. Auch ist der „Herzton", der „Muskelton" der modernen Medizin kein Geheimnis mehr.

Aus diesem musikalischen Aufbau des Menschen ergibt sich folgerichtig, daß die „musica instrumentalis", die durch den Menschen geschaffene Musik, im Grunde nur das vermenschlichte Echo der in ihn hineingesungenen Weltmusik sein kann. Dies mußte sogar ein so trockener Intellekt, wie ihn Eduard Hanslick hatte, zugeben, für den Musik nur ein Spiel mit Tönen, eine kaleidoskopartige „tönende Arabeske" war. Den in ihr wirkenden geistigen Gehalt des Kosmos konnte auch er nicht übergehen und so schließt er seine Abhandlung über das „Musikalisch-Schöne" mit den, seinen Thesen widersprüchlich gegenüberstehenden Sätzen:

> In diesem geistigen Gehalt „wirkt die Musik nicht bloß und absolut durch ihre eigenste Schönheit, sondern zugleich als tönendes Abbild der großen Bewegungen im Weltall. Durch tiefe und geheime Naturbeziehungen steigert sich die Bedeutung der Töne hoch über sie selbst hinaus und läßt uns in dem Werke menschlichen Talents immer zugleich das Unendliche fühlen. Da die Elemente der Musik: Schall, Ton, Rhythmus, Stärke, Schwäche im ganzen Universum sich finden, so findet der Mensch wieder in der Musik das ganze Universum."

Und einer der bedeutendsten Musikwissenschaftler unseres Jahrhunderts, Jaques Handschin, gesteht in seiner Musikgeschichte offen ein, daß ihm die

Anschauung des Altertums viel besser zusage, als alle modernen Theorien der jüngeren Vergangenheit:

„Demnach hätte die Musik von jeher bestanden als Teil des Weltenplans: dies wäre die Musik als metaphysische Substanz, die Musik im Innern der Welt, gewissermaßen die Weltseele.

Die irdische Musik aber wäre in dem Augenblick entdeckt worden, wo ein mythischer Mensch oder Halbgott mit dem Fuß an die ausgetrockneten Überreste einer Schildkröte stieß, in denen sich eine Sehne über den Schild spannte; im Grunde aber sei diese Musik nur eine Nachahmung jener himmlischen, an die sich der Mensch unbewußt erinnert fühlte, wenn er die irdische höre."

Hier müssen wir allerdings einschränkend bemerken, daß der Schildkrötenpanzer wohl Anstoß zur Erinnerung sein konnte, aber im höheren Sinne noch kein „Instrument" darstellt. Er ist nicht mehr als ein Lern-Utensil für diese damalige Menschheit gewesen. Denn aus dem bisher Gesagten ergibt sich folgerecht der Schluß: nachdem der Mensch und die Musik das ganze Universum in sich bergen, so müssen auch die Instrumente, auf denen der Mensch das in ihn hineingesungene musikalische Element wieder ertönen läßt, diesen menschlich-universellen Zusammenhang aufweisen. Oder genauer formuliert: der Mensch — ursprünglich selbst ein Instrument der Götter — wird in dem Maße zum Spieler, als er sich seines eigenen Wesens mehr und mehr bewußt wird und setzt die Instrumente als klingende Abbilder seines Wesens aus sich heraus. Nur so, im Durchgang durch den Menschen und seiner Vermittlung, können die Instrumente zu „Organen der Schöpfungsgeheimnisse" werden.

Von dieser Perspektive her wollen wir die Blasinstrumente und ihren Einsatz durch Richard Wagner betrachten. Zwei große Gruppen lassen sich unterscheiden: die Holz- und die Blechbläser. Die Holzbläsergruppe des klassischen Orchesters besteht aus Flöte, Oboe, Klarinette und Fagott. Diese vier Instrumente bilden mittel- und unmittelbar die Stammformen aller jener Nebeninstrumente, die zu verschiedenen Zeitpunkten ergänzend hinzugekommen sind, wie etwa Englischhorn, Bassetthorn, Baßklarinette, Heckelphon, Saxophon, usw. In diesen vier Stammformen offenbaren die Instrumente einen höchst individuellen Charakter und unterscheiden sich nach Art der Tonerzeugung, nach ihrem akustischen Verhalten und in ihrer Grifftechnik grundlegend voneinander.

Bezüglich der Tonerzeugung lassen sich drei Möglichkeiten realisieren. Erstens: die Luftsäule wird unmittelbar durch den Atem, ohne Zwischenschaltung eines „Blattes", zum Tönen gebracht. Diese Art realisieren alle Flöten-Instrumente. Zweitens: der Luftraum des Instrumentenkorpus wird durch ein schwingendes Rohrblatt in Schwingung versetzt; dies ist bei der Klarinette der Fall, bei der ein einzelnes Blatt gegen den Rand der Öffnung schlägt, an der es befestigt ist. Drittens: die Luftsäule tönt, indem sie durch zwei gegeneinanderschlagende Rohrblätter in rhythmische Schwingungen versetzt wird. Die Oboe und das zur selben Familie gehörende Fagott zeigen uns diese Art der Tonerzeugung.

Da es die zur Verfügung stehende Zeit nicht erlaubt, alle Instrumente, die in Frage kommen, zu betrachten, möchte ich jene aus der Gruppe der Holz- und Blechbläser herausgreifen, an denen uns die von Wagner angesprochenen „Schöpfungsgeheimnisse" besonders sinnenfällig werden können. Die Blasinstrumente im allgemeinen, die Rohrblatt-Instrumente im besonderen lassen sich in ihrem qualitativen Geistgehalt durch jenes Instrument anschaulich charakterisieren, das — mythologisch gesehen — dem Gott Dionysos geweiht war: den Aulos. Die Oboe ist jener Nachfolger des alten Aulos, der das Urbild noch am getreulichsten bewahrt hat.

Die griechische Mythologie erzählt uns von dem Ursprung dieses Instrumentes. Als Perseus Medusa enthauptete, hörte Athene das Klagen der Schwestern, und zum Gedenken erfand sie das Aulosspiel, und zwar eine bestimmte Weise, um jenes herzzerreißende, lauttönende Wehklagen darzustellen. Der Aulos ist demnach das Blasinstrument, in dem die „Klage der Kreatur" auftönt. Als Athene aber die Gewalt dieser dunklen, dionysischen Klage vernahm, verwarf sie das von ihr gestiftete Instrument wieder. Doch der Satyr Marsyas hat es heimlich entwendet und dem Instrument Apolls — der Leier — entgegengestellt. Soweit der Mythos.

Diese Klage der Kreatur, in welcher der Urlaut des Schmerzes auftönt, nennt Curt Sachs, der bedeutende Instrumentenforscher, „Ekstase des Kehlkopfs". Damit, so dünkt uns, ist das Wesen des Rohrblattinstrumentes, namentlich des Doppelrohrblattes treffend charakterisiert: es ist Ausdruck menschlicher Innerlichkeit, „Urgesang des Kehlkopfs". Im Doppelrohrblatt spiegeln sich die Stimmbänder wider. In dieser Sicht bekommt die Behauptung volles Gewicht, die Sachs in seinem Werk über „Geist und Werden der Musikinstrumente" aufstellt:

„Deshalb ist das Schallgerät das unmittelbarste und primärste Kultgerät. Es steht im Mittelpunkt des religiösen Lebens. Es ist nicht Symbol oder Zeichen des Geistes; es bedeutet nicht Geist, es ist Geist."

Das Instrument, das die „Ekstase des Kehlkopfs" verwirklicht, kann daher nicht geschaffen sein, bloß um irdische Umwelt nachzuahmen. Es wurde, wie alle Instrumente, aus einem noch mythologisch-imaginativen Bewußtsein heraus geschaffen, und bedeutet den ersten Schritt zur ureigenen Wesensäußerung des Menschen. Und die Mannigfaltigkeit der Instrumente spiegelt die Vielschichtigkeit seines Wesens wider. Ist es im Saiteninstrument der „Nerven-Sinnesbaum", den der Mensch darin klingend verwesentlicht,

14

in der Flöte der „reine Atem", so ist die Wesensäußerung des Rohrblatt-Instrumentes „Urgesang des Kehlkopfs", unmittelbarer Ausdruck des Schmerzenslautes seines Geschöpf-Seins.

Ein solcher Schmerz — halb Klage, halb flehendes Bitten — liegt in der Oboen-Kantilene, die Eriks „Cavantine" im „Fliegenden Holländer" einleitet, und den elegischen Empfindungsgehalt erfühlen läßt, der dem Ton dieses Instrumentes eignet. Auch Elsas Traumerzählung im „Lohengrin", in der sie ihre innerste Herzensnot offenbart, tritt aus dem klagenden Ton der Oboe heraus: „einsam in trüben Tagen . . ." Und wenn der erste vergebliche Ruf nach dem unbekannten Ritter, den sie im Traum gewahrte und den sie sich als Streiter im Gotteskampf erwählte, verhallt ist, dann klagt die Oboe in kleinen Sekundschritten bei ihrer Bitte an den König, noch einmal den Ruf ergehen zu lassen: „Mein lieber König, laß dich bitten . . ."

Am eindringlichsten jedoch dürfte dieser Schmerzenston der alten Aulos-Welt wohl im Englischhorn zum Ausdruck kommen, der Alt-Oboe. Jedem Musikfreund ist dieser Klang unvergeßlich, der einmal der „traurigen Hirtenweise" zu Beginn des dritten Aktes von „Tristan und Isolde" gelauscht hat. Der ganze innere Vorgang des Akt-Beginnes wird von diesem Ton umgriffen: Tristan weilt jenseits dieser Erdenwelt, und was er erlebt ist Sehnsucht; eine Seelenkraft, die ihn nie zur Ruhe kommen läßt: „Im Sterben mich zu sehnen, vor Sehnsucht nicht zu sterben." Dies tönt uns die traurige Hirtenweise entgegen im Anblick des offenen Meeres, das gleichermaßen als metaphorisches Bild des unergründlichen Seelenozeans verstanden werden kann. Einzigartig der ständige Wechsel von „g" und „ges" in diesem Thema, der Tristans bewußtseinsmäßiges Hin- und Herschwanken zwischen Diesseits und Jenseits eindringlich erleben läßt. Einen ähnlichen Blick in die Zweiheit der Welten eröffnet uns die Hirtenschalmei im ersten Akt des „Tannhäuser", wenn sie sich in unbekümmerter Diesseitsfreude in die weihevollen Klänge des Pilgerchores mischt. Und von der erlösten Harmonie der beiden Sphären spricht uns die Oboen-Kantilene des „Blumenaue-Themas" im Karfreitagszauber des „Parsifal".

Als ungleiche Schwester der Oboe darf man die Klarinette erkennen. Hat man sehr oft die Oboe mit der „herben Jungfrau" verglichen, so zeichnet sich die „Schwester" durch Weichheit und Schmiegsamkeit aus. Kein anderes Blasinstrument besitzt in gleich hohem Maße die Fähigkeit der Klarinette, den Ton schwellen und schwinden zu lassen; hierin wie auch in ihrer Klangfülle, ist sie der menschlichen Stimme am nächsten. Spricht die Oboe vorwiegend vom Leid der Kreatur, so die Klarinette von der Freude. Folgerecht trägt ihr Ton daher auch im zweiten Akt „Lohengrin", als Gegenstück zur Traumerzählung, Elsas Glück den Lüften entgegen: „Euch Lüften, die mein

15

Klagen, so traurig oft erfüllt . . ." Klarinette und Flöte, nur sporadisch durch die Oboe unterbrochen, gestalten auch das Nachspiel von Elisabeths Gebet im dritten Akt „Tannhäuser". Hier spielt zusätzlich die Baßklarinette eine wesentliche Rolle. Elisabeths Wille von dieser Erdenwelt zu gehen, Wolframs Entsagungsschmerz, die Herbststimmung, der sinkende Abend mit der hereinbrechenden Nacht, alles das findet in der Motivik dieser Holzbläsergruppe seinen einzigartigen, empfindungsstarken Ausdruck.

Ganz anders die Blechblas-Instrumente. Der milde Klang des Waldhorns, der eherne Ruf der Posaune, sie tragen uns weit hinaus über die „natura naturata", die gewordene Natur, und lassen — unbewußt dem wachen Tagessinn — in ihrem Tönen die Lebensfülle mitschwingen, die hinter dem Sinnesteppich der Erscheinungswelt, als „natura naturans" liegt. Indem sie uns dies vermitteln, werden sie am allerunmittelbarsten zu „Organen der Schöpfungsgeheimnisse", aus denen wir die „Urgefühle der Schöpfung" zu ahnen vermögen, unberührt von der Empfindungswelt des eigenen Herzens. Denn anders als der Holzbläserton, der die menschliche Innerlichkeit zum Instrumentenklang verdichtet, webt im Erklingen der metallenen Blasinstrumente ein makrokosmischer Weltgehalt. Der eherne Klang einer Posaune, Trompete, aber auch eines Gongs oder Beckens, reicht am „weitesten" hinaus in das Universum. Die Bevorzugung dieser Instrumente als Priester- und Königsinstrumente zeugt für ihren Geist- und Ich-verbundenen Erlebnisgehalt. Die Geistnatur unseres Ichs und die mineralische Stoffeswelt korrespondieren seit Urbeginn des Evolutionsprozesses: „Im Urbeginne war das Wort!" Von ihm umgriffen, weil in ihm ruhend, das menschliche Ich. Der Mensch war noch ganz integriert im göttlichen Geistgehalt des Wortes. Denn das Wort kam aus göttlichem Munde und war selbst ein Gott. Und durch diesen göttlichen „Logos" ist alles Irdisch-Stoffliche geschaffen worden. So kündet es der Prolog des Johannes-Evangeliums. Und die Stimme, die dem Seher auf Patmos davon spricht, sie tönt wie eine „Posaune" aus den höchsten Sphären des Kosmos an sein Ohr. Und weit in das Universum dringt der Ruf des Priesters aus der langen erzenen Röhre, der ersten Form der Posaune. Bei ihrem siebenten Ruf stürzten die Mauern Jerichos. Vom Posaunenklang umweht, schwingt Wotan den heiligen Runenspeer, im Glanz der Posaunen erstrahlt Siegfrieds Sonnenheldentum.

Milder, weniger herrisch dagegen das Waldhorn. Sein warmer, lösender Klang durchtönt das „gewordene Erscheinungsbild" unserer Sinneswelt, dringt in sein hintergründiges, verborgenes Leben, von dem uns in Kindheitstagen die Märchenwelt mit so vertrauter Poesie zu künden wußte. Im Waldhorn tönt Nixen-Sehnsucht und Elfenlust an unser Ohr; es weckt die in der „natura naturans" webenden Gnome, Undinen und Sylphen zu musikalischem Leben. So erlebt es der junge Siegfried, als er plötzlich die Stimme des

Waldvogels erlauscht und versucht, ihm auf dem Instrument nachzusingen. Es ist die Freya-Welt, die in diesem Instrument zu Klang gerinnt. Die Weltenseele selbst tönt uns entgegen. Wo Hörner schallen, weitet sich unsere Seele zum süß-schmerzlichen Fern-Weh, das mit jedem Lenz die menschliche Brust ergreift.

> „. . . und hörte aus weiter Ferne
> Ein Posthorn im stillen Land . . ."

Sein Klang dringt dem Dichter tief in die Seele:

> „Das Herz mir im Leibe entbrennte,
> Da hab ich mir heimlich gedacht:
> Ach, wer da mitreisen könnte
> In der prächtigen Sommernacht!"
>
> (Josef von Eichendorff)

Doch ist diese Sehnsucht zur Ferne im tiefsten Grunde ja „Heimweh" nach der wahren Heimat der Seele. Als würde sie uns hinausheben wollen in ihre Unendlichkeit, so raunt sie geheimnisvoll uns zu, wenn der weiche Terzenklang der Hörner den Sinnesschleier vom Licht- und Elfenzauber der Sommernächte hebt. Wagner hat dies seinem Hans Sachs in den „Meistersingern" erfühlen lassen, wenn ihm der Hörnerklang das Geheimnis des Flieder-Duftes offenbart:

> „Was duftet doch der Flieder
> So mild, so stark und voll!
> Mir löst es weich die Glieder
> Will, daß ich was sagen soll!"

Die Weltenseele steht hinter dem Tonerlebnis dieses Instrumentes.

Allein der weiche, füllige Hornton ist mit einemmal verschwunden, wenn sich die Rechte des Spielers zur Faust ballt, und sich in die Stürze schiebt. Das Instrument zeigt dann jenen gepreßten, näselnden Klang, der Wagner häufig zur Charakterisierung seiner Alberich-Gestalt im „Ring des Nibelungen" geeignet schien. Vor allem bei jener Thematik, die man als Motiv des „Vernichtungswillens", oder als „Nibelungen-Haßmotiv" bezeichnet. Es ertönt im „Rheingold" zum ersten Mal in dem Augenblick, da Alberich durch Wotan seines Ringes beraubt wird. Der Fluch, den der Betrogene an den Ring heftet, macht Alberich von da an zum Repräsentanten des „kosmischen Hasses". Der „gestopfte" Instrumentenklang ist verzerrt, alles Schmiegsame und Weiche, das den Hornton auszeichnet, ist ins Gegenteil verkehrt: ein bresthaftes, stechend-sprödes Ächzen schlägt uns entgegen. Doch auch in dieser Verkehrung bleibt das Instrument Repräsentant eines objektiven Weltgeschehens.

In der ganzen Schönheit seines weltenumspannenden Seelengehaltes aber offenbart sich uns der Hörnerklang im „Tristan", wenn er mit einem herrlichen E-Dur die Vision des Helden einleitet, in welcher der zu Tode Verwundete Isolde über das Meer ziehen sieht wie über eine blühende Wiese. Hier ist die „anima mundi" wirklich reinster Klang geworden.

Ganz anders die Trompete. Das Weiblich-Aphroditenhafte ist ihr fremd. Vom Weltengeist kündet dieses Königsinstrument; der Ton ist stolz und herrisch. Man denke an die Königstrompeten im „Lohengrin". Das rote Standartentuch mit dem die Trompete stets geschmückt war — können wir es in seinem tiefsten Urgrund nicht als Ausdruck jener michaelisch-apollinischen Tat der Überwindung und Durchlichtung des Drachenblutes verstehen? Diese Ich-Kraft, die der Trompetenton auszustrahlen scheint, ist wohl auch die Erklärung, warum wir den Trompeten- und Posaunendienst in ältesten Zeiten sowohl mit den Geheimnissen des Totendienstes verbunden sehen, als auch mit dem Kampf gegen die drohenden Mächte der Finsternis. Jedem dieser Geschehnisse ist das Ich im besonderen verbunden; immer handelt es sich um das kämpferisch-königliche Wesen der Ich-Kraft.

Ein bildhaft-tönendes Zeugnis finden wir etwa im Aufleuchten des im Stamm der Esche haftenden, für Siegmund bestimmten Schwertes im ersten Akt der „Walküre". Und wie umstrahlt uns heldischer Trompetenglanz, wenn der Held, unter den Klängen des Schwert-Motivs, dieses Schwert aus dem Baumstamm — nein: aus dem „Stammbaum" einstiger Bluts- und Sippenverbundenheit zieht, und damit Zeugnis ablegt für sein werdendes, individuell-ichhaftes „Wälsungentum".

Welche Schichte seines Wesens aber hat der Mensch im Blechblas-Instrument verobjektiviert? Die Tonerzeugung bei diesen Instrumenten erfolgt mit allen Gliedern, die der Mensch beim Sprechen betätigt, d. h. um das Wort gestalten zu können: bei den Holzbläsern sprachen wir von den Stimmbändern, die den Ton erzeugen; bei der Flöte ist es der reine Atem. Hier handelt es sich um „Klangwerdung des Wortes". Im Anblasen soll der Spieler tun, „als würde er sprechen". Lippen, Zunge, Zähne und Gaumen — alle, das Wort bildenden Glieder und Organe sind zur Tongebung aufgerufen. Und das Wort — als „Logosgehalt der Welt", stand ja bei dieser Gruppe von Anfang an Pate. In seinen Hörnern und Trompeten spricht der Mensch den Wortgehalt des Universums aus. Dies war die innere Sehnsucht, das innere Erlebnismoment, das von allem Anfang an mit jenen Instrumenten verbunden war. „Im Urbeginne war das Wort!" Von ihm umgriffen — so sagten wir — weil in ihm ruhend, das menschliche Ich. Jetzt ist das Wort Klang geworden und tönt, durch Menschenmund zum Klingen gebracht, im Glanz der ehernen Instrumente dem Universum zurück.

18

Ein sehr treffendes Zeugnis dafür scheint uns der Übergang zur zweiten Szene im „Rheingold" zu sein, wo sich das Ring-Motiv, von Holzbläsern getragen und von Alberichs Nöten kündend, zum Walhall-Thema weitet, majestätisch im vollen Klang der Blechbläser erstrahlend. Die Einheit der musikalischen Substanz, die beide Themen verbindet, macht die Entsprechung zwischen Mikrokosmos (Ring-Motiv, Holzbläser) und Makrokosmos (Walhall-Thema, Blechbläser) voll deutlich. Gleiches spricht sich in der wechselnden Instrumentation des Glaubensthemas im Parsifal-Vorspiel aus.

So läßt sich zusammenfassend sagen: als Konkretisierung von Imaginationen aus der menschlichen Wesenheit haben sich uns die Musikinstrumente geoffenbart. Darin liegt mehr als bloße Organprojektion; denn alle Wesensschichten — auch die geistig-seelischen, sind darin einbezogen. Ganz aus diesem geistig-seelischen Bereich, der „anima sensitiva" (Th. v. Aquino) ist das Saiteninstrument herausgeholt, als Abbild der „Leier Apollos", deren physiologische Spiegelung das Nerven-Sinnessystem darstellt. Das Blasinstrument erweist sich als eine weit aufgefächerte Realisierung makro- und mikrokosmischer Entsprechungen. Beginnend mit dem reinen Atemstrom (lat. flatus = der Hauch, davon „Flöte"), spannt sich der Bogen von einer dionysischen Innerlichkeit bis zum Weltenwort des Universums. Vom „Atem" über „Kehlkopf", „Zunge", „Lippe", „Gaumen", führt uns das Blasinstrument zur Klangwerdung des Wortes, die mit ihrem Sinngehalt die tiefsten Untergründe der Kreatur ebenso umgreift, wie die Weltwerdung des göttlichen Wortes.

So erklingt uns im ausgebreiteten Orchester der ganze Mensch entgegen und wir mögen daraus erkennen, welch unvergleichlich wichtige Rolle der Instrumentation im Musikdrama Wagners zufällt, das ja nicht Oper im herkömmlichen Sinne sein will, sondern den Dreiklang von Weisheit, Kunst und Religion verwirklichen möchte, und sich damit als ein Welt- und Menschheit umspannendes Werk aus dem Geiste der Musik erweist.

Bernard Schulé, Genf

# RICHARD WAGNERS EINFLUSS AUF DIE VERWENDUNG VON BLASINSTRUMENTEN BEI FRANZÖSISCHEN KOMPONISTEN UM DIE JAHRHUNDERTWENDE

Paul Dukas hat in seiner Kompositionsklasse der „École Normale de Musique" in Paris — zu der ich in den frühen dreißiger Jahren gehörte — öfters darauf hingewiesen, wie die französische Musik am Ende des 19. Jahrhunderts so stark von Richard Wagners Musik beeinflußt gewesen sei, daß um die Jahrhundertwende ein französischer Komponist, der nicht in einem wagnerischen Stil komponierte, nicht die geringste Aussicht hatte, einen offiziellen Kompositionsauftrag zu erhalten oder an einem Musikfest aufgeführt zu werden. Dukas zeigte in verschiedenen Partituren Beispiele von wagnerischen Merkmalen. Dies waren nicht nur die von Chromatik durchsetzten Harmonien, die Modulationen, die ununterbrochenen Melodien, die großen Intervalle in der Melodik, sondern ganz besonders auch die Art der Verwendung der Blasinstrumente, sowohl der Holz- als der Blechblasinstrumente.

Wenn ich mich richtig erinnere, handelte es sich um Beispiele der Komponisten: Emmanuel Chabrier (1841—1894), Ernest Chausson (1855—1899), César Franck (1822—1890) und Vincent d'Indy (1851—1931). Andere Komponisten könnten als ebenso typisch erwähnt werden: Alfred Bruneau (1857—1934), Etienne Reyer (1823—1909), Henri Duparc (1848—1933) und in ihren früheren Werken Guy Ropartz (1864—1955) und André Messager (1853—1929).

Diese Charakteristiken können wir vereinzelt schon ungefähr ab 1875 beobachten. Ein Beispiel dafür, und dies ganz besonders nach dem Einsatz der Trompeten (Takt 275), ist die sinfonische Dichtung „Eolides" von César Franck, die 1876 komponiert wurde.

Im ersten Teil meines Referates möchte ich über den Einfluß Frankreichs auf Wagner sprechen, um dann im zweiten Teil umgekehrt dem Einfluß Wagners auf Frankreich in den Jahren vor der Jahrhundertwende nachzugehen.

Wir alle kennen die zahlreichen Fäden, die Wagner immer wieder mit Frankreich verbunden haben. Wir denken natürlich nicht nur an seine spätere Frau, Cosima, die Halbfranzösin war oder an seine letzte sentimentale Bestrickung durch Judith Gautier, Tochter des berühmten französischen Schriftstellers Théophile Gautier, sondern an so viele Ereignisse, die in Erinnerung zu rufen sicher interessant sein könnte. Politische Ereignisse übergehe ich dabei.

Schon bei seiner Geburt war Richard Wagner von Frankreich umgeben; denn am 22. Mai 1813 war Leipzig ein von Frankreich besetztes Gebiet. Erst nach der Völkerschlacht bei Leipzig — Oktober 1813 — zogen sich die französischen Truppen aus diesem Teil Deutschlands zurück.

Seit seiner Jugend träumte Wagner von Paris und der Pariser Oper, die für ihn, wie damals für so viele andere, das Weltzentrum des Kulturlebens bedeutete. Die erste Erwähnung Wagners in Frankreich findet sich in einer Notiz in der Revue Musicale vom 25. Mai 1833: In Leipzig sei eine Sinfonie von Richard Wagner uraufgeführt worden, welche, besonders wenn man bedenke, daß der Autor erst zwanzig Jahre alt sei, einen „mérite remarquable" habe.

Am 27. Oktober 1834 schrieb Wagner an Theodor Apel: „. . . mit dieser Oper (Liebesverbot) muß ich dann durchschlagen, und Ruf und Geld gewinnen; ist mir es geglückt, beides zu erlangen, so ziehe ich mit beidem und mit Dir nach Italien, und dies zwar im Frühjahr 1836. In Italien komponiere ich dann eine italienische Oper, und wie es sich macht auch mehr; sind wir dann braun und kräftig, so wenden wir uns nach Frankreich, in Paris komponiere ich dann eine französische Oper, und Gott weiß, wo ich dann bin! Wer ich dann bin, das weiß ich: — kein deutscher Philister mehr."

Einen weiteren Hinweis, wie sehr Wagner von Paris angezogen war, erkennen wir darin, daß er den Entwurf zu einer Oper „Die hohe Braut", nach dem Roman von Heinrich König, auf französisch übersetzen ließ (Wagner war 23 Jahre alt!) und ihn an den damals berühmtesten Librettisten Frankreichs sandte: Eugène Scribe. Dieser hatte zahlreiche Libretti für bekannte Komponisten geschrieben, wie Meyerbeer, Halévy, Auber, Boieldieu und später übrigens auch für Verdi. In dem beigelegten Brief bat Wagner Scribe, daraus ein Libretto in Versform zu schreiben und gab als einzige Bedingung, daß er (Wagner) den Auftrag erhalte, dazu für die Pariser Oper die Musik zu komponieren. Da Wagner keine Antwort erhielt, schrieb er ein zweites Mal ein Jahr später und legte die Partitur seines „Liebesverbotes" bei, das in Magdeburg uraufgeführt worden war, diesmal mit der Bitte an Scribe, die Partitur Meyerbeer und Auber zu zeigen und falls diese das Werk wohlwollend beurteilten, eine französische Bearbeitung für eine Aufführung in der Opéra-Comique anzufertigen. Nach dem Wagner-Biographen Ernest Newman soll Wagner gleichzeitig an Meyerbeer geschrieben haben. Aber wiederum kam keine Antwort.

1839 verlobte sich Wagners Schwester, Cäcilia, mit einem in Paris lebenden Vertreter des deutschen Verlegers Brockhaus (Eduard Avenarius). Wagner schrieb an seinen künftigen Schwager, er möge Scribe aufsuchen, um zu erfahren, wie es um diese Projekte stehe. So hörte Wagner, daß Scribe nicht nur die Partitur erhalten hatte, sondern sich diese auch durch einen Schüler des Konservatoriums hatte vorspielen lassen.

Die Notwendigkeit, wegen seiner Schulden Riga eiligst zu verlassen, und das Gefühl, daß er nun in Paris schon bekannt sei, veranlaßten Wagner, 1839 in Frankreichs Hauptstadt sein Glück zu suchen. Nach seinen schlechten Erfahrungen in Würzburg, Magdeburg, Königsberg und Riga wurde Paris sein neues Heim, — Paris, das zu erobern sein Ziel war. Er rechnete besonders mit einer erfolgreichen Aufführung des „Rienzi", den er in Paris vollenden wollte.

Auch hier ging nicht alles, wie er es geplant hatte, und die ganze Pariser-Episode bis 1842 gehört zu den härtesten Zeiten, die Wagner und seine Frau Minna durchmachen mußten. Es waren aber auch anregende und wichtige Jahre für Wagners Weiterbildung. Er hatte Gelegenheit, viel für ihn neue Musik kennen zu lernen und wir wissen zum Beispiel, daß Berlioz' „Roméo et Juliette" einen gewaltigen Eindruck auf ihn gemacht hat.

In den „Concerts du Conservatoire" hörte er eine musterhafte Aufführung der neunten Sinfonie Beethovens. Wagner berichtete, daß er diese Sinfonie in ganz jungen Jahren bewundert hatte, als er nur die Partitur kannte. Siebzehn Jahre alt habe er, nachdem er im Gewandhaus in Leipzig eine Aufführung gehört hatte — vermutlich mittelmäßiger Qualität — am Genie Beethovens gezweifelt. Mit der Pariser Aufführung — dies sind Wagners Worte: „Schuppen fielen von meinen Augen, und ich erkannte die entscheidende Wichtigkeit einer guten Aufführung". Nach den Memoiren von Friedrich Pecht soll Wagner hinzugefügt haben: „Das Geheimnis dieser Aufführung ist, daß die französischen Orchestermusiker im lyrischen Stil der italienischen Oper geschult sind und gelernt haben, daß die Melodie — der Gesang — das Wichtigste in jeder Musik ist." Wagner hat 1872 in Bayreuth bei der Grundsteinlegung des Festspielhauses und wieder 1876 zu dessen Eröffnung die neunte Sinfonie aufführen lassen.

Wagner komponierte in Paris eine ganze Reihe von Melodien mit zum Teil ausgesprochen patriotischen Texten, wie z. B. „Les deux grenadiers" (nach Heine in französischer Übersetzung), ein Lied, das wie die bekannte Vertonung von Schumann am Schluß auch das Thema der Marseillaise verwendet, oder „Adieu de Marie Stuart" (von Béranger) mit dem letzten Vers:

„Adieu, charmant pays de France,
que je dois tant chérir!
Berceau de mon enfance,
adieu, te quitter c'est mourir!

23

„Land Frankreich, . . . dich verlassen heißt sterben." Diese Kompositionen
sandte Wagner bekannten Opernsängern und -sängerinnen, um diese damit
zu gewinnen, später seine Opern zu singen. Ein neu gegründeter Musikverlag, Flaxland, publizierte 1840 drei dieser Lieder, was damals ein erhebliches
finanzielles Risiko war. Flaxland blieb Wagner sehr treu, und dies spielte
später eine nicht unwesentliche Rolle, da Flaxland, ab 1870 unter dem
Namen Durand, der bedeutendste Musikverlag Frankreichs wurde.

Wie fast überall geriet Wagner auch in Paris immer mehr in Schulden. Um
Geld zu verdienen, schrieb er Artikel und Novellen, und er mußte allerlei
Arbeiten annehmen, die ihm lästig waren. Das Kornett, kurz vor 1830 von
Hilary erfunden, war in Paris große Mode geworden. Es gelang Wagner vom
Verleger Schlesinger den Auftrag zu erhalten, vierzehn Suiten für Kornett-
Solo mit Klavierbegleitung zu bearbeiten aus den damals populärsten Opern.
Der Verleger ließ Wagner deswegen Klavierauszüge von 60 verschiedenen
Opern zukommen, unter anderen Daniel François Esprit Aubers „La muette
de Portici". Dies war für Wagner eine einzigartige Gelegenheit, alle diese
Opern im Detail zu studieren. Die Kornett-Suiten waren aber so schlecht für
das Instrument geschrieben, daß sie von einem damals bekannten Kornett-
spieler namens J. B. Schilz überarbeitet werden mußten, und dieser letztere
erhielt auch die Hälfte des versprochenen Honorars. Eine andere lästige
Arbeit war das Herstellen von Klavierauszügen, unter anderen von Donizettis „La Favorita".

Aus Cosimas Tagebüchern wissen wir, daß dies alles dauernd auf Wagner
eingewirkt hat. Am 17. April 1878 lesen wir: „. . . Dann erzählt er uns, wie
lächerlich es sei, wenn er soeben an seinem Parsifal komponiert habe, beim
‚Hosen- und Stiefel-Anziehen' fiel ihm die Kadenz der ersten Arie von Elvira
aus der ‚Stummen' (La muette) ein!" Am 26. Juni 1882 steht im Tagebuch:
„. . . Richard setzt sich an's Klavier, blättert im Parsifal und spielt dazu
Auber; das bringt ihn auf die Hervorhebung der Genialität, mit welcher
Auber für die Trompete geschrieben hätte . . ." Eine ähnliche Notiz finden
wir schon am 21. Oktober 1878: „. . . wie er überhaupt sehr oft Auber's ge-
denkt, namentlich seines Genies, für die Trompete zu schreiben."

Trotz all seinen Schwierigkeiten konnte Wagner an seinem Lebenswerk
arbeiten, wenn auch mit Unterbrechungen. Er schrieb die erste Fassung seiner Faust-Ouvertüre, und er vollendete und instrumentierte „Rienzi". Man
ist immer beeindruckt, wie brillant die Instrumentierung des „Rienzi"
klingt. Sie ist aber so stark unter dem Eindruck von dem entstanden, was
Wagner in Paris gehört hatte, daß Hans von Bülow später sagen konnte:
„Rienzi ist Meyerbeers beste Oper."

Wagner hatte auch einen Entwurf des Librettos zum Fliegenden Holländer beendet. Er sandte ihn dem Direktor der Pariser Oper, dem die Idee so gut gefiel, daß er Wagner vorschlug, das Libretto und die Musik von bekannten Autoren schreiben zu lassen für eine Aufführung in der Oper. Dies hatte Wagner zwar nicht erhofft. Da ihm aber ein günstiger Preis dafür bezahlt wurde, wagte er nicht abzulehnen, schon wegen Minna, die unter dem ewigen Geldmangel schrecklich litt. Es liegt etwas Ironisches darin, daß dieses Geld Wagner die Möglichkeit gab, seinen eigenen „Fliegenden Holländer" zu vollenden und diesen dem Direktor der Hofoper in Berlin zu schicken.

Die Zukunft schien endlich erfreulicher. Dresden hatte 1841 den „Rienzi" angenommen, und nun versprach auch Berlin eine Uraufführung des „Fliegenden Holländer". Wagner dachte, daß nun die Zeit gekommen sei, nach Deutschland zurückzukehren. 1842 verließ er Paris, um einen neuen Wohnsitz in Dresden zu beziehen.

Wie sehr Wagner sich bewußt war, was er alles Paris verdankte, ersehen wir aus einem Brief an seine Schwester Cäcilia von 1842: „. . . Nie ist uns ein Abschied schwerer geworden, als der aus Paris. Gott! was sind all diese Leiden, die wir dort ausstanden, gegen das, was wir von dort mit uns nahmen."

Sieben Jahre später mußte Wagner aus Sachsen fliehen, da er an den politischen Unruhen in Dresden teilgenommen hatte. Über Zürich kam er am 2. Juni 1849 wieder nach Paris — übrigens mit einem Schweizer Paß — kehrte aber Anfang Juli zurück nach Zürich. Nach vier kurzen Pariser Aufenthalten (1850, 1853, 1855 und 1858) ließ er sich 1859 ein zweites Mal für längere Zeit in Frankreichs Hauptstadt nieder. Grund für diesen Aufenthalt, der bis 1862 dauerte, waren drei große Wagner-Konzerte im Théatre Italien und vor allem die Vorbereitung der „Tannhäuser"-Aufführungen mit französischem Text in der Pariser Oper. Uns allen sind die „Tannhäuser"-Aufführungen bekannt, die — nach 164 Proben! — schon nach der dritten Vorstellung wegen organisierter Tumulte, Pfeifkonzerten und parteiischer, oft beleidigender Zeitungsartikel abgesetzt werden mußten. Einmal mehr hatte Wagner Paris nicht erobern können.

Trotz all der Enttäuschungen waren die Pariser Jahre wieder sehr fruchtbar gewesen. Wagner vollendete die Dichtung der „Meistersinger" und fand einen Kreis von feinsinnigen Menschen, die ihn nicht nur als Opernkomponisten, sondern auch als Schöpfer eines neuen Kunstideals bewunderten. Charles Baudelaire, der große französische Dichter, schrieb 1860 an Wagner — er hatte kurz vorher zum ersten Mal Wagners Musik gehört —: „. . . Avant tout, je veux vous dire . . ." „Vor allem will ich Ihnen sagen, daß ich Ihnen die stärkste musikalische Emotion verdanke, die ich je in meinem Leben empfunden habe."

Diese Zeilen geben uns vielleicht Einblick in den wesentlichen Grund des Erfolges von Wagners Musik. Französische Musik war damals einerseits oberflächliches Divertissement und andererseits etwas Abstraktes, was als tönende Form bezeichnet wurde. Noch heute steht im Lexikon Larousse als Definition von Musik: „L'art de combiner des sonss" (die Kunst Töne zu kombinieren). Strukturelle Komplexität galt als Beweis einer hohen kompositorischen Qualität, welche erst die Daseinsberechtigung des Werkes schuf. Wagners Musik hingegen löste bereits beim ersten Hören Gefühlszustände, Emotionen aus. Die Vertreter der abstrakten, mit Kombinationen durchsetzten Musik wehrten sich mit allen Mitteln gegen diese für sie „unmusikalische Gefühlsduselei".

Man könnte sich fragen, ob wir heute nicht eine ähnliche Entwicklung sehen. Die von vielen als sogenannte „Postmoderne" bezeichnete neue Stilrichtung sucht — im Gegensatz zur Avantgarde — eine sofort faßbare melodische und expressive, größtmögliche strukturelle Einfachheit.

Der Instrumentenbau der Blasinstrumente hatte in der ersten Hälfte des 19. Jahrhunderts große Fortschritte gemacht, während die Streichinstrumente schon 150 Jahre früher, zur Zeit von Stradivarius, einen bis heute nicht überschrittenen Höhepunkt erreicht hatten. Wagner nutzte die neuen technischen Möglichkeiten der Blasinstrumente, und ganz besonders auch der Blechbläser im Rahmen einer Ausdrucks-Ästhetik. In den damaligen Anti-Wagner-Kritiken und Schriften finden wir immer wieder den Vorwurf der „. . . trop grande abondance des cuivres" (der zu üppigen Blechbläser).

Nachdem Wagner 1862 Frankreich verlassen hatte, war er 1867 noch ein letztes Mal für einige Tage in Paris zum Besuch der „Exposition Universelle". Am 18. Juli desselben Jahres 1867 schrieb Wagner den bekannten Brief an Ludwig II., in dem er darauf hinwies, daß trotz aller Enttäuschungen Paris ihm in kurzer Zeit all das beigebracht habe, für was er sonst vielleicht die Hälfte seines Lebens hätte opfern müssen.

Nach 1861 finden wir mehr und mehr Werke Wagners in den Programmen der Pariser Sinfoniekonzerte, und „Rienzi" wurde zum Beispiel 1869 fünfundzwanzigmal im Théatre Lyrique gespielt. Einen Unterbruch brachte der deutsch-französische Krieg 1870/71, aber schon kurz nach Kriegsende erschien bei Flaxland, Durand successeur eine „Esquisse sur Richard Wagner" in der der Verfasser dieses Lobgesanges auf Wagner, Charles Grandmougin, im Vorwort schreibt: „Kunst ist kosmopolitisch und das Genie hat kein Vaterland."

Ende des 19. Jahrhunderts wurden in keiner anderen Stadt so viele Werke Wagners aufgeführt, wie in Paris. Bis 1900 wurde z. B. „Tannhäuser" innerhalb weniger Jahre 97mal, die „Walküre" 114mal und „Lohengrin" 170mal in der Oper gespielt. In diesem Durchbruch spielten die „Salons littéraires" eine wesentliche Rolle. Gerade unter den Schriftstellern war die Bewunderung Wagners sehr verbreitet, und neben dem schon erwähnten Baudelaire hatten Théophile Gautier, Stéphane Mallarmé u. a. seit Jahren begeistert über „Tannhäuser" und „Lohengrin" geschrieben. Infolge seines Glaubens an das Gesamtkunstwerk wurde Wagner von den Symbolisten hochgeschätzt und oft als einer der ihrigen angesehen. Maler wie Cézanne, Gauguin, Renoir, Redon und Fantin-Latour waren von ihm beeinflußt. Die beiden letzteren haben Gemälde mit Themen aus Wagners Opern geschaffen. 1885 gründete Ernest Dujardin eine „Revue Wagnérienne", die Wagner geradezu vergötterte — „presque divinisé" — mehr vom literarisch-philosophischen als vom musikalischen Standpunkt aus.

Zahlreich waren die französischen Musiker, die eine Pilgerfahrt nach Bayreuth machten. Noch zu Wagners Lebzeiten waren unter andern Saint-Saëns, Widor, Chausson, Delibes und Vincent d'Indy bei einer „Ring"- und „Parsifal"-Aufführung anwesend, und auch nach Wagners Tod reisten fast alle französischen Komponisten nach Bayreuth; Debussy nahm zweimal an den Festspielen teil.

Es ist daher nicht verwunderlich, daß wir einen Einfluß Wagners auf die meisten dieser Komponisten finden können. Ein typisches Beispiel von wagnerischem Bläsersatz — Paul Dukas hatte es herausgegriffen — finden wir gleich in den ersten Takten der Sinfonie von Chausson.

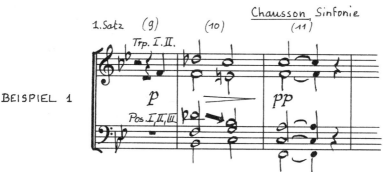

BEISPIEL 1

Der Abwärtssprung (hier in der 1. Posaune) in die nicht vorbereitete Septime des Dominantakkordes in Takt 10 ist eine für französische Komponisten neue Schreibweise, die bei Wagner angetroffen wird, um dieser Septime mehr emotionelle Bedeutung zu geben. Schon in Wagners Instrumentierung des Wesendonk-Liedes „Träume" für Solo-Violine und dreizehn Instrumente aus dem Jahre 1857 haben wir diesen Abwärtssprung z. B in den Takten 49/50 (diesmal in der 2. Klarinette).

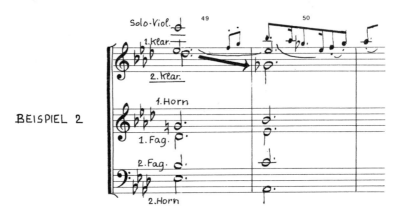

BEISPIEL 2

Wäre der Anfang des 3. Satzes der Sinfonie Chaussons möglich, ohne den Ring zu kennen? (Notenbeispiel 3, S. 29)

In der ganzen Sinfonie finden wir typische Beispiele des wagnerischen Einflusses auf die Art der Verwendung der Blasinstrumente. Es wäre interessant, diesen Beispielen im einzelnen nachzugehen, doch würde dies den Rahmen eines kurzen Referates sprengen. Auch in zahlreichen anderen französischen Werken finden wir viele Beispiele. Es sei hier auf einige hingewiesen: „Symphonie légendaire" von Benoit, „Gwendoline" von Chabrier, „Léonore" von Duparc, „Wallenstein" von d'Indy und „Sigurd" von Reyer. Dieses letztere Werk kann man beinahe als wagnerische Nachahmung bezeichnen.

Bayreuth hat seit über einhundert Jahren zahlreiche Besucher aus Frankreich angezogen. Friedelind Wagner zitiert in ihrem Buch „The Royal Family of Bayreuth" einen Brief ihres Vaters Siegfried Wagner von 1921 an einen Herrn Püringer, in dem Siegfried feststellt, daß Deutschland Wagner erst anerkannt habe, nachdem ihm in Paris applaudiert worden sei. Die fünf Jahre des „Ringes", unter der Leitung von Pierre Boulez, mit Chéreau als Regisseur, zeigen uns, daß der Kontakt Wagner — Frankreich immer noch sehr lebendig ist.

'BEISPIEL 3

CHAUSSON, Symphonie

29

# LITERATUR

Aus der Fülle von Wagner-Literatur erwähne ich nur die folgenden Arbeiten:

Ch. G r a n d m o u g i n , *Esquisse sur Richard Wagner,* Paris 1872.

F. H e r z f e l d , *Minna Planer und ihre Ehe mit Richard Wagner,* Leipzig 1938.

R. J a c o b s , *Wagner Writes from Paris,* London 1973.

M. L e r o y , *Les premiers amis françois de Wagner,* Paris 1925.

E. N e w m a n , *The Life of Richard Wagner,* 4 Bände, London 1933—1947.

B. O l l i v i e r , *Choix de lettres entre Richard Wagner et Louis II. de Bavière,* Paris 1960.

*Revue internationale de musique française,* Paris, Février 1980.

G. S k e l t o n , *Richard and Cosima Wagner,* London 1982.

G. S k e l t o n , *Wagner at Bayreuth,* London 1965.

C. W a g n e r , *Die Tagebücher,* 2 Bände, München 1976—1977.

F. W a g n e r , *The Royal Family of Bayreuth,* London 1948.

Friend R. Overton, Leichlingen

## HISTORISCHE PERSPEKTIVEN UND EINFLÜSSE
## DES WAGNERSCHEN SERPENT-PARTS IN „RIENZI"

Richard Wagner, der als anerkannter Meister der Orchestration gelobt wird, hat den Serpent nur einmal in einem musikdramatischen Werk eingesetzt, und zwar in seiner erstmals 1842 aufgeführten Oper „Rienzi". Diese Benutzung ist einer der letzten Auftritte des Serpents in der Kunstmusik. (Von den von uns als wichtig angesehenen romantischen Komponisten liegt dahinter nur Giuseppe Verdis Serpentpart in „I Vespri Siciliani" vom Jahre 1853.) Von dieser für das Instrument lebenswichtigen, kritischen Zeit also wäre es von Interesse zu wissen: Warum hat ein Meister, zugegeben ein lernender Meister, aber ein Mann mit soliden musikalischen Erfahrungen, dieses Instrument in diesem Augenblick ausgewählt? Welche musikalischen Wirkungen und Vorteile hat es ihm gebracht? Warum hat er es nicht weiter benutzt, und hat dieses Instrument, obwohl er es nicht wieder verwendete, ihn weiter beeinflußt? Wo war Wagner, als er dieses Werk komponierte; wer hat ihn beeinflußt?

Die Stationen von Wagners Leben bis „Rienzi" sind: Kinderjahre in Dresden; 1827 Umsiedlung nach Leipzig; 1830 Immatrikulation in der Universität Leipzig; mit neunzehn komponierte er eine Symphonie, die 1833 im Leipziger Gewandhaus aufgeführt wurde; 1833 Tätigkeit im Würzburger Theater, komponierte „Die Feen", eine Oper in 3 Akten; 1834 Dirigent am Magdeburger Theater, komponierte „Das Liebesverbot"; 1836 Dirigent in Königsberg; 1837 Dirigent in Riga; 1839 Ankunft in Paris; 19. November 1840 Fertigstellung von „Rienzi" in Paris; April 1842 Umsiedlung nach Dresden; 20. Oktober 1842 Produktion von „Rienzi" in der Dresdener Oper.

Warum hat ein bis dahin im mitteldeutschen Raum beschäftigter Musiker sich plötzlich nach Paris begeben? Nur eine Antwort ist möglich: weil er dort die Fortsetzung seiner künstlerischen Richtung erwartete. Dort waren die modischen Berühmtheiten, die er suchte.

Wagner sagte von seiner 1836 unternommenen Reise nach Berlin: „Der wichtigste künstlerische Eindruck, den ich außerdem dort erhielt, kam mir aus einer Aufführung des ‚Ferdinand Cortez' unter Spontinis Leitung: der Geist derselben überraschte mich auf fast ungekannte Weise ... Dieser sehr deutliche Eindruck lebte drastisch in mir fort und hat mich bei der Konzeption meines ‚Rienzi' namentlich geleitet, so daß in künstlerischer Beziehung

Berlin seine Spuren in meinen Entwicklungsgang eingrub."[1] Die Opern des Italieners Spontini waren französische Grandes Opéras.

1804, nach der Produktion von 16 italienischen Opern, hat Spontini einen großen Erfolg in Paris mit der Oper „Milton". Er wurde Kammerkomponist der Kaiserin Josephine. Durch ihre tatkräftige Hilfe wurde seine Oper „La Vestale" 1807 mit größtem Beifall produziert. Diesem Werk wurde, nach dem einstimmigen Urteil der hochangesehenen Musiker É. N. Méhul, F. J. Gossec und A. E. Grétry, der Napoleonpreis für das beste Werk des Jahrzehnts verliehen. 1809 wurde die Oper „Ferdinand Cortez", die Wagner 27 Jahre später so beeindruckte, mit großem Ansehen uraufgeführt. Nach dem französischen Regierungswechsel wurde er 1814 zum Hofkomponisten König Ludwigs XVIII. ernannt. 1819 produzierte er die Oper „Olympie", die 1826 in Paris in einer umgearbeiteten Fassung erfolgreich war. 1820, auf dem Gipfel seines Ruhmes, wechselte er zum Berliner Hof, wo er Hofkomponist und Generalmusikdirektor wurde. Er hat mehrere großangelegte Opern in Berlin komponiert, darunter „Agnes von Hohenstaufen" (1829), und seine früheren Opern mit großem Erfolg produziert. Jedoch hat er in mehrjährigen Hofintrigen letzten Endes verloren und wurde 1842 mit vollem Gehalt pensioniert.

Spontinis künstlerischer Nachfolger in Paris war der geborene Berliner, Giacomo Meyerbeer, der sich nach mehreren erfolgreichen italienischen Opern 1826 in Paris niederließ. Seine erste französische Oper, „Robert-le-Diable" (1831), war enorm erfolgreich und hat seinen Namen und den der Pariser Opéra in weiten Teilen Euroaps bekannt gemacht. 1836 wurde die Oper „Les Huguenots" uraufgeführt, die ihn als leitende Figur der Pariser Grand Opéra bestätigte. Als diese Oper 1842 mit eindeutigem Erfolg in Berlin produziert wurde, wurde er mit der Hilfe des Wissenschaftlers Alexander von Humboldt als Nachfolge Spontinis zum Generalmusikdirektor am Hofe König Friedrich Wilhelms IV. ernannt. Es war also, in Wagners Augen, diese italienisch-französische Überlegenheit im Gesang und in der lebhaften Behandlung der Opernmusik, die ihn anregte.[2] Es war die „eigentümliche Würde großer theatralischer Vorstellungen, welche in allen ihren Teilen durch scharfe Rhythmik zu einem eigentümlichen, unvergleichlichen Kunstgenie sich steigern konnten"[3], die ihn faszinierte. „Im ‚Rienzi' bestimmte mich überall da, wo mich nicht bereits schon der Stoff zur Erfindung bestimmte, der italienisch-französische Melismen, wie er mich zumal aus den

---

[1] R. Wagner, *Mein Leben,* hg. von Martin Gregor-Dellin, München 1963, S. 150.

[2] R. Wagner, *Mein Leben,* S. 104.

[3] Ebda., S. 150.

Opern Spontinis angesprochen hatte."[4] Im Juni 1837 besuchte Wagner Dresden, und während seines Aufenthaltes las er den Roman „Rienzi — The Last of the Roman Tribunes" von Edward Bulwer. „Während ich nun im tröstlichen Umgang mit meiner Familie mich erholte, arbeitete ich den Plan zu einer großen Oper aus."[5] „Durch widerliche äußere Verhältnisse daran verhindert, beschäftigte ich mich aber nicht weiter mit Entwürfen."[6]

Dieser erste Entwurf entstand zwischen dem 26. Juli und dem 7. August 1838; im September d. J. hat er vermutlich mit der Partitur begonnen. „Mit voller Begeisterung setzte ich im Winter die Komposition fort."[7] Er hatte im Winter 1838 aus dem Studium und der Produktion von Étienne Nicolas Méhuls Oper „Joseph" (1807) viel gewonnen. Dieses Werk eines französischen Meisters des Orchesters hat ihn tief beeindruckt. „Sein edler und einfacher Stil, zusammen mit der rührenden Wirkung der Musik, hatte nicht wenig zum vorteilhaften Umkehr meines Geschmackes beigetragen ..."[8] Wagner hatte „im Frühjahr 1839 die beiden großen Akte fertig."[9] „Wir setzten endlich kurz und gut fest, daß wir nach Ablauf meines zweiten Rigaschen Kontraktjahres, also im bevorstehenden Sommer (1839), direkt von Riga nach Paris reisen würden, um dort einzig mein Glück als Opernkomponist zu versuchen. Nun erhielt die Ausführung meines ‚Rienzi' immer größere Bedeutung."[10] In der Hoffnung auf eine Aufführung in französischer Sprache, hatte Wagner die Übersetzung von „Rienzi" im Juni bei dem Französischlehrer Henriot korrigieren lassen.

In Paris sollten Wagner einige Schwierigkeiten erwarten. Er war dort völlig unbekannt und hatte auf eine halbfertige Oper gesetzt, deren Aufführung viel Geld kosten würde. Er brauchte Unterstützung, und wie er schrieb: „Es (erschien) mir überaus glücklich, von Meyerbeers Aufenthalt eben in Boulogne (sur-Mer) selbst zu erfahren."[11] „In halbstündiger Entfernung von Boulogne"[12] hatte er ein Haus mit zwei Zimmern gemietet und „von hier aus

---

[4] R. W a g n e r , *Drei Operndichtungen nebst einer Mitteilung an meine Freunde als Vorwort,* Leipzig 1852, S. 156 f.

[5] R. W a g n e r , *Mein Leben,* S. 171.

[6] R. W a g n e r , *Sämtliche Briefe,* hg. von Gertrud S t r o b e l und Werner W o l f , Band 1, Leipzig 1967, S. 103 f. (Autobiographische Skizze vom Jahre 1843).

[7] Ebda., S. 105.

[8] R. W a g n e r , *Mein Leben,* S. 179.

[9] R. W a g n e r , *Autobiogr. Skizze,* S. 105.

[10] R. W a g n e r , *Mein Leben,* S. 187.

[11] Ebda., S. 201 f.

[12] R. W a g n e r , *Sämtliche Briefe,* Bd. 1, S. 81—92, (Die rote Brieftasche, Tagebuchaufzeichnungen 1835—1839).

machte [ich] mich denn zu einem ersten Besuch bei Meyerbeer auf . . ."[13] Er
hatte Meyerbeer einige Teile von „Rienzi" vorgelesen. Meyerbeer „nahm die
fertigen zwei Akte der Komposition zur Durchsicht an und bezeugte mir bei
einem späteren Besuche seine rückhaltlose Teilnahme für meine Arbeit
. . ."[14]

Die zwei Akte waren aber noch nicht gänzlich fertig. In einem Brief vom
23. August 1839 aus Boulogne-sur-Mer an Edward Avenarius sagte Wagner:
„Ich (habe) noch ein paar Wochen an dem zu arbeiten, was ich gern fertig
mit nach Paris brächte, um sogleich nach meiner Ankunft daselbst unverzüg-
lich meine Machinationen beginnen zu können . . ."[15] Während dieses vier-
wöchigen Aufenthalts hat Wagner den „2. Akt des Rienzi fertig instrumentiert".[16] Trotz der Behauptung Wagners vom Jahr 1843, daß er „an eine möglich zu machende Aufführung (seines) ‚Rienzi' in Paris . . . nie gedacht"[17]
habe, kann man sagen: (1) daß Wagner „Rienzi" unter dem Einfluß italie-
nisch-französischer Kunstideale konzipiert und komponiert hat; (2) daß er
„Rienzi" ursprünglich für französische Aufführungen gedacht hat; (3) daß
der junge 26-Jährige auf eine Karriere in der Gattung der Grand Opéra, wie
sein Vorbild Meyerbeer, hoffte; und (4) daß „Rienzi" gänzlich auf französische Erwartungen, bis hin zu Instrumentenauswahl, abgestimmt wurde.

Wie ist es mit dem Serpent? Was war sein Stellenwert im damaligen Frankreich?

Erst muß man die Geschichte des Serpents etwas erläutern. Aufgrund bisher bekannter Indizien und Berichte stammt der Serpent aus Frankreich,
und zwar aus der ersten Hälfte des 16. Jahrhunderts. Das Instrument ist aus
dem Baß-Zinken entwickelt worden, der in der verzierten Kunst des
16. Jahrhunderts häufig in phantastischen Formen gebaut wurde, häufig mit
Tierköpfen versehen war, was höchstwahrscheinlich zum Namen ‚Serpent'
geführt hat. Laut Bericht des Abbé Leboeuf aus dem Jahre 1743 wurde der
Serpent um 1590 von Edmé Guillaume, Kanonikus in Auxerre, ‚erfunden'
und als Begleiter des gregorianischen Kirchengesanges verwendet, wozu er
als gut geeignet empfunden wurde. Von Auxerre aus fand der Serpent, laut
Leboeuf, bald auch in anderen Kirchen Anwendung.

Jedoch scheint ein anderer Ablauf wahrscheinlicher. Es gibt einen gewun-
denen Serpent mit Tierkopf auf der rechten Seite des linken Hauptportals

13 R. W a g n e r , *Mein Leben,* S. 201 f.

14 Ebda., S. 201 f.

15 R. W a g n e r , *Sämtliche Briefe,* Bd. 1, S. 367 f.

16 Ebda., S. 84 (Die rote Brieftasche).

17 R. W a g n e r , *Autobiogr. Skizze* (1843), S. 107.

am Dom von St. Michel in der burgundischen Hauptstadt von Dijon. Dieses Portal wurde um 1550 fertiggestellt und mit einer Vielzahl der damals verwendeten Instrumente am Hofe und in der Kirche versehen. Der Spieler dieses Instruments zeigt eine Haltung mit vier geschlossenen und zwei offenen Grifflöchern und wird im Moment des Spielens dargestellt. Dieser Serpent besagt, daß das Instrument schon um 1550 breite Popularität in Frankreich genoß, die spätestens im zweiten Viertel des 16. Jahrhunderts gewachsen sei.

Die Verbreitung des Serpents wird durch schriftliche Darstellungen des Serpents und Serpentspielens belegt, die nach 1600 erschienen. Der erste, namentlich bekannte Serpentspieler ist Michael Tornatoris, der 1602 als Serpent- und Fagottspieler in der Kathedrale Nôtre-Dame zu Avignon angestellt wurde.

Die erste Erwähnung des Serpents in Deutschland findet sich im Jahr 1616 in den Berichten eines Tauffestes am Württemberger Hof in Stuttgart. Diese Festlichkeiten am 8. März 1616 anläßlich der Taufe des jungen Herzogs Friedrich enthielt Kompositionen von Ludwig Daser, Gregor Aichinger und dem Kapellmeister Tobias Solomon. Zum Schluß der feierlichen Handlung sang man ein dreichöriges Te Deum laudamus: „von dem Auctore Tobia Salomon Der erst, mit einer Positif, vier Geigen, zwo Lauten, einer Zwerchpfeiffen vnd grossen Subbassgeigen nebst vier Cantaten; der ander mit einer Regal, einem Zincken, zwo Posaunen, einer Fagot neben vier Vocalisten; der dritt auch mit einem Regal, drey Posaunen, einer Serpentin, neben vier Musicanten."[18]

Dieser „Serpentin" zeigt deutlich französische Ursprünge, weil (1) der Engländer John Price, hochbezahlter Virtuose des Zinken und der Viola bastarda, an dieser Feier teilnahm (John Price, unter dem Namen Jean Presse, wurde von 1604 hochangesehener Zinkenist im Dienste des Herzogs Charles III. von Lothringen und kam 1605 nach Württemberg als Führer einer großen „Compagnie" von Musikern[19]) und weil (2) der bekannteste Instrumentenmacher am Württemberger Hof zu dieser Zeit der Zinkenist Anton Caseau aus „Poters" (Poitou bzw. Poitiers) war, der 1585 nach Stuttgart kam. Höchstwahrscheinlich ist er der Hersteller von zwei Elfenbeinzinken (um 1589—1609), die sich jetzt im Württembergischen Landesmuseum befinden, und hat er u. a. 1598 eine „musikalische Kriegsausrüstung" (getarnte Blasinstrumente) die wohl Serpente enthalten hat.[20] Diese Verwen-

[18] F. R. O v e r t o n , *Der Zink: Geschichte, Bauweise und Spieltechnik eines historischen Musikinstruments,* Mainz 1981, S. 166.

[19] F. R. O v e r t o n , op. cit., S. 170.

[20] Ebda., S. 153 f.

dung des Serpents in Stuttgart ist augenscheinlich nicht die einzige geblieben, denn 1634 hat, während der Plünderung von Ottingen, einer Stadt nicht weit von Stuttgart, durch die Kroaten im Dreißigjährigen Krieg, der Stadtmusiker Heinrich Bronner „einen Secundzinken ohne Mundstück, (und) einen Serpent ohne Stift und Mundstück"[21] in Sicherheit nach Rothenburg o. d. T. gebracht.

Diese frühen Erwähnungen des Serpents unterstreichen seine häufige Verbindung mit Fagott und Posaune, und natürlich auch mit dem Zinken; Verbindungen, die bis zum Niedergang des Serpents andauerten.

Der Serpent wurde von einem Musiktheoretiker erstmals in den Jahren 1636 bis 1637 behandelt, und zwar in dem in Paris erschienenen Buch „Harmonie Universelle" von Marin Mersenne. Dessen Darstellung zeigt schon die Form des Serpents, die bis heute traditionell geblieben ist, mit Mundstück und Stift, sowie den Umfang des damaligen Instruments (E-g'). Mersenne hat auch eine zukunftsdeutende Bemerkung gemacht, daß Serpente nicht nur aus Holz hergestellt werden könnten, sondern genau so gut aus Messing oder Silber.

Im 17. Jahrhundert breitete sich die Anwendung des Serpents in anderen europäischen Ländern, wie England und Italien, aus, ohne jedoch in der Kunstmusik großen Einfluß zu finden. Er blieb hauptsächlich im kirchlichen Bereich oder in der Anwendung von Stadtmusikern. Im 18. Jahrhundert fing er an, sich mehr und mehr im musikalischen Bewußtsein vorzudrängen. Er wurde wegen seiner Handlichkeit und seiner zuverlässigen Baßstimme mehr in der ‚Freiluft'-Musik verwendet und von Komponisten wie Georg Friedrich Händel (Wassermusik, 1717; Feuerwerksmusik, 1749) mit Erfolg eingesetzt.

In Frankreich gab es eine große Zunahme des Serpentspielens in der letzten Hälfte des 18. Jahrhunderts, sowohl in der kirchlichen als auch in der weltlichen Musik. Prominente Namen aus dieser Zeit sind: Abbé Aubert, Serpentspieler am Dom Nôtre-Dame in Paris von 1750 bis 1772; Abbé Lunel, Abbé Auberts Nachfolger in der Nôtre-Dame-Stelle; J. B. Métoyen, Serpentspieler an den Höfen König Ludwigs XV. und König Ludwigs XVI. von 1760 bis 1792, der um 1810 eine Serpentschule herausbrachte; und Louis Alexandre Frichot, Serpentvirtuose, der aus Frankreich während der Revolution entfloh, und danach guten Ruf in England genoß.

Jedoch erhielt der Serpent seine außerordentliche Bedeutung in der französischen Musik der Revolutions-Epoche, er wurde allgemein das tiefste Instru-

---

21 Ebda., S. 150.

ment des Blasmusik-Ensembles. Entscheidend für diese Entwicklung war die Instrumentation von François Joseph Gossec (1734–1829) in seinem „Te Deum" (2 kl. Flöten, 2 Oboen, 2 Klarinetten, 2 Trompeten, 2 Hörner, 2 „Altos", 2 Fagotte, Serpent, 3 Posaunen, Tympani, Gr. Trommel, „Tonnere", Cymbeln, kl. Trommel), das am 14. Juli 1790 für das erste Jubiläum der Kapitulation der Bastille komponiert wurde. In dieser ersten Aufführung wirkten, laut offiziellem Bericht, Spieler von 300 Trommeln, 300 Blasinstrumenten und 50 Serpenten mit. Diese Komposition war maßgebend während der Revolutionsära, und von den 158 für amtliche Anlässe dieser Zeit komponierten Stücken für Blaskapelle, die von David Whitwell aufgelistet wurden[22], waren 114 ursprünglich für ein Ensemble mit Serpent (über 70%), und weitere fünf bis sechs Stücke wurden höchstwahrscheinlich ursprünglich mit Serpenten gespielt. Von den 33 Kompositionen Gossecs, die Whitwell gibt, sind 29 mit Serpent. Von Gossecs berühmtem Schüler, Charles Simon Catel, sind 18 Stücke angeführt, davon 15 mit Serpent. Alle Komponisten dieser Epoche, die die Pariser musikalische Szene und das neugegründete Conservatoire bis tief in das 19. Jahrhundert hinein dominierten, nämlich Gossec, Cherubini, Méhul, Grétry und Lesueur, komponierten für den Serpent, obwohl die Anzahl der Stücke (2) von Lesueur weniger Interesse seinerseits am Serpent zeigen. Lesueur war Lehrer von Hector Berlioz, und aus dieser Verbindung kommen vielleicht einige spätere Konzepte Berlioz' über den Serpent.

Vielleicht sollte noch ein Werk aus dieser Zeit hier erwähnt werden, nämlich „La Chant du départ" von Étienne Méhul, weil es sich hier um ein Werk handelt, das extreme Popularität genoß — es war die Konkurrenz der neuverbreiteten Marseillaise — und weil die Instrumentation fast Kammermusikcharakter hat: 2 Klarinetten, 2 Trompeten, 2 Fagotte, Serpent, Tympani. (Dieses Lied läuft wie ein roter Faden durch die französische Gesellschaft des 19. Jahrhunderts und wird heute noch in den Schulen selbstverständlich unterrichtet. Viele Franzosen obwohl sie zum größten Teil nicht wissen, wer der Komponist ist, finden dieses Lied bewegender und patriotischer als die Marseillaise.) Das erste Konzert, das mit Studenten des neuen Conservatoire aufgeführt wurde, war am 14. Juli 1797 und würde von vielen Leuten deshalb als bemerkenswert empfunden, weil Méhuls „La Chant du départ" so schön gespielt wurde. Dieses Stück enthielt eine Vielzahl von Serpenten.

Der Serpent wurde häufig in größerer Anzahl benutzt, so z. B. für Catels „Schlacht von Fleurus" (14. Juli 1794), wo die Notenschreiber der Pariser Opéra 10 Serpentstimmen liefern mußten, aber wahrscheinlich war die Auf-

---

[22] D. W h i t w e l l, *Band Music of the French Revolution*, Tutzing 1979.

führung mit 20 bis 30 Serpentspielern. Auch für die Aufführung von Méhuls„Hymnen von Siegen" im Konzert vom 10. August 1794 machten die Notenschreiber sechs Serpentstimmen, obwohl sicher mehr Serpentspieler gebraucht wurden. In diesen Werken wurde der Serpent allgemein mit den Fagotten zusammengestellt, nur ab und zu mit den Posaunen, und häufig, wie in Gossecs „Geist der Girondin" (1795), Catels „Schlacht von Fleurus" und Méhuls „Hymnen von Siegen", mit dem Kontrabaß zusammen, der das einzige Streichinstrument in diesen Stücken für Bläserensemble ist. Der Kontrabaß wurde 1794 dazu gebracht, um die Baßlinie stellenweise zu erweitern, und um eine feste, fließende Ensemblebaßstruktur herzustellen.

Die Verbindung des Serpents und Fagotts während der Revolutionsära und danach wird in den Anfängen des heutigen Conservatoire unterstrichen. Am 8. November 1793 wurde die Gründung eines Nationalen Institutes für Musik formell beschlossen. Am 20. November wurde ein Konzert von Studenten und Fakultätsmitgliedern mit Kompositionen von Gossec, Catel und anderen gegeben. Am Tag danach (21. November) wurden 13 Künstler als Fakultätsmitglieder fest angestellt. Von diesen sind vier von Interesse: J. F. Lesueur und É. Méhul als Komponisten mit einem Monatsgehalt von 125 Livres, Jacques Cornu (71 Livres) als Lehrer des Serpents und Fagotts und Alexandre Hardy (71 Livres) als Fagottlehrer. Hardy hat wahrscheinlich auch Serpent unterrichtet, weil er um 1815 eine Serpentschule veröffentliche. (Rudolphe Kreutzer — eminenter Violinist des 19. Jahrhunderts und Lehrer am Conservatoire — wurde hier zum ersten Mal angestellt.) Als aus dem Nationalen Institut am 3. August 1795 das Conservatoire entstand, wurden auf der Personalliste Plätze für vier Professoren des Serpents und acht bezahlte Serpentspieler vorgesehen. Eines der neuen Fakultätsmitglieder war Gaspard Veillard, der seit 1771 Mitglied der Kapelle der Garde gewesen war. Er war von 1796 bis 1803 Lehrer für Serpent und Fagott am Conservatoire und zugleich Spieler im Orchester der Pariser Opéra.

Am Anfang des 19. Jahrhunderts erschien eine Reihe von Serpentschulen:

J. W. C a l l c o t t , *The Serpent,* MS, GB-Lbm, Add. 27681, vol. xxxi, ff. 60 ff., ca. 1802.

„C o c a t r i x ", *Essai sur le serpent,* Correspondence des professeurs et amateurs de musique, 1804, S. 331 f.

J. B. M é t o y e n , *Méthode de serpent,* MS, F-Pc, ca. 1810.

J. F r ö h l i c h . *Vollständige theoretische-praktische Musikschule,* Bonn 1810—1811.

A. H a r d y , *Méthode de serpent,* Paris, ca. 1815.

H e r m e n g e , *Méthode de serpent ordinaire,* Paris 1816.

H e r m e n g e , *Méthode de serpent Forveille,* Paris 1835.

„I. P.", *On the Serpent, Bass-Horn and Trombone*, Harmonicon, no. 47, 1834, S. 234.

G. F o r a b o s c h i, *New and Complete Tutor for the Serpent (3, 4, 5 Keys)*, D'Almaine & Co., London 1839.

Diese Belege für den Gebrauch des Serpents und die Notwendigkeit, dieses Instrument zu erlernen, spiegeln die Nachfrage nach dem Instrument. Es war ständig im Gebrauch in der Kirche und in den sogenannten Sekundär-Ebenen der Musik: Militär- und Stadtkapellen, Kurorchestern, Festorchestern, Bergmannskapellen usw. Jedoch erschien der Serpent auch nicht selten in der Kunstmusik; neben Wagners „Rienzi" wurde er in den Opern von Méhul, Gioacchino Rossinis „Die Belagerung von Corinth" (1826), Felix Mendelssohn Bartholdis „Meeresstille" (1828) und „Paulus" (1836 in Düsseldorf, 1837 in Birmingham) und Giuseppe Verdis Oper „I Vespri Siciliani" (1853 in der Pariser Opéra) benutzt.

Die Entwicklung des Klappenmechanismus' auf Blasinstrumenten im letzten Teil des 18. Jahrhunderts führte zu der Anbringung von Klappen auch auf dem Serpent. Genau wann und von wem dies zuerst getan wurde, ist unklar, aber man kann behaupten, daß schon um 1800 Serpente mit drei Klappen nicht außergewöhnlich waren. Um 1840 waren Serpente mit 4, 5 oder 6 Klappen von Herstellern allgemein zum Verkauf angeboten. Thomas Key aus London produzierte um diese Zeit einen Serpent mit 12 Klappen.

Wie bei allen Lippen-geblasenen („Lip-reed"[23]) Instrumenten mit Klappen hatte die Verwendung der Klappen seine Grenzen. Jedoch machten die dickeren Holzwände des Serpents die mäßige Verwendung von Klappen ziemlich erfolgreich, z. B. um unter dem 6. Griffloch oder oberhalb des 1. Griffloches zu erweitern, oder um die chromatische Beweglichkeit zwischen dem 3. und 4. Loch zu verbessern. Diese Klappen führten auch zu einer kleinen Verschlechterung des Serpentspielens, was jedoch nicht an der schlechteren Spielbarkeit des Instruments lag, sondern am allgemeinen Problem aller „Lip-reed"-Spieler, nämlich sich auf den Mechanismus zu verlassen, um eine gute Intonation zu gewinnen, statt genau zuzuhören und durch subtile Bewegungen der Lippen und Manipulationen des Luftströmes fein einzustimmen. Deswegen begann mit dem Anbringen mehrerer Klappen

---

[23] Zur Klassifizierung dieser Instrumentengattung hat Willi A p e l (*Harvard Dictionary of Music*, Cambridge, Massachusetts 1964, S. 355) sie als „lip vibrated aerophones" bezeichnet. Deshalb beschreibt die Bezeichnung „Lip-reed" den Klangerzeugermechanismus, und sie beruht nicht auf den üblichen, aber manchmal ungenauen Bezeichnungen, wie z. B. auf einer form-orientierten Bauweise (Kesselmundstück usw.) oder auf einer material-orientierten Konstruktion, wie z. B. Blechblasinstrumente.

eines der hoch gepriesenen Charakteristika des Serpents, nämlich seine Verwendbarkeit als eine feste, verläßliche Baßstimme, zu erodieren.

Im Jahre 1843, d. h. nach der Komposition und der Aufführung des „Rienzi", bekam der Serpent ein negatives Urteil, das fast alle Meinungen von Schriftstellern über dieses Instrument bis zum heutigen Tag gefärbt hat. Diese Beschreibung gilt vielen als die damals allgemeine Einstellung zum Serpent in Frankreich (und in ganz Europa); sie muß hier etwas diskutiert werden, weil sie, wenn man sie ungesehen übernähme, Wagners Gebrauch des Serpents als fraglichen musikalischen Wert erscheinen ließe. Das Zitat stammt von Hector Berlioz u. a. aus dessen berühmten Traktat über Instrumentation, Kapitel „Holz-Blasinstrumente mit Mundstück". Dieses Kapitel enthält nur zwei Instrumente, nämlich den Serpent und den Nachkömmling des Serpents, das russische Fagott. Vom Serpent schreibt Berlioz[24]: „Dies ist ein mit Leder überzogenes Holzinstrument mit Mundstück, von demselben Umfange wie die Baßophicleide und von etwas geringerer Beweglichkeit, Reinheit und Klangfülle. Es giebt (!) darauf drei Noten, welche viel stärker als die anderen klingen: (d, a, d'); daher entsteht die anstößige Ungleichheit seiner Töne, deren Verbesserung die Spieler sich möglichst angelegen sein lassen müssen. Der Serpent steht in B, man muß ihn daher, gleichwie die Ophicleide in B eine Note höher schreiben, als die wirkliche Tonhöhe beträgt.

Der in der That (!) barbarische Ton dieses Instrumentes hätte viel besser zu dem blutigen Gottesdienste der Druiden, als zu dem des Katholicismus gedient, wo es noch immer in Anwendung gebracht wird, — ein ungeheuerliches Denkmal des Unverstandes und der Geschmacks- und Gefühls-Roheit, welche seit undenklichen Zeiten über den Gebrauch der Tonkunst beim Gottesdienste in unseren Tempeln entschieden haben. Nur der Fall ist auszunehmen, wo man den Serpent in den Todtenmessen anwendet, um den furchtbaren Chorgesang des „Dies irae" zu begleiten. Sein kaltes, scheußliches Geheul ist hier ohne Zweifel am Platze; es scheint sogar eine Art Poesie der Trauer anzulegen, indem es diesen Text begleitet, den alle Schrecknisse des Todes und der Rache eines zürnenden Gottes durchwehen. Auch für nicht kirchliche Compositionen, die in ähnlicher Richtung sich ergehen, könnte dies Instrument füglich Verwendung finden; aber auch nur für diese. Zudem verschmilzt sein Ton schlecht mit den übrigen Klängen des Orchesters und der Singstimmen, und als Baß einer Masse von Blasinstrumenten steht es weit hinter der Baßtuba und selbst hinter der Ophicleide zurück."

---

[24] H. B e r l i o z , *Grand traite d'instrumentation et d'orchestration modernes,* Paris 1843 (*Instrumentationslehre,* autorisierte deutsche Ausgabe von Alfred D ö r f - f e l , Leipzig 1863).

Dieses Zitat ist augenscheinlich sehr negativ, aber dem sorgfältigen Leser sagt es sehr viel: (1) Der Serpent wurde vorzüglich in der kirchlichen Musik gebraucht. Ob dieser Gebrauch Berlioz' persönlichem, romantischem Geschmack angenehm war, erscheint sekundär im Vergleich zu der Tatsache, daß der Serpent von sehr vielen anderen Musikern gewünscht und gespielt wurde. Ist deren musikalischer Geschmack gänzlich zu ignorieren? (2) Berlioz' Idee der Programmusik und seine Assoziationen von Klängen sind sehr deskreptiv, und seine Auswahl der Illusionen ruft den Eindruck von Festigkeit, Glätte, Stärke und durchdringender Qualität hervor, die allerdings eher eine Unterstützung der ernsten Riten der Katholischen Messe gewesen wären. (3) Augenscheinlich wollte Berlioz den Serpent nur für weltliche Musik benutzen, die in seine Konzeption des Serpentklanges paßte. Man fragt sich, warum er diese Ansicht ausdrücken würde, wenn nicht, um die ,falsche' Benutzung des Instruments zu korrigieren. Deswegen wurde der Serpent häufig auf eine Art und Weise benutzt, die gegen sein Konzept war, d. h. schnell, lebhaft, fröhlich. (4) Für Berlioz verschmilzt der Klang des Serpents nicht gut mit den anderen Klängen des Orchesters oder mit der Stimme. Genau diese Punkte wurden von Charles Burney auf seiner musikalischen Reise durch Europa während des 18. Jahrhunderts hoch gepriesen, aber unter der Bedingung, daß das Instrument gut gespielt wurde. (Genau diese Qualitäten wurden vom Zinken im späten 17. Jahrhundert hoch geschätzt und deren Verschwinden im frühen 18. Jahrhundert während des Niederganges des Zinken oft beklagt.)[25] Deswegen gelten Berlioz' Bemerkungen nicht so sehr dem Instrument, als den Spielern, die er gehört hatte. Er berührt den delikaten Punkt, ob das Instrument in Mode war oder nicht. (5) Die behauptete Präferenz für andere Instrumente, z. B. Tuba und Ophicleide, ist ein Ausdruck dieser modischen Ansicht. (Die Tuba wurde nur sieben Jahre früher erfunden und war ein nicht-französisches Instrument; eine Tatsache, die Berlioz zu dieser Zeit seines Lebens nur zu gern dem „zurückgebliebenen" Pariser Publikum, das seine musikalsichen Ideen nicht immer unterstützte, klar machen wollte. Berlioz selbst benutzte die Tuba erst 1849 in seinem „Te Deum".) Die Zusammenstellung des Serpents mit zwei Blechblasinstrumenten scheint uns im 20. Jahrhundert sehr logisch, aber diese Zusammenschließung war, wie Berlioz' Kapitelbezeichnung zeigt, eine fast radikale Abkehr vom französischen Konzept des Serpentklanges, d. h. als ein Holzblasinstrument.

Richard Wagner konzipierte die Serpentstimme in „Rienzi" als Stimme für ein Holzblasinstrument. Er fügte sich damit in den Hauptstrom französischer Serpentkomposition ein. Sein Kompositionsstil basiert auf der „Tradi-

---

[25] F. R. O v e r t o n, op. cit., Kap. I, 3 & 4.

tion" der Revolutionsära, wie er sie aus den Kompositionen von Méhul u. a. erkannt hatte. Die Serpentstimme ist fließend, fest und fast virtuos. Sie ist in erster Linie eine feste Stütze des Fagotts, aber wird auch genau so gut mit dem Kontrabaß gebraucht, um eine besonders fließende, singende Qualität herzustellen. Diese Qualitäten sind nicht die schwermütigen, barbarischen Klänge, die Berlioz angreift. Dieser Klang mischt sich wohltuend mit anderen Instrumenten und vokalen Stimmen. Er konkurriert nicht mit der Ophicleide sondern bewahrt seine eigene Identität.

Die Ophicleide ist eine Entwicklung aus dem Serpent. Es handelt sich, wie der Name aus dem Griechischen besagt, Ophis = Schlange, plus Kleides = Klappe, um einen Serpent mit Klappen. Sie wurde erst im frühen 19. Jahrhundert aus Metall gemacht und im Stil eines Fagotts zusammengebogen. Sie wurde erstmals 1819 in Spontinis Oper „Olympie" verwendet. Durch dieses einflußreiche Vorbild wurde die Ophicleide ein ständiges Mitglied des französischen Orchesters des frühen 19. Jahrhunderts.

Weil sie aus Metall hergestellt wurde, war sie für die damals für das Material hochempfindlichen Komponisten und Musiker ein willkommener Zuwachs der Blech-Familie, d. h. der Trompeten und Posaunen. Deswegen benutzt Meyerbeer sie zusammen mit 3 Posaunen in „Robert-le-Diable" (1831) und „Les Huguenots" (1836) und schrieb in der Partitur von „Robert-le-Diable": „L'Officleide suona sempre col 3.º Trombone, quando non è indicato Solo", oder daß die Ophicleide mit der 3. Posaunenstimme zu spielen war, außer wo das Wort ‚Solo' einen Sonderpart bezeichnete. Berlioz benutzte die Ophicleide in dieser Weise in allen seinen Werken von der Oper der „Heilige-Vehm" („Frances-Juges"), Op. 3 (1826), an über die „Waverly"-Ouvertüre, Op. 1 (1828), bis zum Jahre 1849, wo er endlich in seinem „Te Deum", Op. 22, die „Tube" benutzte.

Im französischen Konzept war die Ophicleide als Mitglied einer Familie zu benutzen, nicht als ein individuelles, einzigartiges Instrument. Sie durfte nicht mit dem hölzernen Serpent verwechselt werden, die beiden Instrumente wurden von den Komponisten nicht für austauschbar gehalten. Erst in der Verwirrung des späten 19. Jahrhunderts, als viele Gruppen es einfacher fanden, das vorhandene Instrumentarium zu benutzen, statt neue Instrumente zu kaufen, und in dem Konzept des 20. Jahrhunderts, daß nämlich „Lip-reed"-Instrumente ohne Berücksichtigung der Herstellungsmaterialien zusammengehörten, verschwamm die Unterscheidung zwischen Ophicleide und Serpent.

Deswegen war für Richard Wagner die Anwendung des Serpents in „Rienzi" in der französischen Tradition mit Fagotten als Holzblasbaß vollkommen logisch, und der Gebrauch der Ophicleide mit den Posaunen im gleichen Stück war in Nachahmung von Spontini und Meyerbeer absolut akzeptabel.

In der Ouvertüre zu „Rienzi", die zwischen 23. Oktober und 19. November 1840 komponiert wurde, hat Wagner augenscheinlich den Part so gedacht, daß ein voll-chromatischer Serpent in B mit Klappen gespielt werden sollte. Die obere Grenze ist g, und der Umfang geht in der Tiefe normalerweise bis zum $B_1$, mit einem chromatischen $H_1$ in Oktavensprüngen in den Takten 226—227. Jedoch benutzt Wagner „Ossia" oder wahlfreie Stimmen zweimal in dieser Ouvertüre (Takte 243—244 und 384—386) und bringt den Serpent tiefer als $B_1$. In den Takten 243—244 geht die Stimme von $B_1$ zu $As_1$, ausgehalten, und in den Takten 384—386 geht die Melodie $H_1$-$Gis_1$-$A_1$ in ziemlich schnellen ganzen Noten ( ♩ — 160 mm). Natürlich sind Gis und As enharmonisch und können als gleicher Ton gehandelt werden (As). Der damalige Serpent mit Klappen wurde oft einen ganzen Schritt unterhalb dessen, was normalerweise das Fundament des Instruments genannt wurde, gespielt. Der halbe Schritt unterhalb des Fundaments wurde durch Halbloch-Griffe und Lippenmanipulation auch chromatisch möglich. Dieser Prozeß würde den Spieler erlauben, die Noten $As_1$ und $A_1$ auf einem B-Serpent zu erreichen.

Wenn jedoch, wie es damals oft der Fall war, der Serpent in „C" gestimmt würde, könnte der Spieler zwar die Noten $B_1$ und $H_1$, aber nicht die Noten $As_1$ und $A_1$, mit ausreichender Musikalität erreichen. In dieser Weise ist es deutlich, warum Wagner seine „Ossia"-Stimme geschrieben hat. (Vielleicht ist auch die Änderung zum B-Serpent in der „Rienzi"-Ouvertüre eine kleine Unterstützung für Minna Wagners Behauptung vom Oktober 1840, daß die Ouvertüre im November 1840 aufgeführt werden sollte, eine Aufführung, die nie zustande gekommen ist, und von vielen als stolze Rede angesehen wurde.)[26]

Wagner traf in Frankreich auf die weite Verbreitung des Serpentspielens. Er benutzt die „Ossia"-Stellen für die Noten $G_1$, $Gis_1$, $A_1$ nicht, sondern er schreibt diese Noten ohne Kommentar in den übrigen Teilen „Rienzis" immer wieder, in voller Erwartung, daß er sie bekommen wird.

In den letzten 170 Takten des 3. Aktes (Partituranfang am 6. Juni 1840), die man als repräsentiv sehen kann, setzt er eine vollchromatische Fähigkeit von $G_1$ bis zum d voraus, häufig benutzte er chromatische Passagen, z. B. vom Takt 1220 ($B_1$-$Ces_1$-C-Cis-D), vom Takt 1309 ($G_1$-$Gis_1$-$A_1$-$B_1$-$H_1$-C-Cis-D), oder vom Takt 1367 (C-$B_1$-$A_1$-$As_1$-$G_1$). Er benutzte auch Quint- (D-G, Takt

---

[26] R. W a g n e r, *Sämtliche Briefe*, Bd. 1, S. 417.

1224) oder Quartsprünge (C-G, Takt 1367). Er erwartete Flexibilität und Sicherheit vom Spieler, wie im Achtelnoten-Arpeggio in Takt 1239 (D-B$_1$-G$_1$), das ‚pp‘ markiert ist, oder in langen, ausgehaltenen, kräftigen Tönen, wie in den Takten 1348—1360, mit der Markierung ff. Normalerweise spielt in diesen Passagen der Serpent in der gleichen Oktave wie der Kontrabaß, während die Ophicleide dazu benutzt wird, um die Baßlinie zu oktavieren.

Dieser Abschnitt und andere führen zu der Annahme, daß Wagner „Rienzi" mit einem konzipierten Serpent in G vollendet hat, und daß dieser Serpent von einem Spieler gespielt werden sollte, der drei Oktaven auf dem Instrument beherrschen könnte. Aus den Grifftabellen und Serpentschulen des frühen 19. Jahrhunderts hätte man diesen Drei-Oktavenumfang von einem gut trainierten Orchesterspieler wohl erwarten können.

Wegen Produktionsschwierigkeiten hatte Wagner einen Hiatus in der Fertigstellung des „Rienzi" vom Sommer 1839 bis zum späten Frühling 1840. In dieser Zeit, nämlich im April 1840, machte das Theater, in dem sein Werk, „Das Liebesverbot", aufgeführt werden sollte, Konkurs, und seine Hoffnung auf eine Produktion des „Rienzi" an der Pariser Opéra wurde immer schwächer, weil die Opéra ein kürzeres Werk haben wollte. Deswegen schrieb er Meyerbeer am 26. Juli 1840: „Ich bin im übrigen jetzt fleißig. Ich beabsichtige bis Herbst meinen ‚Rienzi' zu vollenden, um ihn auf einem deutschen Theater geben zu lassen. Das nächste dafür ist mir Dresden."[27]

Er hatte finanzielle Schwierigkeiten im Herbst 1840. Meyerbeers Verleger, Schlesinger, hatte ihm eine Kommission angeboten, um ‚favorite' Opernmelodien für die „Cornet-a-Pistons" zu arrangieren.[28] Jedoch wurde dieses Arrangement im Oktober gestoppt und Wagner benutzte die Zeit, um seinen „Rienzi" zu vollenden: „Am 19. November vollendete ich endlich diese umfangreichste aller Opern gänzlich."[29] Diese Oper wurde fast zwei Jahre lang nicht aufgeführt (erstmals 20. Oktober 1842). Während dieser Zeit hatte Wagner seine literarischen und journalistischen Arbeiten weitergeführt. Zwischen Juli und August 1841, während er noch in Paris war, schrieb er die Musik zu seiner Oper „Der fliegende Holländer", instrumentierte sie aber später. Zwischen August 1841 und seiner Ankunft in Dresden im April 1842, um die Aufführung des „Rienzi" vorzubereiten, komponierte er keine Musik. Anscheinend stieß Wagner in dieser Lücke seines kompositorischen Schaffens, in der er seine musikalische Intensität bewahrte, zu jenem Stil vor, den man heute als den eigentlichen „Wagner-Stil" bezeichnet. Erst in

---

[27] R. W a g n e r , *Sämtliche Briefe,* Bd. 1, S. 401.

[28] R. W a g n e r , *Eine Mitteilung an meine Freunde,* S. 54.

[29] R. W a g n e r , *Mein Leben,* S. 224.

Dresden und Berlin bewegte sich Wagner von seinen zwei französischen Baß-instrumenten, dem Serpent und der Ophicleide, weg, und entwickelte eine neue Instrumentation unter Beibehaltung eines Grundklangkonzeptes.

Die Entwicklung der Ventilinstrumente ermöglicht die Verwirklichung neuer Klangvorstellungen. Im Jahre 1818 erhielten in Berlin Heinrich Stölzel und Friedrich Blümel ein zehnjähriges Patent für ein Ventil. Stölzels Aktivitäten hatten mehr Einfluß in Berlin und im norddeutschen Gebiet als die des Blümels. 1826 schickte Gasparo Spontini einige Ventilinstrumente nach Paris, wo sie rasch nachgebaut und in der Opéra und im Conservatoire (1827) verwendet wurden. Jedoch blieb es in den darauffolgenden Jahren in Frankreich und in Deutschland üblich, daß Ventilinstrumente durch Instrumente ohne Ventile ausgeglichen wurden, wie z. B. in zwei Kompositionen von Berlioz, die von Wagner besonders hoch gehalten wurden: die Ouvertüre zu „Benvenuto Cellini", Op. 23 (komponiert 1834—37, aufgeführt 10. September 1838), mit „Tromba" in G, E und D, ausgewogen von 2 „Cornetti a Pistons" in A; und die dramatische Symphonie zu „Romeo et Juliette", Op. 17 (komponiert und aufgeführt 1839), mit 2 „Trombe" in D, ausgewogen von 2 „Cornetti a Pistons" in A und Es.

Deswegen schrieb Wagner im „Rienzi" Stimmen für Naturhörner und -trompeten in D ebenso wie für Ventilhörner in G und Ventiltrompeten in D. Wagner war schon damals Anhänger und Kenner von Ventilinstrumenten, so daß er einen Auftrag über ausgedehnte Arrangements für diese Gattung angenommen hat.

In der „Rienzi"-Periode (1838—1840) benutzte Wagner keinen Ventilbaß, obwohl die Baßtuba mit ihren berühmten „Berliner-Pumpen"-Ventilen 1835 von den Berlinern A. Wieprecht, dem Direktor des königlichen preußischen Garderegiments, und G. W. Moritz, einem renommierten Instrumtenmacher, entwickelt wurde. Wagners damaliger Verzicht auf dieses Instrument kann noch einmal durch seine Beschäftigung mit Konzepten der Pariser Mode erklärt werden, die, wenn man Berlioz (1843) zu glauben vermag, längere Zeit brauchte, um zum schwereren Klang der Baßtuba überzugehen, obwohl Berlioz erwähnt, daß Adolphe Sax damals schon eine Tuba in Es hergestellt hat.[30]

In Dresden geriet Wagner in eine musikalische Umwelt, in der das Ventil sich durchgesetzt hatte und wo die Tuba vorhanden war. Er hat sich dieser neuen Situation sofort angepaßt und hat im „Fliegenden Holländer" (aufgeführt 2. Januar 1843) 2 Naturhörner, 2 Ventilhörner, 2 Ventiltrompeten, 3 Posaunen und Baßtuba verlangt. (Dresden war damals das Zuhause des

---

[30] H. B e r l i o z , *Instrumentationslehre,* S. 155.

Komponisten Robert Schumann, dessen virtuoses „Concertstück" für vier Hörner, op. 86, 1849, Ventilhörner in F vorschreibt, während die Hörner im Orchester als „Waldhörner" oder Naturhörner bezeichnet sind. Dieses erste Konzert für Ventilhörner wird zu oft in Biographien übersehen, weil es den heutigen, normalen Spieler weit aus seinen Grenzen heraus nimmt. Jedoch machen die musikalische Struktur dieses Stückes und die Instrumentationskunst dieses Werk würdig, hier erwähnt zu werden, weil es die Fähigkeiten der Dresdener Spieler auf Ventilinstrumenten widerspiegelt.)

In „Rienzi" hat Wagner die Tuba in späteren Aufführungen benutzt, um die Ophicleide zu ersetzen, wenn wir Spontini folgen. Spontini war in Dresden, um seine Oper „Vestalin" vorzubereiten, und hörte die 20. Aufführung von „Rienzi" am 20. September 1844. Damals hat Wagner Spontini vorgeschlagen, Posaunen für einen Triumphmarsch zu verwenden. Darauf fragte Spontini Wagner, ob er diese Posaunenstimmen für den Marsch ausschreiben und „ein Instrument aus Ihrem ,Rienzi', nämlich die Baß-Tuba"[31], dazu nehmen würde, eine Arbeit, die Wagner gerne übernahm.

Zwischen „Rienzi" und „Fliegenden Holländer" änderte Wagner die Größe des Orchesters. (Meyerbeer der zu diesem Zeitpunkt Generalmusikdirektor war und auch die 20. Aufführung hörte, schrieb in seinem Tagebuch: „Obgleich eine unsinnige Überfülle der Instrumentation betäubt, sind doch wahrhaft schöne, ausgezeichnete Sachen darin."[32] Von insgesamt 12 Holzblasinstrumenten, 12 Blechblasinstrumenten (plus 22 zusätzliche Spieler auf der Bühne) und 7 Schlagzeuger (plus 14 extra Spieler auf der Bühne) in „Rienzi", reduzierte er sein Orchester auf 9 Holzblasinstrumente (plus 3 kleine Flöten auf der Bühne), 10 Blechblasinstrumente (plus 6 Hörner auf der Bühne) und 2 Schlagzeuger im „Fliegenden Holländer". Diese Reduzierung ist zum Teil auf die Größe des Dresdner Theaters gegenüber der damals größten Operncompagnie Europas in Paris zurückzuführen, und natürlich waren die Elemente aus der französischen Mode, wie der Serpent und die Ophicleide, zur Streichung verurteilt. Wie schon gesagt, wurde die Ophicleide durch die Tuba ersetzt. Der Serpent wurde einfach zur Seite gelegt. Aber sein Klang blieb integraler Teil von Wagners erfolgreicher Orchestration.

In „Rienzi" wurde der Serpent als kohäsiver Faktor benutzt: er wurde nicht nur als Mitglied der Holzblasfamilie angewendet, sondern auch, um die Baßlinie der Saiteninstrumente mit der der Bläser zu verschmelzen. Wagner

---

31 R. W a g n e r , *Mein Leben,* S. 334.
32 C. v. W e s t e r n h a g e n , *Wagner,* Zürich 1968, S. 121.

hat die wohlklingenden, fließenden Eigenschaften eines lederüberzogenen, lippengeblasenen Holzinstrumentes erkannt, das nicht aufdringlich war, aber dafür hoch flexibel. Es ist diese Kombination der „Lip-reed"-Holzblas-Sonorität, die Wagner im „Fliegenden Holländer" zu bewahren versuchte. Er hatte den Serpent nicht mehr, aber er hatte das Baßmitglied der Holzblasfamilie, das dem Serpent glich, nämlich das Fagott. In der Ouvertüre zum „Fliegenden Holländer" hat er die Hörner und die Fagotte als eine Einheit konzipiert, um damit die „Lip-reed"-Holzblas-Sonorität, die er gewollt hat, zum größten Teil zu bekommen, nur nicht in der tieferen Oktave des Serpentumfangs, sondern in der oberen Oktave, wo die Fagotte als Baß der Hörner dienen.

Am Anfang der Ouvertüre beginnen die Hörner und Fagotte das Hauptthema in den Takten 2—6. Dieser Kombination begegnet man in verschiedenen Formen durch die gesamte Komposition: Takte 21—24, Flöte, Klarinette, Horn, Fagott; Takte 55—60, in einer Melodie-Passage, erst mit Englisch Horn, Horn, Fagott, dann mit Oboe, Klarinette, Horn, Fagott; Takt 87, in einer Begleit-Stelle, Klarinette, Horn, Fagott; Takt 140, in einem Obligato für Klarinette, Horn, Fagott, dazu die Oboe in Takt 144, Takte 196—206, Flöte, Oboe, Klarinette, Horn, Fagott, Trompete, dazu die Posaune in Takt 196; und, Takt 208, in einer chromatischen Passage, mit Oboe, Klarinette, Horn und Fagott. In der Partitur hat Wagner sogar diese Holzblas-Kombination auf dem Blatt niedergeschrieben, so daß die Hörner zwischen die Klarinetten und die Fagotte und getrennt von den Blechblasinstrumenten plaziert sind; nur selten spielt das Horn allein mit den Blechbläsern. Selten wird die Tuba benutzt, um die Rolle des Serpents zu übernehmen. Jedoch finden wir eine solche Passage in Takt 94, wo Oboe, Klarinette, Horn, Fagott, Tuba, Violine II und Cello die gleiche chromatische Linie haben. Die Tuba spielt hier eine Oktave unterhalb des Fagotts von A—d, in einer Tiefe gänzlich innerhalb des Umfangs der Ophicleide, und in einer Lage eine Oktave höher als der mögliche Umfang des Serpents. An dieser Stelle hat Wagner das Register als Baßlinie gewollt, weil er dem Kontrabaß hier Pausen gegeben hat. Die Tuba spielt auch eine absteigende, chromatische Passage (von e—Fis) in halben Noten in Takt 352, fast am Ende des Stückes, mit dem Fagott, Cello und Kontrabaß, aber sie spielt nur einmal mit dem Kontrabaß allein (Takte 268—275) und geht von g—G. Keine dieser Passagen bringt die Tuba außerhalb des Umfanges der Ophicleide. Außer den schon genannten Passagen wird das Fagott als Ersatz für den Serpent manchmal benutzt. In Takt 244 wird das Fagott vom vollen tiefen Register der Klarinette oktaviert. In Takt 277 spielt das Fagott im gleichen Register mit dem Cello in einer chromatischen Passage von C—fis, in Takt 295 hat das Fagott eine chromatische Passage mit dem Cello und Kontrabaß.

Aus diesen Beispielen gewinnt man die Einsicht, daß Wagner immer bestrebt war, die Sonorität und Flexibilität des Serpents zu bekommen, aber er benutzte andere Instrumente und Instrumentenkombinationen.

Diese Serpent-Sonorität ist ein erster Schritt Wagners hin zu den Blasinstrumenten der späteren Werke, zum „Tristan" und zum Ring-Zyklus. Sie bleibt ein Ziel während seines Experimentierens mit Posaunen, wie im „Tannhäuser" und „Lohengrin", oder in der Anwendung der Kontrabaßposaune im Ring-Zyklus, die von C. W. Moritz aus Berlin hergestellt wurde, und die einen Umfang von $E_1$—d' hatte. Sie bleibt ein Ziel, bis Wagner seinen eigenen Blechblasklang im Ring-Zyklus eingeführt hat, nämlich die sogenannten „Wagner-Tuben". Diese Instrumente waren ursprünglich in F (Baß) und in B (Tenor) gestimmt, und spielten zuerst zusammen mit einer Kontrabaßtuba in C. Die Wagner-Tuba, mit ihrem konischen Verlauf, ihrer für eine Tuba relativ engen Bohrung (jedoch ähnlich der des Serpents), ihrem ziemlich geraden Schalltrichter (ähnlich dem des Serpents) und ihrem Hornmundstück, produziert einen flüssigen Klang, der den Klangeigenschaften des Serpents näher kommt, als alle anderen Blechblasinstrumente. Diese Kombination von Instrumenten hat es Wagner endlich erlaubt, für die „Lipreed"-Familie einen soliden, beweglichen Baß zu konzipieren und zu komponieren, der mit der lang gesuchten „Lip-reed"-Holzblas-Sonorität verglichen werden kann und der die Basis für einen guten Teil von Wagners Erfolg in der Orchestration bildet.

Die Erscheinung des Serpents im „Rienzi" ist erklärt worden. Wagner benutzte den Serpent versuchsweise, um auf der Höhe der Zeit, der modischen, französischen Komposition zu sein. Er fand, daß das Instrument einen außergewöhnlich kohäsiven Faktor in seiner Orchestration bildete und er setzte diese Eigenschaften gezielt ein. Er war mit dem Klang voll zufrieden, aber hatte ihn aus seinen nachfolgenden Kompositionen zum Teil entlassen, weil er noch versuchen wollte, in puncto Instrumentengebrauch die jeweils neuen Entwicklungen zu prüfen. Jedoch blieben der Klang und die Flexibilität des Serpents integraler Teil von Wagners weiteren Kompositionen, — bis es ihm später gelang, mit der Erfindung seines eigenen Instruments diese Sonorität wieder herzustellen und die mannigfaltigen Vorteile mit Hilfe der Wagner-Tuben wieder zu erringen, die er im Pariser Serpent gefunden hatte.

Michael Nagy, Wien

## DER SERPENT UND SEINE VERWENDUNG IN DER MUSIK DER DEUTSCHEN ROMANTIK

Der Serpent und die mit ihm durch Verbesserungen, Umbildungen und Parallelentwicklungen verwandten bzw. ähnlichen Instrumente sind der Übersichtlichkeit halber in drei, ihrer Beschaffenheit nach voneinander abgesetzte Gruppen zu gliedern, nämlich in die Gruppen der Serpente, der Baßhörner und der Ophikleiden. Für die Beschäftigung mit diesen Instrumenten sind folgende Fakten bestimmend: Zum einen die auch bis in die jüngste Literatur zum Thema der Blasinstrumente hinein dokumentierten unterschiedlichen und in akustischer Hinsicht sogar gegensätzlichen Ansichten zur Klassifizierung, Abstammung und Entwicklung der Instrumente, die es notwendig erscheinen lassen, einmal vom Standpunkt der Musikinstrumentensystematik aus anhand der vorhandenen Instrumente und überlieferten Mitteilungen die Unterschiede klarer zu definieren. Zum anderen die wohl gleichermaßen unübersehbare wie merkwürdige Tatsache, daß es in der beschreibenden Literatur zu diesen Instrumenten schon beginnend etwa ab dem ersten Viertel des vorigen Jahrhunderts fast ausschließlich nur negative Urteile über den Serpent und die mit ihm in Beziehung stehenden Instrumente gibt. Zum dritten ist gerade das in den letzten Jahrzehnten vor allem im englischen Sprachraum stark gewachsene Interesse an Serpenten und Ophikleiden zu bemerken, das auch zu öffentlichen Konzerten und sogar zu Schallplattenaufnahmen geführt und damit bewiesen hat, daß das Ergebnis der Verwendung dieser Instrumente oft im Gegensatz zu jenen negativen Äußerungen des vorigen Jahrhunderts steht. All das zusammen rechtfertigt die Bemühungen, sich mit einem Instrument zu beschäftigen, das in der Musikinstrumentenkunde seine Existenz mehr als Kuriosum fristet denn als musikalisch tatsächlich verwendbares und auch verwendetes Klangwerkzeug.

Systematische Fragen seien an den Beginn gestellt: Curt Sachs[1], Julius Schlosser[2], Wilhelm Altenburg[3] und später auch noch Anthony Baines[4] spre-

---

[1] C. Sachs, *Sammlung alter Musikinstrumente bei der Staatlichen Hochschule für Musik zu Berlin. Beschreibender Katalog*, Berlin 1922.

[2] J. Schlosser, *Sammlung alter Musikinstrumente. Beschreibendes Verzeichnis*, Wien 1920.

[3] W. Altenburg, *Der Serpent und seine Umbildung in das chromatische Baßhorn und die Ophikleide*, in: Zeitschrift für Instrumentenbau 31, 1910/1911, S. 668—671.

[4] A. Baines, *Musikinstrumente. Die Geschichte ihrer Entwicklung und ihrer Formen*, München 1982, S. 321.

chen im Falle des Serpents von einem Baßzinken. Nach Ansicht von Karl Geiringer[5] ist der Serpent ein Kontrabaßzink. Diese Meinung wird von Curt Sachs in seinem Handbuch der Musikinstrumentenkunde[6] auch geäußert und später noch von John Henry van der Meer[7] vertreten. Die Ausstattung mit Kesselmundstück und sechs Grifflöchern machen ihn für Walter Deutsch zum „frühen Baßinstrument der Trompetenfamilie"[8], und Friedrich Oberkogler stellt fest: „Das Serpent ... stellt das Baßinstrument innerhalb der Cornettfamilie dar; gehört somit zu Horngruppe".[9]

Genannt werden also die Instrumentengattungen Zink, Trompete und Horn als mögliche Stamminstrumente des Serpents. Jede einzelne dieser Aussagen hat ihre Berechtigung. Im Sinne einer strengen, die einzelnen Instrumentengruppen unterscheidenden Systematik sind diese Aussagen aber zumindest als unvollständig zu bezeichnen und zeigen deutlich die Problemstellung beim Versuch, die systematische Terminologie und die Funktion eines Instruments im musikalischen Satz in einem Begriff zu vereinen. Denn ebensowenig, wie man das Fagott als Baß der Oboenfamilie bezeichnen kann, ist der Serpent als Baß der Zinken anzuführen, da eben zwischen den Instrumenten, die man da sprachlich zu einer Familie zusammenfügen will, bautechnische und andere äußere Unterschiede bestehen, die sich auf den Klang des jeweiligen Instruments hörbar und die Instrumente voneinander unterscheidend auswirken. Richtig ist, daß Fagott und Serpent jeweils die Baßstimme im Ensemble mit Oboen bzw. Zinken ausführen. Das allein läßt aber noch nicht auf eine allen Instrumenten dieses Ensembles gleiche Klangeigenschaft schließen, die ja eine Voraussetzung für eine Familienbildung der Instrumente wäre.

Alle drei oben genannten Gruppen (Serpente, Baßhörner und Ophikleiden) gehören jedenfalls — abgesetzt von den Trompeteninstrumenten — zu den Hörnern im weitesten Sinn. Serpent und Baßhorn sind dabei neben den Zinken und anderen Hörnern aus tierischem Material zur Klasse der Grifflochhörner zu zählen, während die Ophikleiden zur Klasse der Klapphörner gehören. Was nun die geschichtlichen Zusammenhänge dieser Instrumente

---

[5] K. G e i r i n g e r, *Alte Musikinstrumente im Museum Carolino-Augusteum, Salzburg. Führer und beschreibendes Verzeichnis,* Leipzig 1922, S. 26.

[6] 2. durchgesehene Auflage, Leipzig 1930.

[7] J. H. v a n d e r M e e r, *Verzeichnis der Europäischen Musikinstrumente im Germanischen Nationalmuseum,* Band 1, Wilhelmshaven 1979, S. 33.

[8] W. D e u t s c h, *Das große Niederösterreichische Blasmusikbuch,* Wien 1982, S. 73.

[9] F. O b e r k o g l e r, *Vom Wesen und Werden der Musikinstrumente,* Zürich 1978, S. 106.

betrifft, so ist in den gängigen Lexika unseres Faches, in der Literatur zum Thema Blasinstrumente[10] und auch in vielen Instrumentations- bzw. Orchestrationslehren[11] oft die Darstellung einer einfachen, linearen und kontinuierlichen Entwicklung vom Serpent in Schlangenform über den Serpent in gerader und Fagott-Form zum Baßhorn und zur Ophikleide zu finden. Diese Darstellung ist nur bedingt — nämlich durch den Ablauf der Zeit bedingt — und keinesfalls generell richtig. In dieser Beschreibung werden die Ophikleiden als Endprodukt einer folgerichtigen und logischen Entwicklung vom Zink her gesehen. Übersehen wird mit dieser Betrachtungsweise, daß die Ophikleide ein von der Familie der Klappenhörner her konzipiertes Instrument ist, das dann — weil man seine große Klappenzahl für die scheinbar leichter und reiner ausführbaren Halbtonschritte verantwortlich machte — als Vorbild für die weitere Ausstattung des Serpents mit Klappen verwendet wurde.

Im Rahmen des doch mehr am Serpent orientierten Referates ist es nicht möglich, näher auf die Verbindung der einzelnen Instrumente in den jeweiligen Gruppen zueinander bzw. auf die nicht generell feststehenden Grenzen zwischen den einzelnen Gruppen einzugehen. Auch die mehrfach verwendeten Instrumentennamen — nämlich gleiche Namen für mehrere Instrumente unterschiedlicher Bauart — können hier nicht ausführlich in ihren verschiedenen Bedeutungen behandelt werden. Zur Darstellung des Formenreichtums dieser Instrumentengruppen kann in diesem Zusammenhang nur eine Aufzählung der dem Referenten bisher bekanntgewordenen Instrumente folgen, die — wenn sie auch keineswegs vollständig ist — doch einen guten Überblick zumindest in Listenform ermöglicht.

SERPENTE IN SCHLANGENFORM
  SERPENT oder SERPENT ORDINAIRE, SERPENT D'EGLISE,
  SERPENTONE
  KONTRABASS SERPENT, gebaut von James Jordan, Liverpool um
  1850
  SERPENTINO, ein kleiner Serpent[12]

SERPENTE IN GERADER ODER AUFRECHTER FORM
  RUSSISCHES FAGOTT oder SERPENT-ANGLAIS, SERPENT-
  BASSON, FAGOTTSERPENT, SERPENT DROITE

---

[10] Z. B. C. B e v a n, *The Tuba Family,* London 1978 und K. G e i r i n g e r, a.a.O.

[11] Z. B. E. P r o u t, *The Orchestra,* Vol. 1, London o. J., S. 239 ff.

[12] Das Vorhandensein von Serpenten in verschiedenen Größen und Stimmungen stützt die Annahme, daß der Begriff nicht nur ein bestimmtes Instrument, sondern eine Instrumentenfamilie meint.

SERPENT PIFFAULT oder SERPENT MILITAIRE, gebaut von
Piffault, Paris 1806
SERPENT-FORVEILLE oder OPHIBARYTON, SERPENTE
DROITE, gebaut von Forveille, Paris 1823
OPHIMONOCLEIDE, gebaut von J. B. Coeffet, Chaumont-en-Vexin
1828
SERPENT oder VIOLONCEL-SERPENT, Ludwig Embach & Co.,
Amsterdam etwa 1830—35
KONTRASERPENT, J. B. Coeffet, Chaumont-en-Vexin oder Gisors
um 1830—35
OPHYBARITON EN BOIS, Georges Chrétin Bachman, Bruxelles,
französisches Patent 1840
OPHIBATERION
SERPENT IN TUBAFORM

BASSHÖRNER
ENGLISCHES BASSHORN, konstruiert von Louis Alexandre Fri-
chot und gebaut von John Astor, London vor 1800
BASSE-COR, Louis Alexandre Frichot, Paris 1806
BASSE-TROMPETTE oder TROMBE, TROMBA, Louis Alexandre
Frichot, Paris, patentiert 1810
CHROMATISCHES BASSHORN, Johann Heinrich Gottlieb Streit-
wolf, Göttingen 1820
HIBERNICON (Kontrabasshorn), konstruiert von Rev. Joseph
Cotter, Cork, gebaut von Thomas Key, London. patentiert 1823
BASS-EUPHONIUM, Haseneier, Koblenz, etwa erste Hälfte des
19. Jahrhunderts
KONTRAHORN, J. & A. Lampferhoff, Essen 1845
OPHIKLEIDE oder BASSE D'HARMONIE, Griessling & Schlott,
Berlin, etwa erste Hälfte des 19. Jahrhunderts
OPHIKLEIDEN
OPHIKLEIDE in verschiedenen Stimmungen
QUINTICLAVE oder QUINTE À CLEF, Halary, Paris 1821 (Alt-
Ophikleide)
OPHICLÉIDE MONSTRE (Kontrabass-Ophikleide), Halary, Paris,
patentiert 1821
TUBA-DUPRÉ, Pierre-Paul-Ghislain-Joseph Dupré, Tournai 1824
BOMBARDON, Johann Riedl, Wien etwa 1820—1825
SERPENTCLEIDE, Beacham oder Charles Hugget, London, erste
Hälfte des 19. Jahrhunderts
BASSE D'HARMONIE OU NOUVELLE OPHICLEIDE, Francois
Sautermeister, Laon, patentiert 1827

52

QUINTE-TUBE, Turton, Dublin 1829
SERPENTBOMBARDON, Vinzenz Franz Cerveny, Königgrätz 1840
OMNITON, Halary, Paris 1849
EUPHONIC SERPENTCLEIDE (Kontrabaß-Ophikleide), James Jordan, Liverpool etwa 1850
SERPENTCLEIDE, Thomas Key, London etwa 1855
BASS-KLAPPENHORN

OPHIKLEIDEN-MISCHFORMEN
HARMONIE-BASS, Johann Stehle, Wien, patentiert 1836 und 1838 (Ophikleide-Kontrafagott)[13]
PELLITONI, Giuseppe Pelitti, Mailand 1846 (Ophikleide-Kontrafagott)
BOMBARDON OPHICLEIDE, G. Michael Pfaff, Kaiserslautern etwa 1850 (Ophikleide-Bombardon, mit Ventilen)

Unklar bleibt die Zuordnung des italienischen Terminus „Cimbasso", der nach Wolfgang Witzenmann[14] für die Ophikleide und nach Kurt Janetzky[15] und Hans Kunitz[16] als Bezeichnung für die Baßposaune beansprucht wird. Die Liste der angeführten Namen und der damit bezeichneten Instrumente erhebt keinen Anspruch auf Vollständigkeit und das zu diesem Thema noch nicht bearbeitete Material, z. B. aus dem Bereich der jeweiligen Lokalmusikgeschichte, wird sicherlich noch weitere Variationen an Instrumenten und Namen finden lassen.[17]

Was den Bau des Serpents im einzelnen betrifft, so muß hier auf Artikel und Stellungnahmen von Reginald Morley-Pegge, Frank Farrington, Friedemann Hellwig und Philip Bate im Galpin Society Journal verwiesen werden.[18] Weiters auch auf die interessante und lesenswerte Dissertation von Gary M. Stewart zum Thema „The Restoration and Cataloging of four Ser-

---

[13] Die an der technischen Hochschule in Wien verwahrten Privilegien wurden am 13. Juni 1836 (Nr. 2154) und am 27. Juli 1938 (Nr. 2567) für ein „Messing-Blaßinstrument in der Gestalt eines Contra Fagots" erteilt.

[14] W. W i t z e n m a n n , *Grundzüge der Instrumentation in italienischen Opern von 1770 bis 1830,* in: Analecta Musicologica 21, 1982, S. 330.

[15] K. J a n e t z k y , *Seriöse Kuriositäten am Rande der Instrumentenkunde,* Tutzing 1980, S. 18.

[16] H. K u n i t z , *Die Instrumentation,* Teil 8: *Die Posaune,* Leipzig 2/1959, S. 762.

[17] Z. B. „Lysarden", ein in England um 1603 nachgewiesener Begriff, der vielleicht ein serpentartiges Instrument meint (von engl. ,lizard' — Eidechse).

[18] R. M o r l e y - P e g g e , *The ,Anaconda',* in: GSJ 12, 1959, S. 53—56; F. F a r - r i n g t o n , *Dissection of a Serpent,* in: GSJ 22, 1969, S. 81—96; F. H e l l w i g , *Leserzuschrift,* in: GSJ 23, 1970, S. 173—174; Ph. B a t e , *A Serpent d'Eglise: Notes on some Structural Details,* in: GSJ 29, 1976, S. 47—50.

pents in the Arne B. Larson Collection of Musical Instruments".[19] Über den
Serpent im allgemeinen hat Russ Allan Schultz eine weitere Dissertation verfaßt.[20] Wiewohl diese Arbeit weniger eigene Forschungsergebnisse als die
Zusammenfassung der schon oben genannten Artikel im Galpin Society
Journal und auch einiger amerikanischer Musikzeitschriften bringt, ist sie
dennoch von Interesse, weil das dritte Kapitel den „Performance practices
and problems" gewidmet ist und als Ergebnis der aktiven Auseinandersetzung eines heutigen Posaunisten mit dem Serpent unsere Aufmerksamkeit
verdient. Schließlich sind noch die „Insights into the Serpent" des amerikanischen Musikers und Serpent-Virtuosen (!) Alan G. Moore zu nennen[21], der
unter diesem Titel seine praktischen Erfahrungen mit dem Instrument und
seine Beurteilung der historischen Verhältnisse zusammenfaßte.

Nach dieser instrumentenkundlichen Einleitung zum Themenkreis Serpent — Ophikleide nun kurz zur Verwendung des Serpents. Vom deutschen
Sprachraum aus gesehen ist der Serpent ein französischer Import — nicht zuletzt erkennt man das an der der französischen Aussprache des Wortes nach-
empfundenen Schreibweise für dieses Instrument in manchen Beschreibungen zu Beginn des 19. Jahrhunderts („Serpant").[22] Der um 1590 in Frankreich
heimisch gewordene Serpent ersetzte die Kirchenorgel bzw. deren Baß und
wurde zur Begleitung sowohl des Gemeindegesanges als auch des einstimmigen liturgischen Gesanges der Römischen Kirche verwendet. Ab dem
17. Jahrhundert ist er in Frankreich allgemein verbreitet, worüber manche
Bildzeugnisse Auskunft geben.[23] Seine Verwendung in Pariser Kirchen ist
durch einen Bericht von Angul Hammerich (1848—1931), dem langjährigen
Direktor des Musikhistorischen Museums in Kopenhagen, bis ins Jahr 1870
nachzuweisen[24] und dürfte wahrscheinlich bis zum Beginn unseres Jahrhunderts angedauert haben. Vom Kirchengebrauch her bekannt und geschätzt

---

[19] Vermillion, South Dakota, University of South Dakota, 1978.

[20] R. A. S c h u l t z , *The Serpent: Its Characteristics, Performance Problems, and
Literature: A Lecture Recital*, Denton, Texas, North Texas State University, 1978.

[21] A. G. M o o r e , *Insights into the Serpent*. Vortrag vor der American Musicolo-
gical Society, gehalten am 10. November 1973.

[22] Z. B. C. F. M i c h a e l i s , *Einige Bemerkungen über den ästhetischen Charakter, Werth und Gebrauch verschiedener musikalischer Instrumente*, in: Allgemeine
Musikalische Zeitung 9, 1806/1807, Nr. 16, vom 14. Januar 1807, Sp. 249.

[23] Z. B. die Darstellung eines Serpents neben anderen Instrumenten (Violinen, Fa-
gott) auf einem Relief am Chorgestühl der ehemaligen Benediktinerabteikirche
St. Etienne in Mauersmünster/Elsaß. Diese Arbeit stammt wahrscheinlich von Joseph
Christian (1706—1777).

[24] A. H a m m e r i c h , *Das Musikhistorische Museum zu Kopenhagen*, Kopenhagen
1911, S. 43.

wurde dieses Baßinstrument etwa ab dem zweiten Drittel des 18. Jahrhunderts auch in die Harmoniemusik eingeführt.[25]

In der Praxis war der schlangenförmige Serpent für die Verwendung in der Militärkapelle wenig geeignet. Als Gründe dafür sind die unhandliche Form, die unpraktische Handhabung, das infolge der Holzbauweise zu große Gewicht und die ebenfalls materialbedingte Anfälligkeit für verschiedene Beschädigungen durch Witterungseinflüsse bzw. physische Krafteinwirkung zu nennen. Dem half die um 1790 von dem italienischen Musiker Regibo in Lille entwickelte aufrechte Bauweise des Serpents in Fagottform — teilweise auch unter Verwendung von Blech statt Holz — ab und überhaupt scheint es, daß der Einzug des Serpents in die Militärkapellen durch diese Umformung beschleunigt wurde. Allerdings kann man von einem beschleunigten Einzug des neuen Serpenttyps in die Militärkapellen nur bei den Regimentskapellen sprechen. Die Hauptstadt Paris lernte die neue Serpentform erst zu Beginn des 19. Jahrhunderts durch deren Verwendung bei der Preussischen Regimentsmusik kennen, und zwar unter dem Namen „Basson Russe". Möglicherweise läßt sich dieser Terminus, für den es bis jetzt keine schlüssige Erklärung hinsichtlich einer Verbindung des so bezeichneten Instruments mit dem Adjektiv „russe" gibt, aus einer anderen Sicht deuten: Vielleicht sollte es nämlich von seiner Verwendung beim Preussischen Regiment „Basson prussien" heißen und wahrscheinlich wurden Anfangsbuchstabe und Endung des Adjektives nur durch einen kriegsbedingten sprachlichen Unfall zu „Basson prusse" und später zu „Basson russe" verkürzt. Der Verwendung in verschiedenen Bereichen entspricht dann auch die sprachliche Unterscheidung der beiden Serpent-Typen: „Serpent d'eglise" für den weiter im Kirchendienst verwendeten schlangenförmigen Serpent und „Serpent militaire" für jedes Instrument, das aufrecht und in Fagottform gebaut wurde.

Wenn der Serpent auch schon vor der Zeit der Französischen Revolution in englische und deutsche Kapellen Einlaß gefunden hatte, so waren es doch vor allem die im Zuge der Revolutionsereignisse und der nachfolgenden Napoleonischen Kriege notwendigen gesamteuropäischen Truppenbewegungen und die verschiedenen Allianzen, die ihn über ganz Europa verbreiteten und auch zu regional unterschiedlichen Weiterbildungen führten. Ein frühes Zeugnis für die Verwendung des Serpents in englischen Kapellen ist etwa das Bild „Musikalisches Familienportrait auf der Themse bei Fulham" von John

---

[25] Zur weiteren Verwendung des Serpents im französischen Raum vgl. F. R. O v e r t o n, *Historische Perspektiven und Einflüsse des Wagnerschen Serpent-Parts in „Rienzi"*, im vorliegenden Band, S. 31—48.

Zoffany (1734—1810).[26] Es zeigt ein Ensemble mit Violoncello, halbe Violine, Serpent, zwei englische Flageoletts, Cembalo, 2 Hörner, Oboe und Theorbe, wobei dem Serpent nicht nur eine Baßfunktion in Verbindung mit Theorbe und Violoncello zukommt. Es muß hier auf den Umstand hingewiesen werden, daß der Serpent in dieser Zeit neben der Posaune das einzige melodiefähige Blasinstrument der Baßlage war und als solches natürlich auch verwendet wurde.

Frühe deutsche Quellen zur Verwendung des Serpents in Musikkapellen um die Mitte des 18. Jahrhunderts hat der deutsche Musiker und Musikwissenschaftler Karl Haas (1900—1970) ausfindig gemacht und dabei Märsche mit Serpentbesetzung aus der Zeit zwischen 1750 und 1764 aufgefunden — dieses Material gilt aber ebenso wie des Sammlers wertvolle Sammlung von Autographen und Mikrofilmen seit seinem Tod als verloren.[27] Weitere frühe Hinweise für den deutschen Raum sind die Erwähnung eines Serpentisten beim Grenadier-Regiment in Pirmasens etwa 1772[28] und die Tatsache, daß in Hannover 1783 zur Aufstellung einer Musikkapelle für die Coldstream Guards in England auch ein Serpentist rekrutiert wurde.

Die europäische Verbreitung des Serpents zur Revolutionszeit wurde durch den vor der Revolution fliehenden Serpentisten Louis-Alexandre Frichot (1760—1825) eingeleitet, der sich in London niederließ, wo er zunächst als Serpentist auftrat, dann aber die bereits durchgeführte neue Bauweise des Serpents in aufrechter Form kopierte und als Baß-Horn seiner eigenen Erfindung von John Astor (1763—1848) in London bauen ließ. Dieses wegen seiner Herkunft aus London als „Englisches Baßhorn" bezeichnete Instrument ist also dem Gedankengut nach sicher französischer Abstammung. Wahrscheinlich hat Frichot sogar die Erfindung Regibos gekannt. Im Unterschied zum französischen Vorbild, das aus einer in zwei parallelen Holzröhren geführten Bohrung bestand, wurde das englische Baßhorn derart konstruiert, daß die beiden den Hauptteil des Korpus bildenden Metallröhren in einem spitzen Winkel (also V-förmig und nicht Fagott-förmig) zusammengesetzt sind. Auffällig ist auch das schwanenhalsförmige Verbindungsrohr zwischen Mundstück und Korpus, das praktisch ein Drittel der gesamten Rohrlänge (!) ausmacht. Das große Interesse der Engländer an den Serpenten wird aber auch durch die Konstruktion von Kontrabaß-Serpenten und des Hibernicon gezeigt und gipfelt wohl in der Besetzung jenes denkwürdigen aus Anlaß des 150. Geburtstages von Georg Friedrich Händel veranstalteten Konzerts, das

---

[26] Das Bild stammt aus dem Jahr 1781 und ist in der Royal Academy, London, ausgestellt.

[27] Vgl. Artikel *Haas* in: The New Grove Dictionary, Vol. 8, London 1980, S. 4.

[28] P. P a n o f f, *Militärmusik in Geschichte und Gegenwart,* Berlin 1938, S. 111.

im Rahmen des Vierten großen Musikfestes in York am Nachmittage des 8. September 1835 stattfand. Der mit dem Zeichen „Pellisov"[29] gezeichnete Bericht schildert die Aufführung von Händels Krönungs-Anthem „Zadok der Priester" und Haydns „Schöpfung" mit folgender Besetzung der tiefen Orchesterstimmen: „16 Contrabässe ..., 14 Fagotte, 12 Posaunen, 4 Ophikleiden, 4 Serpente, 4 Pauken und eine andere Contrabasse-Trompete, Hibernicon genannt, welche wie ein Goliath aus den übrigen Ophikleiden himmelan raget, von drei beweglichen Füßen [also von einem Stativ] aufrecht erhalten und von einem davor sitzenden Manne geblasen wurde; dies Hibernicon hat einen Ton, gegen welchen die Trompeten vor Jericho's Mauern und der Posaunenton am jüngsten Tage wahrscheinlich nur Kinderspiele sind."[30]

Für den Österreichischen Raum sind folgende Besetzungen der Kapellen nachzuweisen. Sind die „Hautboistenbanden" in der zweiten Hälfte des 18. Jahrhunderts noch mit 4 Oboen, 2 Hörnern und 2 Fagotten bzw. nach Einführung der Klarinetten auch mit je zwei Oboen, Klarinetten, Hörnern und Fagotten besetzt[31], so wird dieses Oktett gegen Ende des Jahrhunderts kontinuierlich um Trompete, kleine und große Flöte, Kontrafagott, Posaune, Serpent, kleine und große Trommel, Cinellen und Triangel erweitert und umfaßt als Militär-Kapelle zu Beginn des neuen Jahrhunderts etwa 25 bis 30 Mann. Haydn und Beethoven schreiben Märsche für etwa diese Besetzung und die alternierende Vorschreibung von Serpent oder Contrafagott für die tiefste Bläserstimme mag wohl ihren Grund darin haben, daß in einer Kapelle das eine und in einer anderen Kapelle nur das andere Instrument zur Verfügung stand. Prinzipiell bestand noch kein Unterschied in der musikalischen Führung dieser beiden Instrumente.

Für die Musikkapelle in Graz sind genauere Angaben möglich. Die Partitur eines Marsches für die Grazer Bürgerwehr aus dem Jahre 1813 sieht eine Besetzung von 2 Clarinetti in F, 2 Clarinetti in C, Piccolo, 2 Corni in F, Prinzipal in F, 2 Fagotte, Serpent, Trommeln und Posaunen[32], während Anselm

---

[29] Unter diesem Pseudonym schrieb bekanntlich der auch an musikinstrumentenkundlichen und akustischen Fragen sehr interessierte Münchener Universitätsprofessor für Geognosie, Bergbau und Hüttenkunde, Karl Franz Emil von Schafhäutl (1803–1890).

[30] Bericht in der Allgemeinen Musikalischen Zeitung 38, 1835/1836 vom 28. Oktober und 4. November 1835, Sp. 720–721.

[31] E. R a m e i s , Die Österreichische Militärmusik. Von ihren Anfängen bis zum Jahre 1918, Tutzing 1976, S. 11.

[32] W. S u p p a n und E. B r i x e l , Das große Steirische Blasmusikbuch, Wien, u. a. 1981, Abb. 43.

Hüttenbrenner (1794—1868), der Musikinspektor des Grazer Bürger-Korps, der der Musikwelt vor allem als Freund Franz Schuberts ein Begriff ist, für seine Werke um 1830 an Baßinstrumenten 2 Fagotte, 1 Kontrafagott, 3 Posaunen und 1 Ophikleide zur Verfügung hatte.[33] Eine Marsch-Partitur aus dem Jahr 1838 für die Grazer Bürger-Wehr zeigt eine Besetzung von 1 Clarinette in As, 2 Clarinetten in Es, 2 Clarinetten in B, 2 Corni in Es, 1 Corno in As, 4 Trombe in Es, 2 Trombe in B, 3 Fagotte, Pauken, Posaune, Tambour und Cassa[34], und läßt an der Reduzierung der Baßinstrumente schon jene Anzeichnen erkennen, die dann zu der per Zirkularverordnung vom 8. April 1851 bekanntgemachten Reform der Regimentsmusik durch Andreas Leonhardt (1800—1866) führten. Ähnlich sind auch die Verhältnisse in Tirol, wie aus Abbildungen im „Großen Tiroler Blasmusikbuch" ersichtlich ist.[35] Diese Bilder zeigen zwei verschiedene Kapellen aus dem Jahr 1838 mit je zwei Ophikleiden-Spielern als Flügelmänner im ersten Glied. In diesem Zusammenhang ist noch der Hinweis von Interesse, daß die Salinenmusik in Hallein in ihrem Inventar aus dem Jahre 1890 noch zwei Pellitoni anführt, jene Ophikleiden-Instrumente, die 1846 in Mailand von Giuseppe Pelitti gebaut worden waren. In Salzburg findet sich der Serpent gleich in doppelter Besetzung im Inventar der „Türkischen Musik", das anläßlich des Regierungswechsels 1803 aufgenommen[36] und mit „Salzburg den 1. August 1804" datiert wurde. Die beiden Serpente — der eine nicht signiert und der andere mit der Signatur Metzler bezeichnet[37] — sind interessanterweise die einzigen Blasinstrumente in der Baßlage, die im Ensemble mit 3 Clarinetten, 2 Trompeten, 7 Flöten, 2 Piccolo und verschiedenen Schlaginstrumenten angeführt werden. Sie sind auch noch in den Aufstellungen der Musikinstrumente vom 2. April 1813 und vom 20. Juli 1814 enthalten[38] und noch die Inventare aus den Jahren 1820 und 1821/22 verzeichnen je einen Serpent.

---

[33] Ebda., S. 69.

[34] Ebda., Abb. 44.

[35] E. E g g und W. P f a u n d l e r , *Das große Tiroler Blasmusikbuch,* Wien, u. a. 1979, Abb. 46, 49.

[36] Nach der Säkularisierung des Erzstiftes Salzburg wird ein Kurfürstentum unter Großherzog Ferdinand III. von Habsburg-Toskana (1769—1824) errichtet.

[37] Zwei Werkstätten des Namens Metzler um 1800 sind uns heute bekannt. Eine von Martin Metzler in Karlsruhe, die andere von Valentin Metzler, gebürtig von Bingen am Rhein, der um 1788 in London als Blasinstrumentenmacher nachzuweisen ist und dessen Werkstatt in der 1. Hälfte des vorigen Jahrhunderts einen umfangreichen Geschäftsgang hatte. Ob die genannten Instrumente von einem der beiden oder noch von einem weiteren Instrumentenmacher dieses Namens stammen, ist derzeit nicht überprüfbar.

[38] K. B i r s a k und M. K ö n i g , *Das große Salzburger Blasmusikbuch,* Wien 1983, S. 71.

Zeugnis von ihrer weitverbreiteten Verwendung geben aber nicht nur die einzelnen Instrumente selbst und ihre Erwähnung in Akten oder ikonographischen Quellen. Hier sind noch zu nennen Preis-Listen von Instrumentenbau-Werkstätten, z. B. von Schott in Mainz aus dem Jahre 1826[39], aber auch ein Preis-Courant der Firma Paul Fatka in Innsbruck um 1840, in denen Serpente, Fagotte und Kontrafagotte zum Kauf angeboten werden. Auch Schulwerke bzw. Grifftabellen wurden für diese Instrumente verkauft — wobei selbstverständlich in Frankreich die meisten Werke für dieses Instrument verlegt wurden.[40] Die wichtigste Serpentschule im Deutschen Raum war wohl jene, die von Franz Joseph Fröhlich (1780—1862) in seine „Vollständige Theoretisch-Praktische Musikschule für alle beim Orchester gebräuchliche wichtigere Instrumente" aufgenommen wurde, zuerst 1810/11 in Bonn bei Simrock erschien und dann bis zur Jahrhundertmitte verschiedene Neuauflagen erlebte. Anzuführen sind auch noch die etwa um 1810 bei André in Offenbach am Main erschienenen deutsch-französische „Tablature de Serpent" (Plattennummer 2905) und eine bei Schott in Mainz veröffentlichte „Gamme de Basson Russe, ou Serpent anglais".[41] Den bisherigen Ausführungen ist also zu entnehmen, daß der Serpent weit häufiger verwendet wurde, als es bisher bekannt war bzw. angenommen wurde. Diesem Bild entspricht auch die Verwendung des Serpents im damals zeitgenössischen Musikschaffen.

Nun haben wir uns mit der anfangs erwähnten, zum überwiegenden Teil negativen Beurteilung des Serpents in der Literatur des vorigen Jahrhunderts zu beschäftigen. Ausgangspunkt waren die einfachen Beschreibungen des Instruments in den Lexika des anbrechenden 19. Jahrhunderts, z. B. im 1802 bei André in Offenbach erschienenen „Musikalischen Lexikon" von Heinrich Christoph Koch (1749—1816) oder in der Manuskript gebliebenen „Beschreibung aller alten und neuen musikalischen Instrumente" des Organisten Johann Christoph Wilhelm Kühnau, Berlin 1801.[42] In ihren knappen Aussagen gehen diese beiden Artikel auf die entsprechenden Abschnitte der Werke

---

[39] Erschienen in CÄCILIA 1, 1824, und 3, 1826.

[40] Eine Aufstellung von acht Serpentschulen bzw. Anleitungen findet sich im Artikel *Serpent* in: Grove's Dictionary of Music and Musicians, Fifth Edition, Vol. 7, London 1954, S. 714.

[41] Erschienen in CÄCILIA 3, 1826.

[42] Die Titelabschrift dieses in der Deutschen Staatsbibliothek in Berlin (DDR) verwahrten Manuskripts lautet: „Beschreibung / aller / alten und neuen musikalischen Instrumente, / mit / Abbildungen / erläutert. / herausgegeben / von Jn Cph Wm / Kühnau. / jun. / Org. an der Luisenstädter Kapelle. / Berlin / im Januar 1801". Es stammt von Johann Christoph Wilhelm Kühnau (1735—1805).

von Marin Mersenne[43], Athanasius Kircher[44] und Johann Gottfried Walther[45] zurück. Neuentwicklungen des Serpents, die in den alten Lexika selbstverständlich noch nicht gebracht werden konnten, sind in den neueren Werken daher auch nur stichwortartig erwähnt.

Den „Versuch einer nähern Beleuchtung des Serpent" unternimmt Ernst Ludwig Gerber, der Kompilator des berühmten „Historisch-Biographischen Lexikons der Tonkünstler" im Oktober 1803.[46] Die Person des Autors Gerber ist dabei insoferne von Interesse, als er — geboren 1746 und verstorben 1819 in Sondershausen — am Hofe der Fürsten von Schwarzburg-Sondershausen als Hoforganist und Sekretär tätig war, und gerade einer dieser Fürsten soll eine besondere Vorliebe für die Serpente und deren Umbildungen gezeigt haben. So ist über das Baßhorn in einem Bericht in der Wiener Allgemeinen Musikalischen Zeitung vom 16. Januar 1813 zu lesen:

> Das Baßhorn „ist ursprünglich die Erfindung eines Engländers . . . Sowohl dem Äußern als auch der Behandlung nach, hat es viele Aehnlichkeit mit dem Kontrafagott. — Sr. Durchlaucht der Fürst von Sondershausen hat es der Aufmerksamkeit werth befunden, und es mit viel Fleiß als Glück verbessert. Es ist meines Wissens nach nicht beim Orchester eingeführt, doch hat der . . . königl. Kammermusikus Herr Tausch, dieses [am Konservatorium zu Berlin] benützt."

Wenn also Gerber etwas zu diesem Thema zu sagen hat, so wird er das Instrument als Sekretär des Fürsten zumindest aus dessen Beschäftigung damit gekannt haben. In seinem Artikel in der Leipziger Allgemeinen Musikalischen Zeitung versucht er auf die unterschiedlichen Klangfarben der Blasinstrumente einzugehen und benützt zur vergleichenden Beschreibung die Farbpalette des Malers. So etwa werden die Trompeten den „glänzendsten und grellsten Lichtern" und die Klarinetten „hellen lebendigen Farben, welche allen Gegenständen ihre Form und Schönheit geben" gleichgesetzt. Die Oboen charakterisiert er mit den „sanften Farben, mit denen der Maler den Hintergrund darzustellen sucht" und die Hörner und Fagotte mit den Farbtönen, die zur Darstellung der Schatten auf den Gemälden dienen. Weiter heißt es: „Nur mit den Wirkungen des Serpent möchte es schwer halten,

---

[43] M. M e r s e n n e , *Harmonie Universelle,* Paris 1636, Livre des Instruments V, S. 279.

[44] A. K i r c h n e r , *Musurgia Universalis,* Rom 1650, Tomus I, Lib. VI, S. 505.

[45] J. G. W a l t h e r , *Musikalisches Lexikon,* Leipzig 1732, S. 565.

[46] E. L. G e r b e r , *Versuch einer nähern Beleuchtung des Serpent,* in: Allgemeine Musikalische Zeitung 6, 1803/1804, No. 2 vom 12. Oktober 1803, Sp. 17—25.

in dieser Vergleichung fortzufahren. Vielleicht ist er das, was dem ganzen Gemälde die Haltung gibt.“[47] Eine Erfahrung, die auch von heutigen Serpentspielern bestätigt wird: Der Serpent ist zwar im Ensemble kaum zu hören — das Fehlen seiner Stimme wird jedoch bemerkt.

Wenn Gerber auch bei der Angabe des Tonumfanges von insgesamt vier Oktaven vom Kontra-C bis c″ zugunsten des Instruments etwas übertreiben dürfte (nämlich um etwa eineinhalb Oktaven), so beschreibt er die Töne der kleinen und eingestrichenen Oktave doch richtig: „Die Reihe der übrigen Töne nach der Höhe zu, werden nun zwar vermittelst der Oeffnung und Bedeckung der Löcher hervorgebracht, erfordern aber nichts destoweniger einen geübten Bläser, indem darunter nicht nur mancher stumpf, mancher grell, wieder ein anderer nasenartig intonirt, so dass die Kunst des Ansatzes vollauf zu thun findet, um die nöthige Gleichheit der Töne zu erhalten.“[48] Die Stärke und Schönheit des Instruments ortet Gerber richtig in den tiefen Oktaven und wendet sich damit deutlich gegen jene französischen Virtuosen, die den Serpent in der Kirche teilweise durch gewagte kadenzartige Entwicklungen bis in höchste Höhen (berichtet wird vom b[1]) in Verruf brachten. Richtig scheinen auch die Beobachtungen über die Qualität der Serpentisten in den Deutschen Militär-Kapellen zu sein. Bedingt durch die Fingerlöcher ist es auf dem Serpent nicht leicht, eine Tonleiter völlig rein — gleichgültig nach welchem Stimmungssystem — zu intonieren. Nach Fröhlichs Serpentschule ist daher als Voraussetzung für das Spiel auf diesem Instrument das Bewußtsein anzusehen, daß „man hier sehr oft mit dem Ansatze das ersetzen muss, was die mehr oder minder reine Structur des Serpent noch vermissen läßt“.[49] Als Vorstudien für ein gutes Spiel auf dem Serpent sieht Fröhlich auch noch eine gute Gesangschule an und meint: „Es ist dies um so wesentlicher, als man immer noch in dem fehlerhaften Gedanken lebt, als wenn zu dem Bass nicht eben so viele Vortragsmethode erfordert werde, als zu den andern Instrumenten. Daher die ausserordentliche und beynahe ganz allgemeine Vernachlässigung der Schüler in dieser Hinsicht.“[50] Zu entnehmen ist diesen Hinweisen jedenfalls, daß man den Serpent im übertragenen Sinn vor allem „mit den Ohren spielen“ muß. Über die Serpentisten schreibt nun Gerber: „Auch scheint man es bei den Sächsischen Hoboistenchören eben so genau damit nicht zu nehmen, wo man es gewöhnlich dem ersten

---

[47] Ebda., Sp. 18—19.
[48] Ebda., Sp. 23.
[49] J. F r ö h l i c h , *Vollständige Theoretisch-praktische Musikschule, Abtheilung III: Blechblasinstrumente,* Bonn 1810, S. 40.
[50] Ebda., S. 40.

dem besten rüstigen Pfeifer, ohne grosse Rücksicht auf dessen musikalische Kenntnisse, zu blasen überlässt."[51]

Vier Jahre nach diesen Ausführungen von Gerber — also 1807 — erschienen in der Allgemeinen Musikalischen Zeitung „Einige Bemerkungen über den ästhetischen Charakter, Werth und Gebrauch verschiedener musikalischer Instrumente" des Leipziger Universitäts-Dozenten für Philosophie und Ästhetik, C. F. Michaelis (1770—1834). Bei der Darstellung der Blasinstrumente wird der Serpent dabei im Vergleich neben das Fagott gestellt, das ja nicht mehr nur als Baßinstrument verwendet wurde, sondern auch als Tenorinstrument im Symphonie-Orchester bei Haydn, Mozart und Beethoven sich an der thematischen Arbeit beteiligte. Michaelis sieht den Serpent als „bekanntlich ein noch tieferes Blasinstrument", das sehr geschickt ist, „der Musik kraftvolle Haltung und Würde in der Begleitung zu geben".[52]

Weniger von der klangästhetischen Seite her als von jener der nüchtern betrachtenden Akustik nähert sich Jacob Gottfried Weber (1779—1839), der in Sachen Musik äußerst vielseitige Jurist, dem Serpent in zwei Artikelserien, die in der Allgemeinen Musikalischen Zeitung in den Jahren 1816 und 1817 erschienen sind.[53] Dabei geht es nicht allein um den Serpent, sondern um das Mißbehagen Webers an den Instrumentalbässen seiner Zeit überhaupt, das der Autor in einem noch verbesserungsbedürftigen Stadium des Baues der einzelnen Instrumente sieht. Weder Fagott, Kontrafagott, noch Posaune kommen im Urteil Webers gut weg. Zum Serpent schreibt er:

> „Höchst armselig sieht es mit dem Serpent aus. Dieses Instrument, welches mittelst eines sehr vergrösserten Trompetenmundstücks angeblasen, dabey aber durch Tonlöcher (welche sonst bey dieser Art von Instrumenten nicht gewöhnlich sind) regiert wird, ist also im Grunde als eine Basstrompete mit Tonlöchern anzusehn ... Sein Ton ist eigentlich reich an Mark und Fülle, auch hinreichend durchgreifend: allein in Ansehung des Tonspiels ist das, wegen seiner Tonfülle sehr ehrenwerthe Instrumente auf das Unverantwortlichste vernachlässigt; seine Anlage ist so äusserst roh und unausge-

---

[51] E. L. G e r b e r , op. cit., Sp. 24.

[52] C. F. M i c h a e l i s , *Einige Bemerkungen über den ästhetischen Charakter, Werth und Gebrauch verschiedener musikalischer Instrumente*, in: Allgemeine Musikalische Zeitung 9, 1806/1807, Nr. 16 vom 14. Januar 1807, Sp. 249.

[53] J. G. W e b e r , *Versuch einer praktischen Akustik der Blasinstrumente*, in: Allgemeine Musikalische Zeitung 18, 1816, Sp. 33—44, 49—60, 65—74, 87—90; und: *Über Instrumentalbässe bey vollstimmigen Tonstücken*, in: Allgemeine Musikalische Zeitung 18, 1816, Sp. 693—702, 709—714, 725—729, 749—753, 765—769, 19, 1817, Sp. 809—814, 825—832.

bildet, die Tonlöcher so unverständig in den Tag hinein, und blos nach Bequemlichkeit der Finger, zu drey und drey dicht nebeneinander angebracht, ... dass an eine ordentliche und vollständige Applicatur und Tonleiter gar nicht zu denken ist, und vielmehr fast die Hälfte seiner Töne gar nicht durch Oeffnen oder Schliessen der Tonlöcher entscheidend gegriffen werden kann, sondern viele Töne entweder mittels halber Schliessung eines Tonlochs elendiglich erkünstelt, oder durch mühsames und unsicheres Treiben oder Sinkenlassen erlogen werden müssen, indem oft zwey, ja drey und mehr nebeneinander liegende Töne nur einerley Griff haben, und blos durch den Lippenansatz zu verschiedenen Tönen ausgeprägt werden, von welchem, fast bey jeder Note nöthigen Hinauf- oder Hinabdrücken des Tons das unselige, dem Heulen eines Thieres ähnliche Gluchzen rührt ... Sollte es ja auf den Rang andrer brauchbarer Instrumente Anspruch machen wollen, so müsste es von Grund aus ungeschmolzen, und nach den ... allgemeinen Grundsätzen über die Einrichtung der Instrumente mit Tonlöchern ganz neu eingerichtet werden.

Das vielgerühmte, sogenannte englische Basshorn- oder Fagottserpent ist nichts weiter, als eine höchst unvollkommne Verbesserung des Serpent in fagottähnlicher Gestalt, übrigens von eben so unvollkommner Applicatur und folglich im Wesentlichen eben so roh und verwahrloset, wie das gemeine Serpent."[54]

Schon deutlich ist hier der Auftrag an den Instrumentenbau zu erkennen, Bohrungen und Tonlöcher an Blasinstrumenten nicht nur der Tradition nach festzulegen, sondern die Ergebnisse bereits vorliegender akustischer Forschungen (z. B. von Weber selbst) in das Wissen um den Instrumentenbau einfließen zu lassen. Änderungen beim Bau des Serpents im Sinne Webers wurden allerdings nicht im erforderlichen Ausmaß berücksichtigt, und die negativen Stimmen zu diesem Instrument häufen sich gegen die Jahrhundertmitte vor allem in den Anleitungen zur Instrumentation, die das Instrument immer öfter als unbrauchbar abstempeln. Äußerte sich Alexandre Étienne Choron (1771—1834) in seiner Instrumentationslehre, die nach dem Tod des Autors von dessen Assistenten Adrien de la Fage veröffentlicht wurde, in diesem Sinn[55], so gipfelt die ablehnende Beurteilung in den ent-

---

[54] J. G. W e b e r , *Über Instrumentalbässen bey vollstimmigen Tonstücken*, in: Allgemeine Musikalische Zeitung 18, 1816, Sp. 700—701.

[55] A. C h o r o n und J. A. d e l a F a g e , *Nouveau manuel complet de musique vocale et instrumental*, 3 Bände, Paris 1836—1839.

sprechenden Ausführungen von Hector Berlioz (1803—1869), die dieser 1843 in seinem „Traité de l'instrumentation et d'orchestration modernes" niedergelegt hat. In der von Dr. Detlef Schultz aus dem Französischen übersetzten und von Felix Weingartner (1863—1942) herausgegebenen deutschen Fassung aus dem Jahre 1911 heißt es:

> „Der Serpent (Außer Gebrauch) ist ein mit Leder überzogenes Holzinstrument mit Mundstück und hat den gleichen Umfang wie die Baßophikleide, aber etwas weniger Beweglichkeit, Reinheit und Klangfülle. Es gibt auf ihm drei Töne, [Notenbeispiel d, a, d'], die viel stärker klingen als die andern; daraus ergeben sich verletzende klangliche Unebenheiten, die die Ausführenden nach Kräften verbessern müssen. Der Serpent steht in B, er muß daher, wie die Ophikleide in B, einen Ton höher geschrieben werden, als er wirklich klingt. Der wirklich barbarische Klang dieses Instruments hätte viel besser für die Zeremonien des blutigen Kults der Druiden gepaßt als für die der katholischen Religion, wo es immer noch Verwendung findet, ein ungeheuerliches Denkzeichen des Unverstandes und der Gefühls- und Geschmacksroheit, die seit undenklichen Zeiten in unsern Kirchen die Verwendung der Tonkunst im Gottesdienste bestimmen. Auszunehmen ist nur der Fall, wo der Serpent in den Totenmessen zur Verdopplung der furchtbaren Melodie des ,Dies irae' verwendet wird. Hier ist sein kaltes, scheußliches Gebrüll zweifellos angebracht; er scheint sogar eine Art von Trauerstimmung anzunehmen, wenn er diese Worte begleitet, aus denen alle Schrecknisse des Todes und der Rache eines eifernden Gottes widerklingen. Auch in weltlichen Kompositionen wird er am Platze sein, wenn Phantasiebilder dieser Art zum Ausdruck kommen sollen — aber auch nur dann. Er mischt sich übrigens schlecht mit den andern Klangfarben des Orchesters und der Singstimmen, und als Baß einer Masse von Blasinstrumenten sind ihm die Baßtuba und selbst die Ophikleide weitaus vorzuziehen."[56]

Die klangliche Situation des Serpents wohl richtig einschätzend aber das Instrument selbst dennoch nicht verdammend äußert sich Johann Christian Lobe (1797—1881) über den Serpent in seinem „Lehrbuch der musikalischen Composition":

> „. . . doch, wie auf allen Instrumenten, sind auch auf diesem die höchsten Töne unsicher und haben keinen angenehmen Klang,

---

[56] H. B e r l i o z , *Große Instrumentationslehre*, 2., durchgesehene Auflage, Leipzig 1911, S. 201—202.

wesshalb man auf demselben nur bis eingestrichen d oder es steigt. Die Töne erschienen wie sie geschrieben sind.

Der Klang des Serpents ist im Allgemeinen stark und rauh, in der tieferen Hälfte der Tonleiter dumpf, in der höheren heller, in der Klangstärke ungleich; so sind z. B. klein d, a und eingestrichen d stärker, klein des und es schwächer, als alle anderen Töne.

Obgleich langsame Gänge der Natur dieses Instruments am besten zusagen, kann man doch auch bewegtere Figuren, diatonische Läufe z. B. in mässigem Allegro, etwa in Sechzehnteln, darauf ausführen; chromatische Stellen dürfen ihm nur in kurzen Sätzen und langsamer Bewegung zugemuthet werden. In B-Tonarten lässt sich leichter als in Kreuz-Tonarten darauf spielen.“[57]

Was nun die Beurteilung des Serpentklanges anlangt, so hat diesen Louis Joseph Francoeur (1738—1804) in seiner Instrumentationslehre aus dem Jahre 1772 treffend charakterisiert. Er siedelt den Klang des Serpents — den er im gleichen Maß als eigenartig und fremdartig bezeichnet — zwischen Horn und Fagott an.[58] Das Hornähnliche in diesem Klang ist wohl die satte, wohlklingende Weichheit und Fülle der tiefen Lage, die wahrscheinlich auch auf die Verwendung von Mundstücken zurückzuführen ist, die der Form nach weniger den Posaunenmundstücken als den Hornmundstücken angeglichen waren. Vom Horn trennt den Serpent aber der relativ matte und glanzlose Ausdruck und auch das bei den Hörnern in der tiefen Lage gut bemerkbare Prasseln des Tones, das vor allem bei den D-Hörnern auffällig ist. Diese Qualität bzw. jeder schmetternde Klang, der den Metallblasinstrumenten sonst eigen ist, fehlt dem Serpent überhaupt. Ein Strahlen ist dem Instrument nicht eigen.

Wohl seiner tiefen Lage ist der Vergleich mit dem Fagott zuzuschreiben, das der Serpent aber mit seinem Volumen an Ausstrahlungskraft bei weitem übertrifft, wiewohl es allgemein gesehen mit den voluminösen Möglichkeiten von Posaune und später der Tuba nicht mithalten kann. Der tiefen Lage sind Adjektive wie „brummig", „dunkel", „dumpf" zuzuschreiben. Diese Eigenschaften sind aber nicht Serpent-spezifisch. Sie sind auch anderen Baßinstrumenten nicht erspart geblieben und bilden keinesfalls eine negative Beurteilung. In diesem Zusammenhang ist wohl auch z. B. an das „Schweine-Sextett" von Gottfried Pepusch zu denken, eine Komposition für sechs Fagotte, deren Klang den Komponisten derart an die Lautäußerungen von Bor-

---

[57] J. C. L o b e , *Lehrbuch der musikalischen Composition,* Band 2: *Die Lehre von der Instrumentation,* Leipzig 3/1878, S. 389—390.

[58] L. J. F r a n c o e u r , *Diapason général de tous les instruments à vent,* Paris 1772.

stentieren erinnert haben muß, daß er die einzelnen Stimmen mit „porco primo", „porco secondo" bis „porco sesto" bezeichnete.[59] Von tierischen und brüllenden Lauten, die zum Musizieren völlig unbrauchbar wären, kann man bei normalem Gebrauch des Serpents — also wenn man den im Volumen eher schwachen Klang des Instruments nicht durch Forcieren und übertriebenes Hineinblasen mit Gewalt verstärken will — nicht sprechen. Als Ausnahme davon wären vielleicht Trillerbildungen zu nennen, deren Ausführung tatsächlich nicht gerade zart und fein zu nennen sind. Demgegenüber steht dann wieder eine fast saxophonartig weiche Qualität bei manchen Kantilenen, deren Feinheit kaum an das bei Berlioz beschriebene Instrument denken läßt. Gerade das dem Fagott überlegene Tonvolumen hat den Serpent zu einem guten Fundament dieser Instrumentengruppe im Orchester werden lassen, das den Baßlinien eine kernigere Substanz geben konnte als etwa das oft von vielen Nebengeräuschen begleitete Kontrafagottspiel.

Aus den Hinweisen über die in der ersten Hälfte des vorigen Jahrhunderts noch nicht so weit entwickelten und daher oft unrein intonierenden Bässe der Blasinstrumente ist leicht der falsche Schluß zu ziehen, daß ein Komponist aus dem Reservoir der ihm vielleicht zur Verfügung stehenden, ohnehin schlechten Instrumente sich jenes zur Realisierung der Baßstimme im Bläserchor herausnahm, das er selbst als das „kleinere Übel" ansah. Die Wahl der Instrumente richtete sich aber zunächst einmal nach dem bei einem Orchester vorhandenen Instrumentarium, da es bei den Orchestern und Kapellen in der ersten Hälfte des vorigen Jahrhunderts noch keine den heutigen Orchestergewohnheiten vergleichbaren Normbesetzungen gab. Auch wenn ein Komponist vielleicht unbedingt einen Serpent vorschreiben wollte, war doch die Ausführung des betreffenden Parts von der Verfügbarkeit eines entsprechenden Instruments abhängig. Das brachte auch die Praxis mit sich, daß Regimentskapellen oft in benachbarten Städten aushelfen mußten, wenn die jeweiligen Theaterorchester nicht genügend Bläser für die Aufführung bestimmter Werke zur Verfügung hatten. Eine andere in diesem Zusammenhang zu erwähnende Praxis war auch, daß nahezu alle Baßstimmen immer nichttransponierend notiert waren, damit man die Stimme eben für das jeweils vorhandene Instrument (Fagott, Kontrafagott, Serpent, Ophikleide, Posaune) verwenden konnte. Eine synonyme Verwendung der einzelnen verschiedenen Klangfarben ist aber nicht anzunehmen. Somit wird auch das Faktum erklärt, daß Komponisten für Werke gleicher Gattung (z. B. für Ouvertüren), die sie für verschiedene Städte geschrieben haben, zu unterschiedlichen Besetzungen greifen mußten. Diese unterschiedlichen Besetzungen werden heute im modernen Konzertbetrieb auf das uns geläufige Norm-

---

[59] P. P a n o f f, op. cit., S. 62.

66

orchester reduziert. Das Ergebnis ist eine bewußte oder unbewußte Nivellie-rung — „Internationalisierung" — des Orchesterklanges.

Nun zu den Werken aus der Zeit der Romantik. Wenn vom SERPENT die Rede ist, werden immer nur dieselben drei Werke deutscher Komponisten genannt, die auch — oder fast möchte man sagen — dieses Instrument in ihren Partituren vorgeschrieben haben: Die Ouvertüre zu „Meeresstille und Glückliche Fahrt" (Op. 27, komponiert 1828) und das Oratorium „Paulus" (Op. 36, komponiert 1836) von Felix Mendelssohn Bartholdy, sowie die Oper „Rienzi" von Richard Wagner (komponiert 1838—1840, aufgeführt in Dresden am 20. Oktober 1842). Darüberhinaus ist der Serpent noch in fol-genden Werken für großes Orchester besetzt: In der biblischen Szene „Das Liebesmahl der Apostel" (1843), in einer Einlage zu Vincenzo Bellinis Oper „Norma" und in der Ouvertüre „Rule Britannia" (1836) von Richard Wag-ner, in der Symphonie Nr. 5 in D-Dur (Op. 107, „Reformationssymphonie") von Mendelssohn und — in Anlehnung an französische Besetzungsgewohn-heiten — auch in Verdis „Les Vêpres siciliennes" (aufgeführt in Paris am 13. Juni 1855). Wenn die betreffenden Baßstimmen in den genannten Werken auch mit „Serpent" überschrieben sind, so ist es doch unwahrscheinlich, daß sie vom alten, schlangenförmigen Instrument ausgeführt wurden. Vielmehr kamen da schon jene Umbildungen zur Verwendung, die uns unter den Namen Russisches Fagott bis Baßhorn bekannt sind.

Die früheste ausdrückliche Verwendung des Serpents in einem Opern-orchester dürfte nach Moore[60] in der Oper „Montano et Stéphanie" von Henri Montan Berton[61] (aufgeführt am 15. April 1799 in Paris) nachzuweisen sein und wahrscheinlich das alte Instrument meinen. Es handelt sich dabei um das szenenweise Mitspielen von Kontrabaß- und Fagottstimme und deu-tet auf die Richtigkeit von Gerbers Ansicht hin, daß der Serpent den Kom-positionen erst „die Haltung gibt".[62] Selbstverständlich ist der Serpent ge-rade im Bereich der Harmoniemusik weit verbreitet, wobei frühe Komposi-tionen, z. B. von Joseph Haydn (1732—1809)[63], Johann Nepomuk Hummel

---

[60] A. G. M o o r e , op. cit., S. 11.

[61] H. M. Berton (1767—1844) war seit 1795 Lehrer am Conservatoire in Paris und kannte die Möglichkeiten des Serpents sicherlich von den dort lehrenden Serpentspie-lern Nicolas Roze, Rogat und Alexandre Hardy.

[62] E. L. G e r b e r , op. cit., Sp. 18—19.

[63] J. H a y d n , *Marsch* in Es-Dur (1795) für 2 Klarinetten, 2 Hörner, 2 Fagotte, Trompete und Serpent. Die Original-Besetzung des Marsches in Es-Dur (1792) für Bläser-Sextett wurde erst später (von fremder Hand) um Serpent, 2 Flöten und Strei-chersatz erweitert.

(1778—1837)[64] und Samuel Wesley (1766—1837)[65], wahrscheinlich noch den schlangenförmigen Serpent meinen. Spätere Werke, z. B. von Ludwig van Beethoven (1770—1827)[66] und Heinrich Neumann[67], haben die Baßstimme bereits mehreren Instrumenten anvertraut[68] und damit die Ausführung durch die neuen zur Verfügung stehenden Bläserbässe ermöglicht.

Die Verwendung des BASSHORNS ist vor allem in den Partituren von Mendelssohn auffällig, nämlich in der Ouvertüre für Harmoniemusik (Op. 24, 1826) und im Trauermarsch für Harmoniemusik zum Begräbnis Norbert Burgmüllers (Op. 136, 1836), sowie in einem zweisätzigen Kammermusikwerk für elf Bläser, das man dem Charakter nach als „Notturno" bezeichnen kann.[69] Hinzufügen muß man bei den Mendelssohn'schen Baßhornpartien, daß sie für „Corno Basso e Contrafagotto" geschrieben sind und den schon weiter oben beschriebenen Effekt der Kombination von Kontrafagott und Baßhorn in der Praxis bestätigen. Stimmen für „Basshorn" und „Cromatisches Basshorn" sind auch in den Märschen von Heinrich Neumann zu finden und auch Louis Spohr schreibt in seiner 9. Symphonie und in seinem Notturno Op. 34 ein so benanntes Instrument vor.

Im Vergleich mit Baßhorn und Serpent ist die OPHIKLEIDE viel öfter in den groß besetzten Partituren des vorigen Jahrhunderts anzutreffen. Hat sie den Serpent auch teilweise im Kirchendienst abgelöst — ein interessanter Bildbeleg von Soyer (1823—1903) zeigt uns diese Praxis[70] — so ist sie wahrscheinlich in Wagners „Fragment eines Orchesterwerkes in e-Moll" besetzt. Dieses Werk ist als „das früheste erhaltene Werk Wagners überhaupt" bezeichnet, dürfte etwa 1830 entstanden sein und weist im achten, unbezeichneten Partitursystem, das sich räumlich zwischen dem System der Pauke und dem der Violinen befindet, vor allem lange Baßnoten auf.[71] Für Egon Voss,

---

[64] J. N. H u m m e l , *Parthia* in Es-Dur (Autograph 1803) für 2 Klarinetten, 2 Oboen, 2 Fagotte und Serpent.

[65] S. W e s l e y , *Marsch* in D-Dur (Autograph datiert mit 24. Juni 1777) für 2 Hörner, 2 Oboen, 2 Fagotte und Serpent.

[66] L. v. B e e t h o v e n , *Militär-Marsch* in D-Dur für große Harmoniebesetzung (1816).

[67] H. N e u m a n n , z. B. die opera 31—34 für „Militair-Musik" (etwa 1832/1833).

[68] So sind die Stimmen in den Werken von Neumann bereits „Serpent et Bass-Clarinetto" überschrieben.

[69] E. W e r n e r führt dieses Werk in seiner umfassenden Mendelssohn-Biographie (Zürich 1980) nicht an.

[70] „Probe vor der Messe", veröffentlicht in: F. H a r r i s o n und J. R i m m e r , *European musical instruments,* London 1964, Abb. 191.

[71] Vgl. Bericht in: Musikforschung 23, 1970, S. 50—54.

den Herausgeber dieses Werks in der Richard Wagner Gesamtausgabe, liegt daher der Schluß nahe, daß es sich bei dem nicht näher bezeichneten Instrument um eine Ophikleide handelt. Dieses Instrument ist weiters zusammen mit der dritten Posaune in der Oper „Das Liebesverbot" (1834) und in der Volkshymne „Nicolai" (1837) vorgeschrieben, wobei die Ophikleide nur an manchen Stellen mit der 3. Posaune mitspielt. Ob es sich dabei um ein Zeichen bewußter Klangdifferenzierung im Bläserchor oder um ein den Schwierigkeiten der Stellen entsprechendes Pausieren der Ophikleide handelt, bleibt dahingestellt. Mendelssohn verwendet die Ophikleide im „Sommernachtstraum" (1842), und zwar nicht nur als fundamentalen Baß in Ouvertüre und Hochzeitsmarsch, sondern auch in der Rüpelszene (Nr. 6) in einer durchaus selbständigen und solistischen Baßstimme, die dem Partiturbild nach bis zum Kontra-H hinabreicht. Ferner wird die Ophikleide von Mendelssohn im „Festgesang: An die Künstler" (Op. 68, 1846) und im Oratorium „Elias" (Op. 70, 1846) verwendet. Im „Elias" ist die Stimme eine selbständige Baßstimme und im „Festgesang" ist sie mit „Ophicleid e Tuba" bezeichnet.

Auch Schumann verwendet die Ophikleide, und zwar in seinem Oratorium „Das Paradies und die Peri" (Op. 50, aufgeführt in Leipzig 1843). Die Stimme ist für Baßposaune und Ophikleide bezeichnet — die Ophikleide hat aber auch ohne die dritte Posaune zu spielen und hat somit nicht nur dem Blechbläserchor, sondern in Verbindung mit den Kontrabässen auch dem Streichersatz an bestimmten Stellen ein außergewöhnlich starkes Fundament zu geben. Der Vollständigkeit halber sind auch die Opern von Giacomo Meyerbeer (1791—1864) zu nennen, die ohne die Ophikleide in Verbindung mit einem dreistimmigen Posaunensatz nicht auskommen. Zu nennen sind: „Robert le Diable" (1831), „Les Huguenots" (1836), „L'Étoile du nord" (1854) und „L'Africaine" (erst nach Meyerbeers Tod im Jahre 1865 aufgeführt). In diesen Werken sind drei Posaunen und Ophikleide besetzt. Der in der gedruckten „Hugenotten"-Partitur gleich auf der ersten Seite vermerkte Hinweis, daß die Ophikleide im dreistimmigen Posaunensatz mit der dritten Posaune mitzuspielen und im vierstimmigen Satz den Baß zu den Posaunen zu spielen hat, dürfte sicher auch für die anderen oben genannten Opern Geltung gehabt haben. Auch Rossini, Auber und Bellini verwenden die Ophikleide in ihren Werken. Zuletzt aber nicht als Letzter ist auch noch Berlioz anzuführen, der dieses Instrument in seinem „Requiem" (1837) und in seiner 1830/31 komponierten „Symphonie fantastique" — in diesem Werk sogar zwei Ophikleiden, eine in C und eine B — vorschreibt, obwohl seine Beurteilung des Instruments in der Instrumentationslehre nicht viel weniger „schmeichelhaft" ist als die des Serpents. Zwischen der „Symphonie fantastique" und der Instrumentationslehre liegen allerdings etwa 13 Jahre und wahrscheinlich hatte Berlioz 1830 noch bessere Ophikleiden-Spieler zur Verfügung als zu jener Zeit, als er an die Abfassung seines „Traité" ging.

In den nun genannten Werken mit großer Orchesterbesetzung ist der Klang des Serpents bzw. des Baßhorns vor allem in gemeinschaftlicher Verwendung mit den Posaunen, Tuben und Ophikleiden sicher untergegangen bzw. durch das Bestreben, einen stärkeren Ton am Serpent durch entsprechendes Forcieren beim Blasen zu erzielen, eher unangenehm und (wie Berlioz eben schreibt) brüllend aufgefallen. Eine solche Behandlung des Serpents war aber nicht die ursprüngliche. Er hatte seine Orchesterlaufbahn in wesentlich geringer besetzten Ensembles begonnen und gerade Kompositionen bzw. Arrangements für die um wenige Instrumente erweiterte klassische Bläserharmonie mit je zwei Oboen, Klarinetten, Hörnern und Fagotten oder für ähnliche Besetzungen um etwa 1800 haben mit dem Serpent einen klangvollen und ausreichenden Baß gehabt, der mit seiner dunklen Färbung auf seine Eigenart aufmerksam machte. Zu nennen sind hier z. B. Parthien von Maximilian Eberwein (1775—1831), der der Hofkapelle in Rudolstadt vorstand und von dem entsprechend besetzte Werke vorhanden sind. Im Staatsarchiv Rudolstadt finden sich aber auch einige Arrangements, die für unsere Besetzungsfragen interessant sind: So z. B. eine Serenade „Leise flehen meine Lieder" nach Franz Schubert, die für Oboe, Englischhorn, 2 Klarinetten, 2 Fagotte, Baßhorn, 2 Hörner, 2 Trompeten, 2 Tenorhörner und 3 Posaunen gesetzt ist, oder eine Bearbeitung des Septetts op. 20 von Beethoven für Flauto terzo, 2 Klarinetten, 2 Clarinetten in Es, 2 Fagotte, Serpent, 2 Hörner, Trompete und Baßposaune.

Im Zusammenhang mit Klangbeispielen[72] ist also festzuhalten: Serpent und Baßhorn waren im Gegensatz zu Ophikleide und Tuba nicht für großes Orchester gedacht, sondern einerseits als Melodieinstrumente (durch ihre Spielweise mit Fingerlöchern waren sie ja viel besser zum Melodiespiel geeignet als etwa Hörner und Posaunen) und andererseits als klangvoller und beweglicher Baß für kleine Ensembles. In diesem Bereich haben sie die ihnen übertragenen musikalischen Aufgaben sicher gut erfüllt. Die Tonvolumen dieser Instrumente waren für große Besetzungen zu schwach und verleiteten die der alten Spielpraxis nicht mehr mächtigen Musiker zum Erzwingen größerer Lautstärken, die allerdings — dem ureigenen Wesen der Instrumente fremd — zu störenden Nebenwirkungen und in deren Folge zur raschen Ablösung der Serpente durch Ophikleiden und Tuben führte. In der Übergangs-

---

[72] Zur Beurteilung des Serpentklanges und zur Unterscheidung von anderen Blasinstrumenten der Baßlage wurden 13 Tonbeispiele folgender Schallplatten vorgespielt: „Sweet and low", The London Serpent Trio in der Besetzung Alan Lumsden, Christopher Monk und Andrew van der Beek (Titanic Records, TI-100); „Musikkunde in Beispielen" (DGG, LPEM 19310); „Music of the Federal Era", The Federal Music Society, Recorded Anthology of American Music (New World Records, NW 299).

zeit bis etwa zur Jahrhundertmitte hin wurden diese Instrumente aber auch nebeneinander und miteinander besetzt und zwar sicher bewußt als zwei verschiedene Klangfarben im Orchester polarisiert, wobei der Serpent den Baß der Fagotte und die Ophikleide bzw. die Tuba den Baß der Posaunen bildete. Als Beispiele dafür können wir Wagners „Rienzi" und „Liebesmahl der Apostel" anführen, beide Werke chronologisch nur im Jahresabstand voneinander entfernt, aber auch Mendelssohns „Paulus". In der heutigen Aufführungspraxis werden die entsprechenden Stimmen von Kontrafagott bzw. Tuba ausgeführt und haben daher sicher nicht mehr jene Klangwirkung, die sie in der alten Besetzung hatten und die von den Komponisten sicherlich sogar beabsichtigt war.

Mit dem Ausscheiden des Serpents aus dem Orchester ist eine eigene, dunkle Farbe verlorengegangen. Eine ähnliche Farbe, nämlich die des Bassetthorns, wurde im Laufe der ersten Hälfte des vorigen Jahrhunderts ebenfalls aus dem Orchester entlassen. Mendelssohn hatte beide Instrumente sehr geschätzt und für sie komponiert: das schon erwähnte „Notturno" mit Baßhorn und die beiden „Concertstücke für Clarinette und Bassetthorn mit Begleitung des Pianoforte" (Op. 113, 1833). Auch Brahms schätzte das Bassetthorn sehr und bezeichnete es später als jenes Instrument, das der menschlichen Stimme am nächsten komme.[73] Beiden Instrumenten eigen ist eine gewisse „Mittelmäßigkeit" im besten Sinn des Wortes: Keine großen Volumen, kein auffälliger Tonumfang, so etwas wie „Zwischenfach" — gerade diese Eigenschaften liefen aber den Forderungen entgegen, die die Zeit an die Instrumente bzw. zu deren Realisierung an die Instrumentenmacher gestellt hatte: Tonumfang, Volumen und technische Möglichkeiten der Instrumente waren zu erweitern und die bis dahin nur unsaubere und dynamisch unausgeglichene Bewältigung der Halbtonschritte auszugleichen. Zwar bildeten diese so negativ beurteilten unausgeglichenen Halbtonschritte auch eine Art eigenes Chroma im ursprünglichen Sinn von „Farbe" — solch feine Klangnuancen waren aber einer genau meßbaren und daher auch systematisch für alle Instrumente gleichermaßen anwendbaren Halbtonschrittfolge unterlegen. Den Verlust der spezifischen Klangfarbe des Serpents, die ebenso wie die Farbe des Horns von Schattierungen zwischen den genormten Halbtonschritten gekennzeichnet war, haben wir bewußt zur Kenntnis zu nehmen.

---

[73] In seinem Brief vom 25. November 1855 berichtet Brahms Clara Schumann über ein Konzert in Hamburg, in dem eine Arie von Mozart aufgeführt wurde: „Zu meiner Wonne wurde sie mit 2 Bassethörnern begleitet, die man mühsam aufgefunden hatte. Ich finde, kein Instrument schmiegt sich so der menschlichen Stimme an, wie ein Bassethorn, dessen Ton fast Mittelding zwischen Cello (Fagott) und Clarinette ist." Zitiert nach: *Johannes Brahms in seinen Briefen und Schriften*, Band 2, Berlin 1943, S. 121.

Wir haben ihn aber nicht zu betrauern, weil wir in verschiedenen Instrumenten der Tubafamilie den musikalischen Nachfolger des Serpents haben.[74] Jene nun zugunsten einer gleichmäßigen Chromatik verlorengegangenen Zwischenfarben im Klang sind jedoch als spezifische Ausdrucksmittel für die Komponisten bis in die erste Hälfte des vorigen Jahrhunderts herein anzunehmen, die eben bei Ausführung auf modernen Instrumenten sicher nicht wiedergegeben werden können und daher als Bestandteile der Komposition verlorengehen.

---

[74] Aufgrund ihrer dunklen Färbung und des weichen und schlanken Tons sieht K. J a n e t z k y (op. cit., S. 36) die Wagner-Tuba als passenden Ersatz für das Baßhorn in Mendelssohns „Notturno" an.

Roswitha Vera Karpf, Graz

## „GEWALTSRÖHREN" UND „KANONEN"
## ODER
## RICHARD WAGNER UND DIE FLÖTE

„Wohl lieb ich die Flöte, den Zauberstab, der die innere Welt verwandelt, wenn er sie berührt, eine Wünschelrute, vor der die innere Tiefe aufgeht." — Diese das romantische Empfinden so typisch bezeichnenden Worte stammen aus der Feder von Jean Paul, jenes ‚anderen' Bayreuther Meisters, der ausgerechnet im Jahre 1813 die Geburt eines Genies ankündigte, das dereinst die Philosophie mit allen Kunstgattungen verbinden werde.[1] Richard Wagner, der diese Hoffnungen mit seinem Gesamtkunstwerk gerade in ebendiesem Bayreuth erfüllen sollte, war zu diesem Zeitpunkt gerade geboren worden.

Die Vorliebe der Dichter der Romantik für die Flöte wurde von den großen Komponisten ihrer Zeit jedoch nicht geteilt. Wenige Jahre vor Jean Pauls Hymne auf die Flöte schreibt Beethoven an seinen Verleger Thomson: „Ich kann mich nicht entschließen, für die Flöte zu arbeiten, da dieses Instrument zu begrenzt und unvollkommen ist."[2] Beethoven steht mit dieser Aussage nicht alleine da. Schon um die Wende vom 18. zum 19. Jahrhundert werden die klanglichen und spieltechnischen Eigenschaften der barocken Traversflöte immer mehr als Mangel empfunden: Das Instrument war weder den Anforderungen des sich zu Beginn des 19. Jahrhunderts entwickelnden ‚modernen' Orchesters gewachsen, noch der Akustik der immer größer werdenden Konzertsäle; sein Ton war zu fein, zu intim, und es fehlte ihm die — vor allem von den Franzosen angestrebte — Ausgeglichenheit des Klanges, da die grifftechnisch notwendigen Gabelgriffe zum Teil nur ‚stumpfe' Töne in den Skalen lieferten. Dies und die Intonationsprobleme, die das Spiel in den entlegeneren Tonarten sehr erschwerten, führten schon zu Ende des 18. Jahrhunderts zu Experimenten mit Klappen.

Letztlich gelang es Theobald Boehm, dem Ersten Flötisten des Münchner Hoforchesters (das ab 1865 für Richard Wagner sehr wichtig werden sollte), um die Jahrhundertmitte ein Instrument vorzustellen, das — mittels einer revolutionären Mechanik — den übrigen Holzblasinstrumenten ebenbürtig

---

[1] Jean P a u l , *Vorschule der Ästhetik,* Vorwort vom 12. August 1813, in: *Sämtliche Werke,* histor.-krit. Ausg., 1. Abt, Bd. 11, Weimar 1935, S. 15 f.

[2] Brief vom 1. November 1806. Original französisch: „Je ne peux pas me décider à travailler pour la flûte, parceque cet instrument est trop limité et imperfait." In: *Ludwig van Beethovens Briefe,* hrsg. von Emerich Kastner, Neudruck der Ausg. von 1923, Tutzing 1975, S. 94.

wurde: Die chromatische Tonleiter ließ sich jetzt rein, mit gleichbleibender Tonstärke und mit bequemer, gleichmäßiger Fingerbewegung produzieren. Somit wurde, wie Boehms Akustiker Carl E. von Schafhäutl darlegt, die „weibische und weibliche, schwindsüchtige und embryonale Flöte der matten Werther-Siegwart'schen Zeit, das unglücklichste Orchester-Instrument, in ein kräftiges musikalisches Instrument verwandelt".[3]

Das gesamte 19. Jahrhundert hindurch war die Flöte mehr oder minder ein Stiefkind des Orchesters. In den ersten Dezennien hatten sie die Komponisten wegen ihrer klanglichen Schwäche zur Bedeutungslosigkeit verurteilt: Sie bildete einen Teil der Klangfarbe im Holzbläsersatz oder verdoppelte die Violinen. Solistische Aufgaben werden ihr eher selten zugewiesen: Carl Maria von Weber, der die Modernisierung des Instrumentes mit Interesse verfolgte, setzt es charakteristisch ein, in Mendelssohns „Sommernachtstraum" findet der Flötist ebenso reizvolle Aufgaben wie z. B. in Donizettis „Lucia di Lammermoor". Reisende Virtuosen, wie sie sich zu dieser Zeit überall hören ließen, traten auf der Flöte hingegen nur zu häufig mit billigen Bravourstücken und Salonphantasien hervor. An dieser Situation änderte Boehms geniale Erfindung nicht viel; gerade die durch die Mechanisierung bewirkte leichtere Spielbarkeit machte das Instrument zu einem Demonstrationsmittel leerer Virtuosität. Freilich widmen nun große Tonsetzer wie Brahms, Bruckner oder Tschaikowskij in ihren sinfonischen Werken der Flöte interessante Solostellen, doch andere — unter ihnen Richard Wagner — vermeiden ihren solistischen Einsatz weitgehend.

Das mag damit zusammenhängen, daß man — vor allem im deutschsprachigen Raum — die Neu- und Weiterentwicklung dieses Instrumentes nicht allgemein guthieß, die Boehmflöte zwar für Solistenkonzerte, nicht aber im Orchesterverband anerkannte. Die Gründe für diese heute eher unverständliche Reaktion werden durch Raymond Meylans Definition der Boehmflöte plausibel: Er sieht in ihr „eine neue Art von Kanteninstrument, so wie das Pianoforte in bezug auf das Cembalo eine neue Form der Tasteninstrumente und das Saxophon eine neue Variante der Rohrblattinstrumente darstellen".[4] Die Gegner der Boehmflöte vermissen vor allem die spezifische Klangfarbe und bemängeln Stärke und Gleichheit der Töne als monotone Fadheit. Vor allem in deutschen und österreichischen Orchestern hielt sich zum Teil bis ins 20. Jahrhundert die Ablehnung des Boehm-Modells, und Paul Wetzger betont noch 1905 in seiner Flötenmonographie, die in ihrem Inseratenteil

---

[3] Zit. nach *Musik in Geschichte und Gegenwart*, Bd. 4, Kassel und Basel 1955, Art. *Flöte*, Sp. 354.

[4] R. M e y l a n , *Die Flöte*, Bern u. Stuttgart 1974, S. 92.

neben den zylindrischen Boehmflöten unter anderem konische Modelle von Meyer, Ziegler und Schwedler-Kruspe anpreist, er möchte keinem der beiden Flötentypen den Vorzug geben.[5] Andererseits findet sich — in Zusammenhang mit einer Studie über Wagners Instrumentationskunst — Ende des 19. Jahrhunderts heftige Kritik am „kränklichen Luftklang" der Wiener Flöten.[6] In der gleichen Arbeit wird die „gesunde frische Lokalfarbe" der „Meistersinger"-Partitur dem „häufigen Fehlen" der Flöte im Orchestersatz zugeschrieben, der wiederum durch die oft eingesetzten „kernigen Hoboen" an Frische gewinne.[7] Ob der Komponist seiner Instrumentation ähnliche Überlegungen zugrunde legte wie sein Kritiker, bleibe dahingestellt.

Wesentlich erscheint nun die Frage, welche Konsequenzen Wagner aus den während des 19. Jahrhunderts erfolgten Verbesserungsversuchen an der Flöte gezogen hat.

Als der junge Musiker in Würzburg und Magdeburg die Partituren seiner ersten Opern schrieb (1834 waren „Die Feen" beendet, 1836 „Das Liebesverbot"), hatte Boehm die Konstruktion seiner konischen Ringklappenflöte bereits vorgestellt (1832), doch fand sein bereits die entscheidende Neuordnung der Griffweise aufweisendes Modell nicht mehr oder weniger Interesse als die Verbesserungsvorschläge anderer Flötenbauer. An den kleinen Theatern war schon aus Kostengründen nicht daran zu denken, neue Instrumente anzuschaffen, solange die alten noch funktionierten, und man spielte selbstverständlich noch jahrzehntelang auf den alten konischen Holzflöten, die die Intonation durch den Klappenmechanismus nur unzulänglich korrigierten.

Man kann jedoch für ziemlich sicher annehmen, daß Wagner während seines ersten Pariser Aufenthaltes 1839/42 (und wohl kaum früher) mit Boehms Ringklappenflöte konfrontiert wurde, deren System Godefroy bereits seit 1837 übernommen hatte. Obwohl das Pariser Conservatoire an Flöten alter Bauweise festhielt, trat das Boehm-System spätestens ab 1840 seinen Siegeszug durch Frankreich an.

Anders waren die Verhältnisse in Dresden, wo Wagner ab 1842 tätig war und „Rienzi", „Der Fliegende Holländer" und „Tannhäuser" zur Uraufführung bringen sollte. Schon bald nach Dienstantritt entwarf Wagner als Orchesterchef eine Neuorganisation „Die königliche Kapelle betreffend", in der es unter anderem heißt: „Der erste Flötist, Hoboist und Fagottist ver-

---

[5] P. W e t z g e r , *Die Flöte. Ihre Entstehung und Entwicklung bis zur Jetztzeit in akustischer, technischer u. musikalischer Beziehung,* Heilbronn o. J. (ca. 1904/05), S. 21.

[6] E. T h o m a s , *Die Instrumentation der Meistersinger von Nürnberg von Richard Wagner. Ein Beitrag zur Instrumentationslehre,* Leipzig o. J. (ca. 1898), S. 12.

[7] Ebda.

dient im Orchester ganz die Beachtung und Schonung wie ein erster Sänger auf dem Theater."[8]

Dieser Erste Flötist war zu Wagners Zeit kein geringerer als Anton Bernhard Fürstenau (1792–1852), anerkannter Virtuose und Verfasser wichtiger Flötenschulen, der entschieden Stellung gegen die übertriebenen Neuerungen Boehms nahm, weil dieser auf den typischen, reizvollen Wechsel von ,offenen' und ,gedeckten' Tönen zugunsten einer reinen Chromatik verzichtete. Dennoch, und dies sei besonders hervorgehoben, schickte er seinen 21jährigen Sohn Moritz, der später im Dresdner Orchester sein Nachfolger wurde, 1845 als Schüler zu Boehm, da er die Bedeutung von dessen Erfindung sehr wohl erkannte. Wagner, der am Instrumentenbau seiner Zeit stets regen Anteil nahm, wird sich bei der Rückkehr von Moritz bestimmt die Vorzüge der Ringklappenflöte und die Boehmsche Schule erläutert haben lassen!

Vater Fürstenau verwendete vornehmlich Instrumente des Dresdner Meisters Wilhelm Liebel, die er nicht nur in seinen Flötenschulen von 1826 bzw. 1844 empfahl, sondern auch in seiner „Historisch-kritischen Untersuchung der Konstrukzion unserer jetzigen Flöte" in der Leipziger „Allgemeinen musikalischen Zeitung" favorisierte, da dieses Instrument „alles Gute in sich vereint. Es gibt alle Lagen der Töne mit Leichtigkeit an, hat eine zarte, schöne Höhe, angenehme Mitteltöne und sonore Tiefe, es ermangelt nicht der Kraft und Zartheit, und führt eine herrliche Egalität und Reinheit in allen Oktaven und Tonarten".[9] Die Liebel-Flöte war ein konisches vierteiliges Instrument aus Ebenholz mit metallgefüttertem Kopfstück, einem fast kreisrunden Mundloch, häufig mit H-Fuß und 8 (bzw. 9) Silberklappen (vgl. Abb. 1).[10]

Fürstenaus Ton war ,sanft' und voll Adel, allerdings empfand man ihn nach Aufkommen der zylindrischen Boehmflöten als ,dünn', obwohl das metallgefütterte Kopfstück seines Instrumentes einen kompakteren Ton versprach, als so manch andere Konstruktion der vierziger Jahre. Die von Fürstenau gelobte „Egalität und Reinheit" seiner Flöte darf allerdings nur relativ gesehen werden; verteidigte er doch selbst den Reiz der ungleich ansprechenden Töne. Freilich, durch meisterhafte Beherrschung des Ansatzes war

---

[9] A. B. F ü r s t e n a u , *Historisch-kritische Untersuchung der Konstrukzion unserer jetzigen Flöte*, in: *Allgemeine musikalische Zeitung*, Leipzig 24. Oktober 1838 (Nr. 43), Sp. 707.

[10] Vgl. *Die Revolution der Flöte. Theobald Boehm 1794–1881*, Katalog, hrsg. von M. S c h m i d , Tutzing 1981, S. 56.

[8] R. W a g n e r , *Die königliche Kapelle betreffend*, in: R. Wagner, *Sämtliche Schriften und Dichtungen*, Volksausgabe, Bd. 1–12, Leipzig o. J., Bd. 11, S. 173.

auf diesen Flöten ein sauberes Spiel durchaus auch in schwierigen Tonarten möglich.

Die Kunst des Dresdner Flötenvirtuosen hat nachweislich Carl Maria von Weber in der Behandlung seiner Flötenparte beeinflußt; es ist auch anzunehmen, daß Wagner, der mit der Familie Fürstenau befreundet war und während der 1848er-Revolution Sohn Moritz durch seine Fürsprache aus der Haft befreien konnte, zumindest während seiner Dresdner Jahre bei der Konzeption seiner Flötenstimmen an die Meisterschaft Anton Bernhard Fürstenaus dachte.

In seinen Flötenschulen verlangt Fürstenau den Tonumfang von $c^1$-$b^3$; er scheint also nicht mit dem allgemeinen Vorhandensein eines H-Fußes gerechnet zu haben. Warum er jedoch die höchsten Töne $h^3$ und $c^4$ aussparte, die etwa schon in der Grifftabelle für eine vierklappige Flöte im Jahre 1804 von Hugot und Wunderlich angegeben werden, läßt sich nur vermuten: Wahrscheinlich hielt er diese Grenztöne wegen ihrer schrillen Klangfarbe als nicht bzw. nur beschränkt einsetzbar.

Wagner war nun aber mit zwei Partituren aus Paris in die sächsische Residenz gekommen, in denen er sowohl schwierige chromatische Läufe in der dritten Oktave bis zum $b^3$ verlangt als auch das $h^3$ erreicht.

Für die damals in Paris schon verbreiteten Flöten mit Boehm-Mechanismus dürften diese Passagen weder technisch noch intonationsmäßig Schwierigkeiten geboten haben. Vielleicht rechnete Wagner bei der erhofften Pariser Uraufführung von „Rienzi" und „Holländer" mit diesen Ringklappenflöten und war erleichtert, daß ihm in Dresden in Fürstenau ein Virtuose zur Verfügung stand, der den Flötenpart auch auf einem der in Deutschland allgemein üblichen Instrumente alter Bauart souverän meisterte. Angeregt von der Qualität der Dresdner Flötisten mag er dann im „Tannhäuser" unter anderem auch die auf den alten Flöten ganz besonders heikel zu intonierende Stelle in Ges-Dur nach dem Gebet der Elisabeth verlangt haben, die selbst heutigen Orchestermusikern auf ihren ‚chromatischen' Instrumenten Probleme aufgibt.

Nützte Wagner in seinen Bühnenwerken — aus welchen Gründen auch immer — den Tonumfang der Flöte in der Höhe nicht voll bis zum $c^4$ aus, so geht er unter das heute als tiefster Ton gebräuchliche $c^1$ auf das h, das nur mit einem H-Fuß realisierbar ist. Diese Möglichkeit bot, wie viele romantische Konstruktionen, das Instrument von Liebel, während die Boehmflöte serienmäßig nur das $c^1$ aufweist. Wagner wurde offensichtlich von dem von Fürstenau im Orchester verwendeten Instrument inspiriert und erreicht im — ursprünglich für Dresden konzipierten — „Lohengrin" in zwei Passagen das h, und zwar in der Szene zwischen Ortrud und Telramund zu Beginn des 2. Aktes, wo er durch die Benützung der tiefsten Lage der Flöte dem Geschehen sein düsteres Kolorit verleiht. Heute wird das in Frage stehende h häufig einfach fortgelassen, eine Praxis, die mit der unisono-Führung der Flöte mit Klarinette bzw. Oboe gerechtfertigt wird.

Eine andere, viel später komponierte ,tiefe' Stelle („Meistersinger", Schluß des 2. Aktes) hätte aber selbst einem Fürstenau technische Schwierigkeiten bereitet:

Das Staccato in der Tiefe spricht äußerst schwer an, außerdem wurden die untersten Töne auf der alten konischen Flöte regelmäßig zu tief. Schließlich war die nahtlose Bindung $c^1$-$des^1$ selbst auf dem Boehm-Mechanismus, der in seiner Klappenanlage für den rechten kleinen Finger auch von Meyer, Ziegler u. a. übernommen wurde, nur schwer ausführbar und gilt auch heute noch als ,Probespiel'-Stelle. Es ist daher nicht zu verwundern, daß um 1898 Eugen Thomas eine Erfindung von Adolphe Léonard, Professor der Flötenklasse zu Gent, anpreist, die durch Einführung zweier Hilfsklappen die Trillermöglichkeit in der Tiefe verbesserte und durch diese Hilfsgriffe die schwierige Passage bruchlos ausführbar machte.[11] (Heute verzichtet man selbstverständlich auf die Benutzung eines solchen Hilfsmechanismus!)

---

[11] T h o m a s , a.a.O., S. 98.

Mit diesem Problem der Ausführbarkeit einzelner Orchesterstellen ergibt sich die Frage, ob Wagner die Möglichkeiten der Flöte genau gekannt hat und für welches System er komponierte, bzw. ob er nach seinen Dresdner Jahren bewußt mit bestimmten Flötentypen bei der Uraufführung seiner Werke rechnete und ihre Eigenheiten berücksichtigt hat.

Nachdem die Zusammenarbeit mit der Wiener Hofoper für den „Tristan" gescheitert war — in Wien verwendete man damals die konischen Zieglerflöten — kam das Werk 1865 in München heraus. Von da begann eine Zusammenarbeit mit dem Münchner Hoforchester, die sich, nach der „Meistersinger"-Uraufführung, in Bayreuth mit dem „Ring" fortsetzen sollte, wo auch für „Parsifal" Münchner Instrumentalisten engagiert wurden. Das Münchner Orchester hatte spätestens ab 1860 die neue, zylindrische Flöte seines ehemaligen Ersten Flötisten Theobald Boehm eingeführt. Am Ersten Flötenpult saß wie in Dresden ein ausgezeichneter Virtuose und Verfasser von Lehrwerken: der Boehm-Schüler Rudolf Tillmetz (1847–1915). Er spielte die Boehmflöte, bis eine entscheidende Wendung eintrat, über die er selbst berichtet:

> „Als ich im Jahre 1882 in Bayreuth bei den Parsifal-Aufführungen als Orchesterspieler mitwirkte, bemerkte ich, daß Richard Wagner keine Sympathien für die Cylinderflöte zeigte. Er belegte sie nämlich mit dem Namen ‚Kanonen'. Ich entschloß mich daher, weiters noch angeregt durch den kgl. Generalmusikdirektor Hermann Levi, zur Ringklappenflöte konischer Bohrung überzugehen, was ich nicht zu bereuen hatte. [. . .] Ganz besonders aber entzückte mich die Weichheit in der Tongebung, die zarte Ansprache und Modulationsfähigkeit sämtlicher Töne."[12]

Die Kritik von Wagner, Levi und Tillmetz galt also nicht der Boehmschen Mechanik, sondern ausschließlich dem Ton des Instruments, der eine Wandlung vom ‚elegischen' zum ‚trompetenartigen' durchgemacht hatte, wofür vor allem die Mensurverhältnisse verantwortlich zu machen sind. Nur so läßt sich Tillmetz' Rückkehr zur konischen Ringklappenflöte von 1832 erklären (vgl. Abb. 2).

Wagners Äußerung nahm indirekt gute 80 Jahre Einfluß auf den Klangcharakter eines ganzen Orchesters. Hatten die Münchner als erstes bedeutendes deutsches Orchester um 1860 die zylindrische Flöte eingeführt, so war es wohl das letzte, das — um 1960 — die konische Ringklappenflöte wieder aufgab. Was zunächst als revolutionär, dann als gemäßigte Rückkehr zum konischen Instrument galt, stellte sich nach dem Zweiten Weltkrieg als liebgewordene Tradition dar, die gegenüber anderen Trends verteidigt werden

---

[12] R. T i l l m e t z , *Anleitung zur Erlernung der Theobald Boehm'schen Cylinder- und Ringklappenflöte, op. 30*, Leipzig, Fr. Kirstner o. J. (nach Karl Ventzke um 1905/06, vgl. Tibia 1/77, S. 257), Vorwort.

mußte. Charakteristisch dafür ist ein Essay des Münchner Musikkritikers Alexander Berrsche, der bereits in den dreißiger Jahren unseres Jahrhunderts verfaßt worden ist und in dem der Autor für den bedrohten spezifischen Münchner Bläserklang eintritt:

> „Wie lange wird es dauern, bis man die konisch gebaute Flöte mit der schlanken Anmut ihres Tones aussterben läßt und durch die zylindrisch gebohrte ersetzt, deren dicker, orgelregistermäßige Klang schon Richard Wagners Zorn erregt hat."[13]

Um seinem Anliegen den ihm notwendig erscheinenden Nachdruck zu verleihen, verweist Berrsche im folgenden auf ein Demonstrationsmittel, dessen Überzeugungskraft noch heute aktuell wirkt: „Man braucht", so schreibt er, „sich nur eine für Klang und Ausdruck jedes Instruments sehr bezeichnende Stelle je zweimal vorblasen zu lassen: zuerst auf dem neuen, dann auf dem alten Instrument. [. . .] Und bei der Flöte überzeugt schon eine halbe Tonleiter, wenn man sich nicht erst die Zeit nehmen will, einige Stellen aus der Zauberflöte zweimal anzuhören."

Die Quintessenz des bisher Gesagten lautet: Wagner lehnte Boehms silberne Zylinderflöte aus klangästhetischen Gründen ab. Daran ändert selbst eine von Cosima aufgezeichnete Äußerung anläßlich der Arbeit an der „Parsifal"-Instrumentation nichts: „Wir sprechen von Musik, wie schön, ja mächtig die Flöten zuweilen erklängen, z. B. im Vorspiel zu ‚Parsifal‘, erwähnt R."[14], die eine scheinbare Anerkennung des ‚starken, trompetenhaften‘ Tones der Boehmflöte intendiert, aber vielleicht auch Wagners Begeisterung am ‚warmen, farbenreichen, fülligen‘ Klang des konischen Instruments bezeugen könnte. Schon lange, bevor er Tillmetz zur Rückkehr zur Ringklappenflöte bewog, hat sich Wagner über die ihm seit 1865 im Münchner Orchester ständig an die Ohren klingende Zylinderflöte beklagt: 1869 hält er in seiner Schrift „Über das Dirigieren" den Flötisten bezeichenderweise gerade im Zusammenhang mit der Behandlung des Piano vor, sie hätten ihre „früher so sanften Instrumente zu wahren Gewaltsröhren umgewandelt" und verstünden es nicht mehr, „ein zart gehaltenes Piano zu erzielen".[15] Besonders aber um diese zarten Klänge scheint es Wagner bei der Flöte gegangen zu sein, wie aus seinen Partituren ersichtlich wird.

Geprägt durch seine langjährige Kapellmeistertätigkeit hatte Wagner ein feines Empfinden für Klang und Klangbalance des Orchesters. Bezüglich sei-

---

13 A. B e r r s c h e , *Trösterin Musika. Gesammelte Aufsätze und Kritiken,* München 1942, S. 667 f. (freundl. Hinweis von Gunter Joppig).

14 C. W a g n e r , *Die Tagebücher,* hrsg. von Martin Gregor-Dellin und Dietrich Mack, Bd. 1—2, München 1976/77. Bd. 2, S. 282 (Eintragung vom 3. Januar 1879).

15 W a g n e r , *Über das Dirigieren,* Bd. 8, S. 283.

nes ,Flöten-Ideals' ist die Erhellung dieses Themenkomplexes nur bedingt zielführend, da unmittelbare Äußerungen zur Flöte so gut wie völlig fehlen, doch liefert die Darstellung einiger grundsätzlicher Fakten interessante Streiflichter für unsere Fragestellung: Die deutschen Orchester zu seiner Zeit schienen Wagner in den Streichern zu dünn besetzt (oft nur vier, an großen Opernhäusern höchstens acht Erste Violinen, während für den „Ring" je 16 Erste und Zweite Violinen vorgeschrieben sind); freilich gliederte sich in diese üblicherweise schwächeren Streicherbesetzungen die konische Flöte mit ihrem ,sanften' Ton gut ein[16], stand ein größerer Streicherkorpus zur Verfügung, so machte man die Flöte (bzw. die gesamte Holzbläsergruppe) durch Verdoppelung hörbar, wie es Wagner selbst aus Gründen der Klangbalance bei Beethoven-Konzerten behutsam praktizierte.

Das französische Orchester, das, wie Wagner oft anmerkt, weitgehend sein Ideal darstellt, zeichnete sich durch „Stärke und Tüchtigkeit der Violinen, und namentlich auch der Violoncelle" aus.[17] Die logische Entwicklung war die Integration der Boehmflöte in diesen fülligen Orchesterapparat. Erstaunlicherweise weicht nun Wagner in diesem Punkt von den Franzosen ab. Zur Erklärung dieses Widerspruchs bietet sich folgende Hypothese an: Prägende Faszination hatte auf ihn während seines ersten Pariser Aufenthalts die Aufführung der 9. Symphonie von Beethoven durch François Antoine Habeneck im Winter 1839 ausgeübt. Habeneck leitete das Orchester des Pariser Conservatoires, das damals als eines der besten Konzertorchester der Welt galt. Zu dieser Zeit wirkte — bis 1856 — der berühmte Flötist Jean Louis Tulou (1786—1865) als Lehrer am Conservatoire und widersetzte sich, wie schon erwähnt, hartnäckig der Einführung des Boehm-Systems (nicht zuletzt wohl auch darum, weil er selbst eine Flötenbaufirma betrieb). Mit dem hervorragenden Spiel der französischen Streicher hatte sich Wagner wahrscheinlich auch den Klang von Tulous Flöte eingeprägt, der im Gefolge von Hugot und Wunderlich zu sehen ist und zu Fürstenau nach Dresden führt.

In diese Tradition läßt sich wohl auch Wagners Vorstellung vom Flötenton einordnen, der von Fürstenau folgendermaßen beschrieben wird: Er kommt „der menschlichen Stimme nahe" und zeichnet sich dadurch aus, daß er „Leben und Gefühl naturgemäß ausdrückt und kräftig aufregt"[18], Qualitäten, die Wagner bei der Wiedergabe von Musik ganz im allgemeinen fordert. Die Kritik Fürstenaus an der Ringklappenflöte mag Wagner nicht geteilt haben, da diese zwar tonstärker als die alten Flöten, aber noch lange nicht ,trompetenartig' war, zudem auch beweglicher und intonationsreiner. Wenn

---

[16] Vgl. Art. *Flöte*, in: *Musik in Geschichte und Gegenwart*, a.a.O., Sp. 353.
[17] W a g n e r , *Über das Dirigieren*, Bd. 8, S. 264.
[18] F ü r s t e n a u , a.a.O., 17. Oktober 1838 (Nr. 42), Sp. 695.

Fürstenau über dieses Instrument schreibt, es ist „vielleicht für ein großes [...] Lokal" geeignet, so weist das auf sinnvollen Einsatz in der Münchner Hofoper oder im Bayreuther Festspielhaus. Die klanglichen Vorzüge der konischen Ringklappenflöte, deren Verwendung gerade heute — vor allem in Amerika — wieder aktualisiert wird, faßt Tillmetz wie folgt zusammen: „Ganz besonders aber entzückte mich die Weichheit in der Tongebung, die zarte Ansprache und Modulationsfähigkeit sämtlicher Töne."[19] Dort, wo Wagner wegen der eingesetzten Streichermassen der Flötenton zu weich war, nämlich im „Ring", erhöhte er die Anzahl der Flöten auf vier (inklusive Piccolo), um im durchsichtiger gesetzten „Parsifal", bei dem er außerdem mit der tragenden Akustik des Festspielhauses rechnen durfte, die Zahl wieder auf drei zurückzunehmen.

Daß Wagner die technische Weiterentwicklung der Flöte seit Beginn seines Jahrhunderts zu schätzen wußte, mag am Rande seine Beschäftigung mit Beethovens 9. Symphonie belegen, wo er im Hinblick auf die Fortissimostelle des 2. Satzes ab Takt 276 bemerkt, Beethoven sei „durch die grundsätzliche Umgehung eines Überschreitens des angenommenen Umfanges eines Instrumentes" gezwungen gewesen, die logische Melodieführung zu unterbrechen. Wagner stellt, wie aus folgendem Beispiel ersichtlich wird, diese „logische Melodieführung" wieder her und führt die Stimme auf das nun von der Flöte leicht erreichbare b³, das Beethoven noch vermieden hat, weil, so Wagner, die Flöte „als äußerste Oberstimme das die Melodie suchende Gehör unwillkürlich anzieht".[20]

Damit spricht Wagner selbst eines seiner Orchestrationsprinzipien an: Die Flöte erhält sehr oft die Melodiestimme, dies aber — wohl eher ihres schwachen Tones wegen — kaum solistisch, sondern in Verdopplung bzw. Oktavierung der Violinen. Daneben übernimmt sie, häufig in doppelter Besetzung, die Führung im Holzbläsersatz, wie ihn Wagner in unnachahmlicher, von Richard Strauss, Adorno und anderen bewunderter Meisterschaft entwickelt hat. Strauss rät daher dem Adepten der Kompositionskunst, sich in

19 Tillmetz, a.a.O.
20 Wagner, *Zum Vortrag der neunten Symphonie Beethovens*, Bd. 9, S. 244.

das „Studium der feineren Holzbläsermischung zu vertiefen", wie sie vor allem im „Lohengrin" zutage tritt.[21]

Adorno widmet in seinem „Versuch über Wagner"[22] der „Farbe" im Wagnerorchester ein ganzes Kapitel, das wegen seiner Bedeutung für die Flöte hier kurz angesprochen sei. Er weist u. a. auf das Phänomen des durch die Holzbläser imitierten Orgelklanges hin, der durch meisterhafte Mischung und Stimmführung der einzelnen Instrumente entsteht. Als Beispiel wählt er den achttaktigen Bläserchor zu Beginn der 2. Szene des 1. Aktes „Lohengrin" beim Erscheinen Elsas. Wagner verdoppelt in dieser Passage auf raffinierte Weise die Holzbläser und übt damit, wie Adorno darlegt, Kritik an dem von der Klassik tradierten Bläsersatz, der oft eine „auffällige Unbalanciertheit und Zufälligkeit der Klangsituation" zeige. Wagner führt nicht, wie früher üblich, die wenig tragfähigen und schwierig zu verschmelzenden Flöten mit den Oboen unisono, sondern im Vordersatz des Beispiels mit den Klarinetten, wodurch sich laut Adorno „eine Art von schwebendem, vibrierendem Interferenzklang" ergibt. Die spezifische Klangfarbe der einzelnen Instrumente werde zugunsten eines vitalen „Orgel-Orchesterklanges" aufgegeben, der — nach einem von Flöten getragenem Übergangstakt — eine flexible Umwandlung dadurch erhalte, daß die bis dahin schweigenden Oboen die Stelle der Flöten einnehmen. — Mit diesen Ausführungen hat Adorno den Kern von Wagners Bestrebungen nach einem neuen, homogenen Orchesterklang getroffen, in dem die speziellen Charakteristika der einzelnen Instrumente aufgehen. (Dieses Ideal hat Wagner in seinem für den verdeckten Bayreuther Orchestergraben konzipierten „Parsifal" am konsequentesten verfolgt.)

Bei kritischer Betrachtung von Adornos scharfblickender Klanganalyse (die zweifellos von Strauss angeregt wurde[23]), schleicht sich Skepsis ein, wenn man die historischen Instrumente berücksichtigt. Hätte Adornos scharfhörendes Ohr diesen Aspekt miteinbezogen, so wäre sein Urteil über den klassischen Bläsersatz vielleicht anders ausgefallen; auch hätte er der Flöte andere, möglicherweise weniger poetische Epitheta zuteil werden lassen denn „flockige Einsamkeit" und „archaische Irrationalität"[24], die mehr zu Wagners Vorliebe für die Antike als zum Ton der Querflöte im 19. Jahrhundert passen. Freilich, das von Adorno an Wagner beobachtete Streben nach dem homogenen Bläserklang würde zweifellos bestätigt, wenn sich

---

[21] Hector B e r l i o z, *Instrumentationslehre,* erg. und rev. von Richard S t r a u s s, Leipzig o. J. (1904), S. III.

[22] T. W. A d o r n o, *Versuch über Wagner,* in: *Gesammelte Schriften,* Bd. 13, Frankfurt 1973, S. 68 ff.

[23] B e r l i o z / S t r a u s s, a.a.O.

[24] A d o r n o, a.a.O., S. 73 bzw. S. 71.

auch die klangliche Gesamtwirkung des heutigen Orchesters gegenüber der des romantischen Instrumentariums aus der „Lohengrin“-Entstehungszeit etwas verschoben hat.

Leider vernachlässigt auch Egon Voss in seiner grundlegenden Arbeit über die Wagnersche Instrumentation[25] weitgehend die historischen Klangverhältnisse, die Friedrich Körner im Verlaufe dieser Tagung überzeugend an der Trompete demonstrieren konnte.[26] Essentiell, weil von der Frage nach Klangauthentizität weitgehend unabhängig, erweist sich das Buch von Voss wegen des dort geführten Nachweises der instrumentenspezifischen Semantik in Wagners dramatischem Werk, die der Autor im Falle der Flöte insbesondere am „Lohengrin“ zu erhellen sucht.

Folgt man Vossens Methode, so ergeben sich bei Wagner für die Flöte mehrere vorzüglich gebrauchte Bedeutungsfelder, die nicht nur allgemein vom Klang des Instrumentes, sondern vorzüglich auch von der verwendeten Lage, der Lautstärke, der Artikulation und vom Melodieverlauf sowie von der Kombination mit anderen Instrumenten abhängig sind. Paradigmatisch sei im Folgenden der semantische Gehalt einiger charakteristischer Flötenstellen in Wagners Partituren kurz umrissen:

Der helle, freie und leichte Klang der mittleren und höheren Lage der Flöte bezeichnet bei Wagner die Sphäre des Lichten, Reinen, Zarten, Schwebenden und Verklärten. Einen Eindruck davon erhält man durch die aufsteigende Flötenfigur aus dem Zwischenspiel von der ersten zur zweiten Szene im „Rheingold“, die — ebenso wie die gleiche Figur in Violine und Harfe — das Emporsteigen aus dem dunklen Nibelheim zur „freien Gegend auf Bergeshöhen“ akustisch vermittelt, wo die Götter noch ohne Schuld leben:

Welche Bedeutung Wagner dem Flötenton zumißt, manifestiert sich sehr offenkundig im „holden Klang im nächtlichen Gewühl“, der, von der Flöte angeführt, als Erlösungswillen Sentas zum Holländer dringt.

---

25 E. V o s s, *Studien zur Instrumentation Richard Wagners,* Regensburg 1970 (= *Studien zur Musikgeschichte des 19. Jahrhunderts,* Bd. 24).

26 Vgl. den Beitrag von Friedrich K ö r n e r in diesem Band S. 99—104.

Oft liegt der semantische Bezug, den Wagner der Flöte (hier nur beispielhaft für alle übrigen Instrumente verstanden) über die Leitmotivik hinaus im spezifisch Klanglichen gibt, eher verborgen. An zwei Beispielen aus den „Meistersingern" sei dies erläutert: Wagner verbindet das ‚Weibliche' in Eva (im Gegensatz zum ‚Kindlichen') mit dem hellen Flötenton — das erklärt den Gebrauch dieses Instrumentes gerade bei Hans Sachsens Worten, er gewönne in Eva ein Kind „und auch ein Weib", oder bei Walthers Begehren „ich lieb' ein Weib und will es frei'n". An beiden Stellen tritt die Flöte nur bei den dieses ‚Weibliche' bezeichnenden Worten ins Orchester ein, um bei Fortsetzung des Textes sofort wieder zu verschwinden.

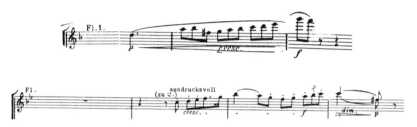

Der zarte Glanz des Flötentons, meist im Piano gebraucht, korrespondiert bei Wagner oft mit dem Himmlisch-Verklärten. Auf Parsifal hat schon Voss hingewiesen, ebenso auf Elsas träumerische Entrücktheit, wenn sie sich die Vision Lohengrins zurückruft, wo die Flöte eine chromatisch aufsteigende Tonleiter über zwei Oktaven im Pianissimo ausführt[27]; auch die Flöten nach dem Gebet der Elisabeth gehören dieser Klangsphäre an, die das Verlassen alles Irdischen symbolisiert. Wagner verzichtet bei diesem dreistimmigen akkordischen Flötensatz, der nur von Klarinette und Oboe unterstützt wird, zunächst bewußt auf jeglichen Baß. Dadurch erhält die Szene etwas Schwebendes, Unirdisches und erinnert an den Eindruck mancher ‚baßloser' Arien Johann Sebastian Bachs; etwa an die Sopranarie „aus Liebe will mein Heiland sterben" aus der „Matthäuspassion", in der Bach die Flöte (hier freilich figuriert) über die tropfenden Akkorde der Oboen stellt. Der erzielte musikalische Eindruck erinnert an die angeführte Wagner-Passage: Befreiung von aller Erdenschwere.

Könnte man Wagners Verwendung der hohen Flötenlage als eine (unbewußte) Fortsetzung barocker Konventionen ansehen, so steht der Einsatz der tiefsten Flötentöne zur Charakterisierung dunkler Stimmungen im Gefolge der Romantik. Insbesondere Carl Maria von Weber hat in der „Wolfsschlucht" die hohlen Klänge des untersten Tonbereichs als Ausdrucksmittel

---

[27] V o s s , a.a.O., S. 114 bzw. 116.

für das Unheimlich-Dämonische meisterhaft vorexerziert. Wagner übernimmt diesen Effekt z. B. in der Szene zwischen Ortrud und Telramund im 2. Akt „Lohengrin", die ganz in düsteren Farben gehalten ist.

Dämonie wird aber nicht nur durch dunkle, fahle Klänge erzeugt, sondern auch durch schneidende Piccolotöne bzw. grelle, dissonante Vorschläge in der höchsten Flötenlage: das wilde Hohngelächter der Holländermannschaft, oder die schmerzenden Flöten bei Eriks Worten „Satan hat mich umgarnt", eine Stelle, die im musikalischen Duktus eine Parallele findet in Ortruds „Nennst du deine Feigheit Gott?".

Relativ oft vertraut Wagner Naturstimmen der Flöte an, eine aus der Barockzeit in Klassik und Romantik reichende Gepflogenheit. Der Vogelgesang im Waldweben und Walthers „Waldespracht" auf der Vogelweid' sprechen durch die Flöte; daraus könnte man schließen, daß auch in Davids Aufzählung der Meisterweisen die Vogelstimmen von der Flöte wiedergegeben würden. Doch hier bricht Wagner mit der Tradition, da er die Ausmalung der noch lieblicheren Weisen der Flöte reserviert: des zarten „Rosentons" und der etwas elegischen „Lindenblühweis'"; doch der kecke Stieglitz bedient sich der Oboe, die Lerche der Klarinette. Und selbst die Nachtigall, deren Nachahmung stets die Domäne der Flöte war (noch Tulou nennt seine Flötenmarke „Rossignol"), wandert in die Klarinettenstimme ab. Dafür werden manche elementare Naturgewalten semantisch von der Flöte interpre-

**Abb. 1:**
Wilhelm Liebel: Querflöte, Dresden um 1840
(Privatbesitz Karl Ventzke, Düren)

**Abb. 2:**
Theobald Boehm: Konische Ringklappenflöte, um 1832
(Musikinstrumentenmuseum im Münchner Stadtmuseum Inv. 79-18)

tiert: Das Wehen der vom Wind bewegten Flagge an Isoldes Schiff in Tristans Vision vernehmen wir in auf- und absteigenden Akkordzerlegungen der Ersten Flöte; gesteigert wird dieser Effekt im Sturm beim Erwachen der Holländermannschaft, wo Wagner neben zwei großen Flöten und dem Piccolo im Orchester noch eine größere Anzahl dreifach geteilter Piccoloflöten von der Bühne hören wollte — eine ins Bombastische übertragene Wirkung der Gewitterszene aus Beethovens „Pastorale". Der im Forte auszuführende hohe Flötentriller verleiht dem dahinstürmenden „Walkürenritt" seine besondere Farbe, während das Element des Feuers durch flackernde Staccatopassagen im Loge-Motiv und „Feuerzauber" charakterisiert sind.

Die vorangehenden Beispiele scheinen auf den ersten Blick nicht allzuviel Bezug zu den zuvor dargestellten instrumentengeschichtlichen und klangästhetischen Erwägungen zu haben, doch bekräftigen sie die These von Wagners Abneigung gegenüber der Boehmflöte, da all diese Passagen ganz ausgezeichnet auf der Ringklappenflöte — bis inklusive „Lohengrin" auch auf den alten Flöten — klingen. Hätte Wagner die Zylinderflöte gemocht, hätte er sich zweifellos ihrer spezifischen Vorzüge bedient und ihren kräftigen ‚trompetenartigen' Ton einbezogen. So findet sich aber in seinen Flötenparten in solistischen Passagen häufig die dynamische Bezeichnung „piano" (und die dazugehörigen Abschattierungen), die Forte-Stellen klingen auch auf konischen Instrumenten gut, da es meist günstige Lagen sind. Wagners Ideal ist, wie er selbst sagt, das „zart gehaltene" Piano, der „tonerfüllte"

Klang.[28] So geht er im großen und ganzen in seinen Flötenstimmen nie über das Vermögen des alten, romantischen Instrumentes hinaus, die Klangeffekte (luftiges Staccato, schrille hohe bzw. hohle tiefe Töne) lassen sich bereits in den Partituren des 18. und frühen 19. Jahrhunderts nachweisen; der Tonumfang ist seiner Zeit entsprechend (noch Richard Strauss warnt vor dem $c^4$); freilich stellte Wagners Wahl entlegener Tonarten die Musiker mit Instrumenten nicht-Boehmscher Bauart vor Intonationsprobleme.[29]

Zusammenfassend läßt sich festhalten, daß Wagner mit dem solistischen Einsatz der Flöte — im Vergleich zu Oboe und Klarinette — sparsam umgegangen ist. Das dürfte seinen Grund in seinen äußerst präzisen Klangvorstellungen gehabt haben: In seinem auf ‚große Wirkung' ausgerichteten Kompositionsstil hat das Zarte, Leise der Flöte ohnehin nur beschränkten Raum; als sich die Querflöte von seinem Klangideal wegentwickelte, vermied er ihren allzuhäufigen Gebrauch in seinen Partituren.

Es mag sein, daß die Rückkehr von Tillmetz zur Ringklappenflöte doch einen tatsächlichen Hinweis auf den von Wagner zumindest in seinen späteren Partituren gewünschten Flötenton gibt. Sie verbindet manche klangliche Charakteristika der alten Flöte mit der chromatischen Ausgeglichenheit des modernen Instrumentes.

Die Diskussion um verfremdende Wagnerinszenierungen unserer Tage läßt die Wogen hochschlagen. Kaum wird aber die nicht minder brisante Frage nach der Klangverfremdung durch unser modernes Instrumentarium gestellt. Am Beispiel der Flöte läßt sich ablesen, welch großen Wandel dieses Instrument in den letzten 150 Jahren durchgemacht hat, wie einschneidend die Veränderungen insbesondere gerade während Wagners Schaffenszeit waren. Muß eine Wiederherstellung des ursprünglichen Klangbildes (das für den „Fliegenden Holländer" ein völlig anderes war als für den „Parsifal") ebenso Utopie bleiben wie die fast nicht realisierbare Rückkehr zu Bühnenbild, Kostüm und Gestik des 19. Jahrhunderts? Oder wird sich die musikalische Aufführungspraxis, die die Wiedergabe der Musik vom Mittelalter bis zur Klassik heute entscheidend „rückgewandelt" hat, auch einmal der Werke Wagners annehmen? Das Experiment „Wagner im historischen Klangbild" würde sich lohnen!

---

[28] W a g n e r , *Über das Dirigieren,* Bd. 8, S. 283.
[29] Ges-Dur im 3. Akt des „Tannhäuser", Chromatik bei den Gesängen der Holländer-Mannschaft.
[30] B e r l i o z / S t r a u s s , a.a.O., S. 249.

Rita Fischer-Wildhagen, Bamberg

## RICHARD WAGNER UND DIE ALTOBOE

Wer sich mit der Instrumentation von Richard Wagners Werken beschäftigt, findet in den Studienpartituren von „Siegfried" und „Götterdämmerung" in den Besetzungsangaben folgende rätselhafte Anmerkung zum Englischhorn: „Für das, seiner Schwäche wegen der beabsichtigten Wirkung nicht entsprechende englische Horn hat der Tonsetzer eine ‚Alt-Hoboe' construieren lassen, welche er ein für alle Mal in seinen Partituren dem englischen Horn substituiert wissen will."[1] Diese Anmerkung ist bereits in der noch zu Wagners Lebzeiten erschienenen Partitur-Erstausgabe des „Siegfried" nachzulesen.[2]

Doch trotz der zitierten Anweisung ist die „Alt-Hoboe" Wagners für Musiker, Instrumentenkundler und Instrumentenbauer kein Thema, sind die entsprechenden Stimmen doch technisch ohne weiteres mit dem Englischhorn zu bewältigen und machen kein besonderes Instrument etwa mit Umfangserweiterung zwingend erforderlich. Daß das Englischhorn aber offenbar nicht die Wirkung erzielt, die vom Komponisten intendiert war, schien bislang kein Problem darzustellen. Lediglich M. Geck und E. Voss stellen im Zusammenhang mit „Parsifal" Vermutungen an, was die Altoboe Wagners gewesen sein mag. Sie zitieren den Tagebuch-Eintrag Cosima Wagners vom 20. Dezember 1881: „R. kommt darauf zurück, daß die Frage der Instrumentation des Schlusses des Werkes ihn so beschäftige, er müßte viel mehr Instrumente haben, wie er sich eine Alt-Oboe habe bauen lassen, müßten alle Bläser bereichert werden, da er verschiedene Gruppen bedürfte — ich könne mir nicht vorstellen, wie ihn das quäle." Dazu der Kommentar von M. Geck und E. Voss: „Vermutlich meint Wagner mit ‚Alt-Oboe' das Instrument, das er für die ‚lustige Melodie' im III. Akt des ‚Tristan' hatte bauen lassen."[3] Dagegen ist für Gunther Joppig die Altoboe kein eigenes Instrument, sondern lediglich ein Wagner-spezifisches Synonym für „Englischhorn".[4] Auch zahl-

---

[1] Eulenburg-Studienpartituren *Siegfried* und *Götterdämmerung*.

[2] R. W a g n e r , *Siegfried,* Partitur, Mainz o. J. (1875).

[3] R. W a g n e r , *Sämtliche Werke,* Bd. 30; *Dokumente zur Entstehung und ersten Aufführung des Bühnenweihfestspiels Parsifal,* hg. v. M. G e c k u. E. V o s s , Mainz 1970, S. 54.

[4] G. J o p p i g , *Die Entwicklung der Doppelrohrblatt-Instrumente von 1850 bis heute und ihre Verwendung in Orchester- und Kammermusik,* in: Das Musikinstrument, Heft 22, Frankfurt a. M. 1980, S. 81.

reiche andere Autoren scheinen diese Ansicht stillschweigend zu teilen; sie verwenden nur die Bezeichnung „Englischhorn".[5]

Entspricht demnach — Geck und Voss zufolge — die Holztrompete der Altoboe, während diese wiederum, folgt man der allgemeinen Ansicht, mit dem Englischhorn identisch ist? Auf keinen Fall ist die Holztrompete mit Englischhorn/Altoboe gleichzusetzen; denn nach der Anmerkung zur „lustigen Weise" im dritten Akt des „Tristan" handelt es sich bei der „Holztrompete", wie sie sich Wagner vorstellte, um ein ganz einfaches Instrument ohne Grifflöcher und Klappen, das nur wenige Naturtöne hervorbringen mußte[6], während das Englischhorn seit „Lohengrin" (entstanden 1846 bis 1848, uraufgeführt 1850) ein vollgültiges Mitglied in Wagners Orchester ist. In den Frühwerken hat es zwar noch keine Bedeutung, erscheint erstmals im „Fliegenden Holländer" in wenigen Takten der Ouvertüre und im „Tannhäuser" nur in einer einzigen Szene als Bühneninstrument, doch seit „Lohengrin" hat es, mit Ausnahme der „Meistersinger", seinen festen Platz im vorgeschriebenen Instrumentarium. Die Altoboe schließlich sollte nicht nur einen vollwertigen Ersatz für das Englischhorn darstellen, sondern sogar eine klangliche Bereicherung des Bläsersatzes bringen.

Der Klärung der Frage bringt uns ein Brief Wagners vom 22. Dezember 1875 näher, den er aus Bayreuth an Kapellmeister Eckert in Berlin gerichtet hat: „Vor zwei Monaten schrieb und schickte ich an Wieprecht wegen der hier, nach meinen Angaben construirten Alt-Hoboe, davon ich ihm eben ein Exemplar übergab, damit er es dem von ihm empfohlenen Englisch-Horn-Bläser zur Einübung — statt des Englischen Hornes — zustelle. Er sollte mir sowohl sein Urteil darüber sagen, als auch mir bestätigen, daß er den von ihm Empfohlenen für der Sache gewachsen halte ... Ich empfehle

---

[5] So z. B. E. V o s s , *Studien zur Instrumentation Richard Wagners* (Studien zur Musikgeschichte des 19. Jahrhunderts, Bd. 24), Regensburg 1970; E. R a p p l , *Wagner-Opernführer,* Regensburg ⁴1981.

[6] „Das englische Horn soll hier die Wirkung eines sehr kräftigen Naturinstrumentes, wie das Alpenhorn, hervorbringen; es ist daher zu raten, je nach Befund des akustischen Verhältnisses, es durch Hoboen und Klarinetten zu verstärken, falls man nicht, was das zweckmäßigste wäre, ein besonderes Instrument (aus Holz), nach dem Modell der Schweizer Alpenhörner, hierfür anfertigen lassen wollte, welches seiner Einfachheit wegen (da es nur die Naturskala zu haben braucht) weder schwierig noch kostbar sein wird." R. W a g n e r , *Tristan und Isolde.* Eulenburg-Studienpartitur, Leipzig 1904/05 (1932), S. 879.

Ihnen übrigens dieses Instrument ein für allemal für das Engl. Horn (wenigstens in allen meinen Opern) so z. B. jetzt sogleich für den Tristan ...“[7]

Halten wir fest, was wir bisher über die Altoboe erfahren haben: (1) Sie entstand durch Wagners Anregung, der für das, seiner Meinung nach zu schwach klingende, Englischhorn einen vollwertigen Ersatz suchte. (2) Sie wurde in Bayreuth konstruiert und entstand zwischen 1872, dem Jahr der Übersiedlung nach Bayreuth, und 1875. (3) Wagner betrachtete sie auch noch 1881 als echte Bereicherung für sein Orchester. (4) Sie kann nicht mit der Holztrompete oder dem Englischhorn identisch sein.

In Bayreuth gab es in der fraglichen Zeit nur einen Hersteller für Holzblasinstrumente, die Werkstatt Stengel.[8] Sie bestand seit 1805 und wurde zu Wagners Bayreuther Zeit von Johann Simon Stengel, dem Sohn des Werkstattgründers, und dessen beiden Söhnen betrieben. Im letzten Viertel des 19. Jahrhunderts produzierte die 1902 geschlossene Werkstatt vornehmlich Holzblasinstrumente für die Militärmusik, weniger für das Opern- und Symphonieorchester. Stengel-Instrumente wurden in den 1880er Jahren nach Italien, Griechenland, Amerika und Australien exportiert, in den Jahrzehnten zuvor auch in die Schweiz, nach Schweden, Dänemark, Rußland und Brasilien. Besonders interessant ist eine Meldung im „Jahresbericht der Handels- und Gewerbekammer für Oberfranken" für das Geschäftsjahr 1882: „Die alte renommierte Fabrik von Stengel in Bayreuth lieferte ohnlängst alle Instrumente für eine vollständige Regimentsmusik in Griechenland." Die lückenhafte Quellenlage und besonders das vollständige Fehlen eines Geschäfts- oder Familienarchivs erschwerten die Forschungen über die Bayreuther Werkstatt, doch es steht wohl fest, daß die Werkstatt tatsächlich noch ein Handwerksbetrieb war und die Bezeichnung als Fabrik in zeitgenössischen Anzeigen und anderen Quellen nicht im modernen Sinne zu verstehen, also nicht mit industrieller Massenproduktion in Verbindung zu bringen ist.

Richard Wagner nun, der seit 1872 in Bayreuth lebte, lernte den damaligen Werkstattinhaber Johann Simon Stengel und seine beiden Söhne Johann

---

[7] Zit. nach H. K u n i t z , *Die Instrumentation. Ein Hand- und Lehrbuch,* Unter Mitarbeit v. P. S c h m i e d e , Leipzig 1960, S. 87. — Bei dem in dem Brief von Wagner genannten Wieprecht kann es sich nicht um Wilhelm Wieprecht (1802—1872) handeln sondern eher um dessen Bruder Friedrich Wieprecht (1804—1880), seit 1829 Oboist in der Königlichen Kapelle in Berlin.

[8] Dazu die ausführliche Darstellung von R. F i s c h e r , *Die Holzblasinstrumentenmacher Stengel in Bayreuth (1805—1902). Ein Beitrag zum deutschen Holzblasinstrumentenbau des 19. Jahrhunderts. Werkstattgeschichte und beschreibender Katalog erhaltener Instrumente,* phil. Magisterarbeit (masch.), Erlangen 1982.

Peter Christian und Johann Christoph wahrscheinlich durch den Bayreuther „Musik-Dilettanten-Verein" kennen. In dieser 1860 gegründeten Orchestervereinigung Bayreuther Bürger, die durchaus anspruchsvolle Programme erarbeitete, spielten Johann Simon Oboe, Johann Christian die erste Flöte und Johann Christoph die erste Klarinette; außerdem hatten die Mitglieder der Familie über viele Jahre verschiedene Vorstandsposten im Verein inne. Richard Wagner bezeugte für die Vereinsaktivitäten lebhaftes Interesse, besuchte Proben und Konzerte, hielt den Aktiven häufig Einführungsvorträge zumeist über die Werke Beethovens und dirigierte das Orchester bei Proben. Allerdings waren bei aller Hochschätzung Mitglieder des „Musik-Dilettanten-Vereins" niemals in Wagners Festspielorchester beschäftigt.

Da Wagner und die Holzblasinstrumentenmacher Stengel in nächster Nachbarschaft lebten, erübrigte sich eine Korrespondenz über die Altoboe. Daß sie aber tatsächlich in der Werkstatt Stengel hergestellt wurde, ist durch eine Anmerkung in dem 1875 bei Schott verlegten Erstdruck des „Siegfried" belegt. Den ersten Teil der Anmerkung kennen wir bereits, er wurde eingangs zitiert und ist noch in jüngeren Partituraugaben zu finden. Weiter heißt es dann 1875: „Exemplare dieses Instrumentes, welches von jedem Hoboe-Bläser leicht zu handhaben ist, kann von dem Blasinstrument-Macher Herrn STENGEL in Bayreuth bezogen werden."[9] Dieser Hinweis auf Stengel findet sich in den Erstdrucken von Wagners Werken danach nur noch im „Parsifal" (erschienen 1883), nicht aber in der „Götterdämmerung" (erschienen 1876). Im Autograph des „Parsifal" (geschrieben 1877 bis 1882) ist im Vorspiel zu der Angabe „Althoboe" von anderer Hand „Englisches Horn" beigefügt, im zweiten und dritten Akt steht nur „Althoboe".[10]

In Bayreuth besaß Wagner selbst verschiedene Instrumente, neben einer Baßtrompete und einer Baßklarinette auch ein Altoboe. Dies geht aus einer Rechnung J. S. Stengels für den „Verwaltungsrat der Bühnenfestspiele" vom 10. September 1876 hervor.[11] Hier berechnete der „Instrumentenfabrikant", wie er sich selbst bezeichnet, verschiedene Korrekturen an Holzblasinstrumenten „zur Erzielung der gleichmäßigen Stimmung" — die Musiker des Festspielorchesters kamen ja mit ihren Instrumenten aus verschiedenen Orchestern — und „Reparaturen an Instrumenten, welche im Orchesterraum ruiniert wurden". Zur Stimmungskorrektur fertigte Stengel für das „engl. Horn" des „Hofmusikers Ullrich aus Schwerin" zwei Aufsteckröhrchen und für die „Altoboe |: Hr. R. Wagner gehörend :|" ein „Stimmröhrchen".

---

9 Wie Anm. 2.
10 *Parsifal*-Autograph im Richard-Wagner-Nationalarchiv Bayreuth (= RWA Bay).
11 RWA Bay, Sign. 10, Kassa Belege 1876—77, Belege Nr. 481.

Naheliegend war es, aufgrund dieser Rechnung in Bayreuth nach Wagners eigenen Instrumenten zu forschen: Doch weder bei der Festspielleitung noch im Richard Wagner-Nationalarchiv und dem Museum im Haus Wahnfried war etwas über ihren Verbleib zu ermitteln. (Die Instrumentensammlung im Wagnermuseum Triebschen/Schweiz ist eine eigenständige Sammlung, die nicht in Beziehung zu Wagner steht.) Der einzige Weg zur Altoboe führte deshalb über die erhaltenen Instrumente aus der Werkstatt Stengel, und tatsächlich ist es gelungen, unter den bislang noch etwa 120 nachweisbaren Instrumenten aus dieser Werkstatt, die über die ganze Welt verstreut sind, eine Altoboe zu ermitteln. Sie befindet sich heute in der Sammlung alter Musikinstrumente des Kunsthistorischen Museums in Wien.[12] Es handelt sich hier um ein dreiteiliges Instrument in gestreckter Form, aus Cocobolo-Holz, mit fis[1]-Brille und zehn Klappen aus Neusilber. Die Applikatur weist keine Besonderheiten auf, sie entspricht derjenigen bei etwa zeitgleichen Oboen von Stengel, wie dem Instrument Inv.-Nr. MIR 389 im Germanischen Nationalmuseum Nürnberg. Des Rätsels Lösung liegt in der Stürze: die Altoboe hat nicht die für das Englischhorn typische kugelförmige Birne, sondern die trichterförmig aufblühende Stürze der normalen Oboe.[13] Leider ist es heute nicht mehr möglich, Vergleiche zwischen einem Englischhorn und einer Altoboe aus der Werkstatt Stengel anzustellen. Erhalten ist zwar noch ein älteres Englischhorn, allerdings in gewinkelter Form und mit sechs Klappen[14], doch ein mit der Altoboe etwa zeitgleiches Englischhorn in gestreckter Form im Berliner Musikinstrumentenmuseum, das noch im Katalog von Curt Sachs abgebildet ist, zählt zu den Verlusten des letzten Krieges.[15]

Noch bis vor kurzem war weder von Stengel noch von einem anderen Hersteller eine weitere Altoboe in öffentlichem Besitz nachweisbar, doch ein glücklicher Zufall führte zu einem Instrument in Privatbesitz. Es stammt aus

---

12 Inv.-Nr. 445.

13 Die Altoboe ist dreiteilig, hat eine Länge von 83 cm, der Durchmesser der Stürzenöffnung beträgt 9 cm. Das Kunsthistorische Museum Wien erwarb das Instrument 1940 von F. X. Kodeischka, über weitere Vorbesitzer ist nichts bekannt. Überliefert ist jedoch der ausdrückliche Hinweis zur Verwendung der Altoboe bei Wagner (Freundl. Auskünfte von Dr. G. Stradner, Wien).

14 Museo Nazionale della Scienzia e della Technica „Leonardo da Vinci", Mailand. Nachweis bei Ph. T. Y o u n g , *Twentyfive hundred historical woodwind instruments,* New York 1982, S. 127.

15 Inv.-Nr. 1393. Vgl. C. S a c h s , *Sammlung alter Musikinstrumente bei der Staatlichen Hochschule für Musik zu Berlin. Beschreibender Katalog,* Berlin 1922, S. 280, Abb. Taf. 26.

der Werkstatt Pöschl in München[16] und ist wohl mindestens 30 Jahre später zu datieren als Stengels Altoboe. Dabei handelt es sich um ein Englischhorn mit typischer Birne, zu dem eine auswechselbare originale trichterförmige Stürze gehört. Der Besitzer Georg Meerwein demonstrierte bei Studio-Aufnahmen, die als Grundlage für weitere Untersuchungen dienen sollen, eindrucksvoll den hörbaren Unterschied in Lautstärke und Klangfarbe bei der Verwendung von Birne bzw. Trichter: tatsächlich klingt das Instrument als Altoboe in allen Lagen wesentlich lauter und heller denn als Englischhorn, wie es ja auch von Wagner beabsichtigt war.[17]

An dieser Stelle sei ein kleiner Exkurs gestattet. Wagner suchte mit zunehmender Erfahrung immer wieder nach neuen Instrumenten und Verbesserungen an bereits vorhandenen, um seine immer differenzierteren Klangvorstellungen realisieren zu können. Sein Interesse war dabei nicht rückwärts gewandt, historische und außer Gebrauch geratene Instrumente interessierten ihn nicht. Ansonsten hätte er unter älteren Oboen in der Unterquinte ein Vorbild für seine Altoboe finden können. In der ersten Hälfte des 18. Jahrhunderts wurden drei verschiedene transponierende Oboen in F gebaut, 1. die Oboe da Caccia mit gebogener Röhre und aufblühender Stürze, 2. die „Tenor Oboe" (engl.) oder „Taille de Hautbois" (franz.) — wie sie etwa von Thomas Stanesby, London, erhalten ist — mit gerader Röhre und aufblühender Stürze und 3. das Englischhorn mit gebogener Röhre und birnenförmiger Stürze. Nach der Mitte des 18. Jahrhunderts blieb lediglich das Englischhorn in Gebrauch, das im weiteren Verlauf mit verschieden geformten Röhren gebaut wurde, jedoch immer die birnenförmige Stürze behielt.

*Die Verwendung der Altoboe in Bayreuth*

Wie der bereits zitierte Brief an Kapellmeister Eckert belegt, war Wagner die Verwendung und Besetzung der Altoboe bei den Vorbereitungen zu den ersten Festspielen 1876 ein großes Anliegen. Heute läßt sich nicht mehr in allen Fällen eindeutig klären, welcher der Bayreuther Oboisten in welchem Jahr Englischhorn oder Altoboe spielte. Die einzigen Quellen sind die gedruckten Besetzungslisten und Verzeichnisse „sämmtlicher bei den Bayreuther Bühnen-Festspielen mitwirkenden Personen", die teilweise Oboen und Englischhörner/Altoboe zusammenfassen.[18] Für 1876 — auf dem Programm

---

[16] J. P ö s c h l (1866—1947), geboren und ausgebildet in Graslitz, arbeitete in München; L. G. L a n g w i l l, *An Index of Musical Wind-Instrument Makers,* Edinburgh ⁶1980, S. 138.

[17] Das Musikinstrumentenmuseum im Stadtmuseum München erwarb 1983 ein Englischhorn mit Wechselstürze, ebenfalls von J. Pöschl, aus Privatbesitz.

[18] RWA Bay, Besetzungslisten A 2011 I-XIII.

stand nur der „Ring des Nibelungen" — ist Franz Reichert aus Berlin als Spieler des „Englisch Horns" namhaft gemacht. Möglicherweise war er es, dem Wieprecht in Wagners Auftrag die Altoboe aus der Werkstatt Stengel übergeben hatte. Aus der Reparaturrechnung Stengels von 1876 wissen wir aber, daß zumindest auch Ullrich, der nach dem Verzeichnis Oboe spielte, sein Englischhorn nach Bayreuth mitgebracht hatte. Bis 1884 erscheint die Altoboe in den Besetzungslisten der anfangs noch nicht alljährlich veranstalteten Festspiele. Seit 1896 scheint man sich in Bayreuth nicht mehr an Wagners Anweisung gehalten zu haben, der das Englischhorn „ein für alle Mal" durch die Altoboe ersetzt wissen wollte.

Bis einschließlich 1894 waren jeweils vier Oboen und eine Altoboe aufgeboten, eine Ausnahme bildet „Parsifal", für den in den Jahren 1883 und 1884 sieben Oboen- und ein Altoboenspieler in den Besetzungslisten aufgeführt werden. 1896 und 1897 sind jedoch wieder vier Oboen, aber zwei Englischhörner vorgesehen. Nicht zu ermitteln ist, ob beide Englischhörner gleichzeitig eingesetzt wurden oder alternierten, die Verdopplung also einen Versuch darstellt, auf diese Weise die Wirkung einer einzigen Altoboe zu erzielen. Für die weiteren Festspiele ab 1899 wurden die Oboen von vier auf fünf verstärkt, die Englischhörner wieder auf eines reduziert. Unklar bleibt, ob die Altoboe eventuell doch noch gespielt wurde, denn bis 1901 wirkte noch H. Eichel aus Hannover in Bayreuth mit, der bereits seit 1883 Mitglied des Festspielorchesters war und hier nachweislich die Altoboe blies. Ab 1896 erscheint er jedoch in der Rubrik „Englischhorn"; die Altoboe wird nicht mehr aufgeführt. Aus den nicht immer eindeutigen Besetzungslisten ist mit Sicherheit als weiterer Altoboenbläser Friedrich Feyertag aus München namhaft zu machen, der 1882, 1883 und 1884 in Bayreuth mitwirkte.

Auch außerhalb Bayreuths muß die Altoboe Verwendung gefunden haben. Infrage kämen dafür neben München noch Berlin und Hannover, denn von dort kamen ja die Altoboisten des Festspielorchesters. Zumindest Pöschl in München baute Englischhörner mit Wechselstürze. Ob es allerdings Fr. Feyertag war, der die Anregung dazu aus Bayreuth mitgebracht hat, kann man allenfalls vermuten, nicht aber beweisen. Dauerhafter Erfolg war der Altoboe aber weder in Bayreuth noch andernorts beschieden. Nirgends findet sie Erwähnung, wenn von Wagners Anregungen auf den Instrumentenbau die Rede ist.[19]

Auch Richard Strauss ging 1905 in seinen Ergänzungen zu Berlioz' „Instrumentationslehre" nicht auf die Altoboe ein, obwohl er mehrmals in Bayreuth gewesen war, so 1889 als musikalischer Assistent bei den Festspielen,

---

[19] So z. B. in der Zeitschrift für Instrumentenbau, 5. Bd., 1884/85, S. 46.

1891 als Solorepetitor und Assistent und 1894 als Dirigent. Doch im Kapitel „Das Englische Horn" empfiehlt Strauss nicht die Altoboe, sondern die Heckel-Clarina, sie „eignet sich besser als das zu schwache Engl. Horn oder die im Klang unmögliche Trompete zur Wiedergabe der lustigen Weise im dritten Akt vom Tristan".[20] Außerdem finden die Bariton-Oboe von Lorée, Paris, und das Heckelphon in diesem Kapitel Erwähnung.[21] 1915 führten F. Busoni und Franz Dubitzky in der Zeitschrift „Die Musik" eine Diskussion über „‚Englisch Horn' oder ‚Altoboe'?"[22], die sich aber in einem Streit über den Terminus erschöpfte, ohne daß ihnen noch bewußt gewesen wäre, daß es sich hier um zwei verschiedene Instrumente handelte. Dubitzky brachte die Frage auf den Nenner: „‚Englisches Horn'! vielleicht sagen wir fürderhin etwas deutscher: ‚Altoboe'."[23]

1925 erschienen die, Leo Bechler gewidmeten, „Zwei Stücke für Alt-Oboe (Englisch Horn) und Klavier op. 9" von Hans Kummer[24] und 1927 die „Elegie für Englisch-Horn (Alt-Oboe) und Klavier" von Karl Mille[25], die beide in München wirkten. Es liegt daher nahe, daß beide Werke für ein Englischhorn mit Wechselstürze bestimmt sind, wie es J. Pöschl baute.

Im Zusammenhang mit Wagner konnte das Problem der Altoboe, das hier erörtert wurde, nur einen großen und noch weitgehend ungelösten Fragenkomplex andeuten, nämlich den der authentischen Aufführungspraxis von Musik des 19. Jahrhunderts. Alfred Berner wies in einem anderen Zusammenhang darauf hin: „Dem riesigen Angebot an Aufnahmen mit Musik des 16.—18. Jahrhunderts auf teils originalen teils nachgebauten Instrumenten steht zahlenmässig aus dem 19. Jahrhundert nicht annähernd Gleiches gegenüber. Es ist, als ob spätestens bei Mozart unser Sinn für historische Aufführungspraxis abbricht und als ob es von da ab keine Entwicklung und keine

[20] H. B e r l i o z, *Instrumentationslehre.* Ergänzt u. revidiert v. R. S t r a u s s, Leipzig o. J. (1905), Bd. 1, S. 203.

[21] a.a.O.

[22] F. D u b i t z k y, *„Englisch Horn" oder „Alt-Oboe"? Eine Entgegnung,* in: Die Musik XIV. 17, 1. Juni-Heft 1915, S. 224—226.

[23] Ders., *Die „Schlacht" in der Musik,* in Die Musik XIV. 10, 2. Februar-Heft 1915, S. 153.

[24] H. Kummer, *Zwei Stücke für Alt-Oboe (Englisch-Horn) und Klavier op. 9,* Herrn Leo Bechler in Freundschaft zugeeignet. Verlagsanstalt Deutscher Tonkünstler, Berlin, Leipzig 1925.

[25] K. Mille, *Elegie für Englisch-Horn (Alt-Oboe) und Klavier.* Verlag Karl Merseburger, Leipzig 1927 (freundl. Hinweise auf Kummer und Mille von G. Meerwein).

Veränderung des Musikinstrumentariums mehr gäbe, die zu praktizieren es sich lohne."[26]

Wenn es um Wagner geht, wird gerade die Werktreue der Regiearbeit heftig diskutiert, kaum aber die der musikalischen Aufführungspraxis, ansonsten hätte beispielsweise das Experiment von G. Solti, bei einigen Vorstellungen der Bayreuther Festspiele 1983 den Schalldeckel über dem „mystischen Abgrund" teilweise zu öffnen, auf mehr Widerspruch stoßen müssen, als tatsächlich geschehen ist. Aktualität hat die Frage der authentischen Aufführungspraxis auch durch das Dilemma mit den Tenören bei den Festspielen 1983 erhalten. In verschiedenen Interviews gab Wolfgang Wagner zu bedenken, daß zu Zeiten seines Großvaters das Lautstärkeverhältnis zwischen Sänger und Orchester — bedingt durch instrumentenbautechnische Unterschiede — ein anderes, d. h. für die Sänger günstigeres war als heute. Ob daraus allerdings für die Zukunft Konsequenzen gezogen werden, bleibt sehr fraglich. So wird man kaum die moderne Böhm-Flöte, die Richard Wagner als „Gewaltröhre" abgetan hat, gegen ältere Querflöten eintauschen. Weitaus weniger Probleme würde es mit sich bringen, das Englischhorn endgültig gegen die Altoboe auszutauschen, „ein für alle Mal" Wagners Anweisungen zu befolgen.

---

[26] A. B e r n e r , *Das 19. Jahrhundert im Musikinstrumentenmuseum*, in: Studia musico-museologica. Bericht über das Symposium: Die Bedeutung, die optische und akustische Darbietung und die Aufgaben einer Musikinstrumentensammlung (hektographiert vervielfältigt), Nürnberg o. J., S. 83.

Friedrich Körner, Graz

## DIE VERWENDUNG DER TROMPETE
## IM RICHARD-WAGNER-ORCHESTER

### 1. Zahlenmäßige Besetzung

Richard Wagner besetzt in seinen Werken zwei bis sechzehn Trompeten. Schon im „Rienzi" verlangt der Meister 16 Trompeten: 4 Trompeten im Orchester (2 Naturtrompeten und 2 Ventiltrompeten) und 12 Trompeten auf dem Theater (6 Naturtrompeten und 6 Ventiltrompeten). Die Partitur des „Fliegenden Holländers" schreibt nur 2 Trompeten vor, „Tannhäuser" 3 Trompeten im Orchester und 12 Trompeten auf der Bühne (2. Akt, Einzug der Gäste in die Wartburg), „Lohengrin" ebenfalls 3 Trompeten im Orchester, 2 auf der Bühne und eine Holztrompete (sog. Tristantrompete) auf der Bühne. Die Partitur der „Meistersinger von Nürnberg" schreibt vor: 3 Trompeten im Orchester und Trompeten in verschiedener Stimmung mit beliebig starker Besetzung auf der Bühne (Festwiese). Im „Parsifal" werden 3 Trompeten im Orchester und 2 Trompeten auf der Bühne verlangt. Im „Ring des Nibelungen" erweitert Wagner den Satz der 3 Trompeten noch um die Baßtrompete.

### 2. Verwendete Instrumente

Der Orchestertrompeter des 20. Jahrhunderts bläst ausschließlich die Ventiltrompete. Daß zu Beginn unseres Jahrhunderts in manchen Orchestern neben der Ventiltrompete in hoch A, B und C noch die F, D und Es-Trompete gebräuchlich war, geht aus einem Zusatz von Richard Strauss in der von ihm revidierten Instrumentationslehre von Hector Berlioz hervor.[1] Auch persönliche Mitteilungen alter Trompetenkollegen[2] und eine im Eigentum des Grazer Philharmonischen Orchesters noch vorhandene Trompete in Es weisen darauf hin, daß die tiefe, sog. alte Ventiltrompete noch zu Beginn unseres Jahrhunderts vereinzelt von 2. und 3. Trompetern geblasen wurde. Das endgültige Verschwinden der alten, tiefen Ventiltrompete aus dem modernen Orchester dürfte mit dem zweiten Dezennium des 20. Jahrhun-

---

[1] Berlioz-Strauss, *Instrumentationslehre,* II. Teil, Leipzig 1904, S. 301.

[2] Darunter der Lehrer und Orchesterkollege des Verfassers, Franz Brugger, 1. Solotrompeter des Grazer Philharmonischen Orchesters. Brugger selbst erhielt den ersten Trompetenunterricht noch auf einer alten F-Trompete.

derts abzugrenzen sein. Die alte Ventiltrompete hatte grundsätzlich die doppelte Rohrlänge unserer modernen Ventiltrompete und gerade deshalb einen wesentlich volleren Klang.[3]

Der Grund für das völlige Verschwinden der alten Ventiltrompete dürfte wohl in erster Linie in den immer größer werdenden Anforderungen, die an den Orchestertrompeter des 20. Jahrhunderts sowohl in Bezug auf Höhe als auch auf technische Schwierigkeiten gestellt werden, zu suchen sein. Daß jedoch die Verwendung gerade unserer modernen Ventiltrompete in manchen Werken Richard Wagners klanglich nicht immer befriedigen kann, soll in der Folge an einigen Beispielen untersucht und erläutert werden.

Der Orchestertrompeter verwendet heute ausschließlich die moderne (kurze) Ventiltrompete mit Zylinder- oder Pèrinetventilen, hauptsächlich in den Stimmungen B, C, seltener in D. Es ist also vom Standpunkt der Aufführungspraxis aus gesehen nicht richtig, daß wir die Werke der Klassiker, aber auch die Trompetenparte Richard Wagners mit den modernen, kurzen Instrumenten ausführen. Diese Tatsache wird auch erhärtet durch die Anweisungen berühmter Dirigenten des 20. Jahrhunderts zur Verdopplung der klassischen Trompetenparte. So schildert beispielsweise Guido Adler[4], wie Gustav Mahlers Einrichtung der neunten Symphonie Beethovens zur „Affäre" gemacht wurde. „Dem Vorgang Richard Wagners folgend, hatte Mahler zur Erzielung der Deutlichkeit, die ihm höchstes Prinzip der Wiedergabe war, an einzelnen Stellen Holzbläser verdoppelt, ein drittes und viertes Hörnerpaar, im letzten Satz eine dritte und vierte Trompete verwendet und ab und zu neben den Naturtönen der Blechblasinstrumente, wie sie zur Zeit Beethovens üblich waren, aus der vollen Skala der Ventilinstrumente die Gänge ergänzt, die eben im Hinblick auf die Naturinstrumente Beethoven nach Mahlers Ansicht nur lückenhaft bringen konnte.

Die Vervielfältigung der Streichinstrumente seit Beethovens Zeit verlange, wie Mahler hervorhob, eine Vermehrung der Bläser." Adler ist der Ansicht, daß der Historiker für die Reinhaltung der authentischen Vorlage einzutreten habe, dabei die gute Absicht der Verdeutlichung anerkennen könne, ohne ihr jedoch Allgemeingültigkeit zuzuerkennen. Hier wäre zu ergänzen, daß Mahler, der durch die Vervielfältigung der Streichinstrumente die Verdopplung der Bläser in Beethovens IX. Symphonie angeordnet hat, bei der Verdopplung der Trompeten nicht zuletzt von der ihm ganz bestimmt bekannt gewesenen Tatsache der geringen Klangsubstanz der modernen Ventil-

---

[3] Vgl. F. K ö r n e r , *Studien zur Trompete des 20. Jahrhunderts,* mschr. Diss., Graz 1963, S. 61 ff.

[4] G. A d l e r , *Gustav Mahler,* Wien-Leipzig 1916, S. 31 f.

trompete ausgegangen sein wird. Die „Reinhaltung der authentischen Vorlage" ist also durch die Doppelbesetzung, wodurch der füllige Klang der
alten Instrumente eher erreicht wird, besser gewährleistet, als durch die einfache Besetzung, wie sie bei den Klassikern üblich und durch die zeitgenössische Aufführungspraxis belegt ist.[5]

Auch in der Gegenwart verstärken (verdoppeln) Dirigenten bei der Interpretation klassischer Symphonien manchmal die Trompetenparte. Der Verfasser hat als Trompeter im Grazer Philharmonischen Orchester am 3. und
4. Februar 1957 selbst in zwei Konzerten mitgewirkt, bei denen der Dirigent
Karl Böhm die Trompetenparte der VII. Symphonie Franz Schuberts doppelt
besetzt verlangte. Auch hierin ist gewiß einerseits die vermehrte Streicherbesetzung des Orchesters, andererseits aber der fehlende prätentiöse, runde
Klang der alten Trompeten als Ursache zu sehen, der durch die Verdopplung
des Trompetenpaares einigermaßen gewährleistet werden konnte. Ausgeführt wurden im zitierten Fall alle 4 Trompetenparte mit modernen Zylin-
derventil-B-Trompeten.


3. Eigenes Experiment und Vorschläge zur authentischen Wiedergabe einiger Trompetenparte Richard Wagners

Anläßlich der Wiederaufnahme des gesamten „Ring des Niebelungen" von
Richard Wagner in der Grazer Oper im Jahre 1963 hatte der Verfasser Gelegenheit, bei den Proben zur „Götterdämmerung" mit der oben angeführten
tiefen Es-Trompete, die Eigentum des Grazer Philharmonischen Orchesters
ist, ein Experiment zu machen. Es muß vorausgeschickt werden, daß die
„Götterdämmerung" dasjenige Werk Richard Wagners ist, das von allen seinen Werken an den 3. Trompeter die größten Anforderungen in solistischer
Hinsicht — nicht im Hinblick auf den Tonumfang in die Höhe — wohl aber
in die Tiefe stellt. Überhaupt dürften dem Wissen des Verfassers nach vor
der „Götterdämmerung" einem 3. Orchestertrompeter kaum jemals so viele,
auch technisch nicht einfache, Solostellen zugemutet worden sein.

Der Verfasser spielte bei den oben erwähnten Proben einige Solostellen,
aber auch Tuttieinsätze abwechselnd mit der modernen B-Trompete und mit
der alten Es-Trompete. Schon nach kurzer Einspielzeit — die Es-Trompete
würde ein etwas größeres Mundstück fordern, als es dem Verfasser zur Verfügung stand — war eindeutig festzustellen, daß sich bei allen mit der tiefen

---

[5] R. H a a s berichtet von einer einfachen Besetzung der Trompetenparte bei der
Aufführung von L. v. Beethovens IX. Symphonie im Jahre 1828 unter Habeneck.
(R. H a a s , *Aufführungspraxis der Musik*, Hdb. der Musikwissenschaft, hg. von
E. B ü c k e n , Leipzig 1931, S. 253).

Es-Trompete interpretierten Stellen das Instrument gegen das Orchester klanglich weitaus besser durchzusetzen vermochte, als es die moderne B-Trompete imstande ist. Das Es- oder F-Instrument hat besonders in der Lage, in der die meisten solistischen Stellen der „Götterdämmerung" geschrieben sind, einen viel runderen, volleren, substanzreicheren Klang als die moderne B-Trompete, für welche sich diese Stellen schon in tiefer und tiefster Lage bewegen. Auf dem großen Instrument sprechen sowohl die Lippenbindungen als auch die Ventilbindungen in dieser Lage wesentlich leichter an als auf der modernen B-Trompete. Lediglich stimmungsmäßig waren dem Versuchsinstrument Grenzen gesetzt. Das Instrument, das in keiner Weise ein Spitzenmodell, sondern ein Durchschnittserzeugnis ist, war beim kombinierten Einsatz der Ventile wesentlich unreiner als die moderne B-Trompete.

Die Intonation auf dem Versuchsinstrument stellte also das eigentliche Problem dar, dessen Lösung der Meinung des Verfassers nach in der Verwendung moderner, tief gestimmter, qualitativ hochwertiger Ventiltrompeten, etwa amerikanischer Bauart zu suchen wäre. Eine Interpretation der 3. Trompetenparte Richard Wagners mit tiefen Ventiltrompeten, allerdings moderner Bauart in aufführungspraktisch richtigem Sinn, erscheint dem Verfasser auf Grund des durchgeführten Experimentes durchaus möglich. Daß sich der Bläser auf das Instrument umstellen müßte und sich mit einem etwas größeren Mundstück auf das größere Instrument sowohl intonatorisch als auch transpositorisch einzustellen hätte, ist selbstverständlich. Die Umstellung — in diesem Falle nach der Tiefe hin — ist aber nicht schwieriger, als beispielsweise die Umstellung auf die hohe B- oder D-Trompete, die zur Interpretation von Trompetenparten J. S. Bachs oder G. F. Händels heute verwendet wird.

Wie gezeigt, betraf der angeführte Versuch lediglich den 3. Trompetenpart in Richard Wagners „Götterdämmerung". Eine Analogie zur Verwendung tiefer, moderner Trompeten für die 3. Stimme auch anderer Wagnerscher Partituren und für die 1. und 2. Trompetenstimme der Klassiker darf ohne weiters vermutet werden.

Was jedoch die Interpretation der 1. oder auch 2. Trompetenstimme oder auch der exponierten Parte der Bühnenmusiken Richard Wagners (Lohengrin, Tannhäuser, Meistersinger) betrifft, so muß dazu festgestellt werden, daß sich dafür die moderne B- und C-Trompete wesentlich besser eignet als die tiefe Trompete. Besonders die Soloeinsätze der 1. Trompete (aber auch der 2. Trompete), die sich von der Mittellage in die höchste Lage des Instrumentes erstrecken — in der „Götterdämmerung" wird vom 1. Trompeter das $c^3$ gefordert —, verlangen vom Orchestertrompeter das größtmögliche Maß an Treffsicherheit und Ausdauer. Daß diese Bedingungen durch die moderne, hohe Trompete weitaus besser zu erfüllen sind, geht aus der Tatsache hervor, daß durch die grundsätzliche Verkürzung der Rohrlänge des Instrumentes um die Hälfte die höheren Naturtöne wesentlich leichter hervorzubringen sind als bei der alten Ventiltrompete. Es wird also heute kaum einen 1. Trompeter eines Opernorchesters geben, der zur Interpretation des berüchtigt-schwierigen „Parsifal-Vorspieles" von Richard Wagner eine alte Ventiltrompete benützt. Er opfert lieber die etwas größere Klangsubstanz des größeren Instrumentes einer etwas heller klingenden Farbe und gewinnt dadurch eine wesentlich größere Sicherheit der Ansprache für die äußerst schwierigen Bindungen der Stelle, zumal das moderne Instrument durch seine etwas geringere Mensur dem 1. Trompeter auch im Hinblick auf das Durchhalten des Atems eher entgegenkommt als die alte Trompete.[6]

4. Verwendung des Kornetts

Das Kornett, ebenfalls zur Trompetenfamilie gehörig, ist im deutschsprachigen Raum in den Opern- und Sinfonieorchestern völlig außer Gebrauch gekommen. Im 19. Jahrhundert hatte sich dieses Instrument im Opern- und im Sinfonieorchester großer Beliebtheit erfreut. Giuseppe Verdi, Camille Saint-Saëns oder Hector Berlioz beispielsweise setzten das Kornett häufig ein. Besonders Berlioz bezeichnet als Idealbesetzung seines Orchesters 2 Ventiltrompeten und 2 Ventil-Cornetts à Piston. Gevaert berichtet, daß das Kornett nur in den Ländern „lateinischer Zunge" (Frankreich, Italien, Belgien, Spanien) ins Theater- und Konzertorchester aufgenommen wurde. Es habe dort unter dem falschen Namen Trompette à pistons (Ventiltrompete) Eingang gefunden, als die Naturtrompete verschwand und sich „die Stelle des Instrumentes angemaßt, dem jener Name von Rechts wegen zukommt". Zur größeren Bequemlichkeit der Bläser sei dieser beklagenswerte Mißbrauch durch die Schwäche oder Gewissenlosigkeit der Dirigenten eine Zeit lang beibehalten worden und habe das instrumentale Ensemble einer seiner charakteristischsten Klangfarben beraubt. Gevaert schlägt (schon im Jahre 1887!) vor, daß „im Interesse der Kunst und der Komponisten" neben den 2 Kornetten auch 2 Trompeten besetzt werden sollten und er spricht davon, daß alle Aussicht vorhanden sei, daß in einer nahen Zukunft diese Kombination allgemein werde, und „daß jedes Instrument sich darauf beschränken wird, das zu spielen, was für dasselbe geschrieben wurde." Vor allem darf kein Dirigent, der „auf den Namen eines Künstlers Anspruch erhebt", mehr gestatten, daß das „Ventilkornett in einem klassischen Tonwerk statt der Trompete sich hören läßt".[7]

---

[6] F. K ö r n e r , a.a.O., S. 64 ff.

[7] F. A. G e v a e r t , *Neue Instrumentationslehre*, Leipzig 1887, S. 291 und S. 236.

Nach dem vorliegenden Bericht von Gevaert scheint die Verwendung des Kornetts an Stelle der Trompete gang und gäbe gewesen zu sein. Richard Strauss schrieb noch 1904, „daß ihm diese Art der Trompetenverwendung (er meint an dieser Stelle die Verwendung des Kornetts) als melodieführendes Instrument (also Trompete allein mit Unterlegung einer einfachen Begleitung) ein Greuel" sei.[8] Er bezieht sich an der zitierten Stelle nicht direkt auf den Klang des Kornetts, der von dem der Trompete verschieden ist, sondern eher auf den kompositorischen Aspekt, führt aber als Beispiel „wundervoller Klangmischung" eine Stelle aus Richard Wagners „Walküre" an.[9] Demgegenüber könnte eingewendet werden, daß das Zitat des Schwertmotives in der Besprechung des Kornetts einen falschen Platz einnimmt. Selbstverständlich kommt der Klang des Kornetts der Klangvorstellung eines Richard Wagner von der edlen, heroisch-sieghaften Trompete in keiner Weise entgegen.

In der heutigen Orchesterpraxis werden Kornettstimmen hauptsächlich durch Trompeten wiedergegeben. Vom Gesichtspunkt der Aufführungspraxis wäre es also — im Sinne Gevaerts — zu begrüßen, wenn Kornettparte tatsächlich durch Kornette wiedergegeben würden. Der Akzent hat sich heute gerade in die gegensätzliche Richtung verschoben: Gevaert polemisierte gegen die fälschliche Anwendung des Kornetts zur Interpretation von Trompetenparten, heute gibt man nicht nur Trompetenstimmen durch Trompeten wieder, sondern auch Kornettstimmen. Daß dadurch dem Gesamtklang des Orchesters eine vom Komponisten wohlüberlegte Klang-Nuance verloren geht, erscheint selbstverständlich.[10]

---

[8] B e r l i o z - S t r a u s s , a.a.O., S. 318.

[9] B e r l i o z - S t r a u s s , a.a.O., S. 320, Walküre, I. Akt, 3. Szene, Breit. (3 Flöten, 3 Oboen, 2 Klarinetten, 4 Hörner, 1 Trompete, 3 Fagotte, 3 Posaunen, K.B.-Posaune, K.B.-Tuba.)

[10] F. K ö r n e r , a.a.O., S. 71, 72.

Kurt Janetzky, Wiesloch/BRD

RICHARD WAGNERS VERHÄLTNIS ZU HÖRNERN UND
HORNISTEN

HEUTIGER HORNISTEN VERHÄLTNIS ZU RICHARD WAGNERS
HORNPARTIEN

Einen frühen und gewiß auch nachhaltigen Eindruck von der Bläserpraxis
gewann Richard Wagner als sechzehnjähriger Junge. Es war in „Kintschys
Schweizerhütte", einem beliebten Leipziger Ausflugslokal, wo ein kleines
Musikcorps ausgedienter Militär-Hoboisten aufspielte und dabei ganz unver-
sehens die allererste „Wagner-Welturaufführung" startete.

Als Gymnasiast klimperte der junge Richard eifrig auf dem Klavier seiner
singenden Schwester Luise herum und hatte sogar bei dem Gewandhaus-
Geiger Christian Gottlieb Müller heimlich einige Unterrichtsstunden in
Harmonielehre genommen. Das junge Genie konnte natürlich dieser trocke-
nen Materie keinerlei Geschmack abgewinnen, und so gab er das Unterfan-
gen, kaum daß es begonnen, auch schon wieder auf. Um so begeisterter war
er jedoch von der abenteuerlichen Art, in der E. T. A. Hoffmann über den
genial-verrückten Kapellmeister Kreisler novellistisch phantasierte.

Ein ähnlich sonderliches Musik-Original glaubte er in einem gewissen Karl
Flachs gefunden zu haben, der ihm durch seinen offensichtlich sehr vertrau-
ten Umgang mit den im Bier- und Kaffeegarten der „Schweizerhütte" blasen-
den Musikanten aufgefallen war. Sehr launig schildert Wagner in „Mein
Leben"[1], wie erstaunlich aufgeschlossen sich dieser merkwürdige Hagestolz
zeigte und an einer kleinen Arie, die er gerade komponiert hatte, schon so
viel Gefallen fand, daß er sie umgehend für die Bläser der Schweizerhütte
arrangierte. Zu Richards allergrößter Freude wurde dieses kleine Werk, das
Flachs vermutlich erst durch seine geglückte Instrumentation zu einem richtigen Musikstück gemacht hatte, auch tatsächlich von den wackeren Bläser-
Veteranen in Kintschys Garten aufgeführt. Spontan schloß das ungleiche
Paar daraufhin sofort enthusiastisch unverbrüchliche Freundschaft, und so
wurde Karl Flachs, für mindestens einige Wochen, Richards intimster Umgang.

Freilich meldeten sich sehr schnell ernste Zweifel an. Zu Wagners maß-
loser Enttäuschung fand er dessen Wohnung zwar förmlich vollgestopft mit

---

[1] Richard W a g n e r, *Mein Leben 1813–1868*, München 1976, S. 39 ff.; Martin
G r e g o r - D e l l i n, *Richard Wagner*, München 1980, S. 67 f.

Partituren, darunter aber absolut gar nichts von Beethoven, Mozart oder Weber. Allerdings hatte er bisher noch nie eine Partitur gesehen, aber das, was er da bei seinem neuen und so merkwürdigem Freund in die Hände bekam — es waren Sinfonien, Serenaden, Messen und Kantaten von Stamitz, Staerkel, Steibelt und noch manchen anderen, ihm ebenfalls unbekannten Komponisten — waren für ihn ausnahmslos völlig unnütze und absolut wertlose Musikalien. Bald schämte er sich „seiner totalen Verblendung" und mied fortan jeden Verkehr mit seinem nunmehr offensichtlich „falschen Kapellmeister Kreisler".

Heute wissen wir, daß es sich bei Flachsens Notenbeständen um eine durchaus beachtenswerte Sammlung von Werken führender Meister der „Mannheimer Schule" handelte.

Zur Ehrenrettung von Karl Flachs sei hier auch vermerkt, daß sich erst 1956 eine Harmonie-Fassung von Webers „Der Freyschütz" fand, die Flachs schon 1822, also nur ein Jahr nach der Uraufführung in Berlin und sieben Jahre vor seiner Bekanntschaft mit Wagner, im Leipziger Musik-Verlag Friedrich Hofmeister edierte.[2] Bei einer erst in unseren Tagen erfolgten repräsentativen Schallplatten-Aufnahme großer Teile dieser „Freyschütz-Harmonie" erwiesen sich einige Nummern daraus als ideale Kabinettstückchen klein besetzter Bläser-Kammermusik.

So wie Flachs Webers originale Freischütz-Musik für ein bescheidenes Bläser-Ensemble eingerichtet hatte, hat Wagner umgekehrt aus Webers Euryanthe-Melodien eine „Trauersinfonie" bearbeitet und für ein monströses Blasorchester instrumentiert. Sie wurde zur feierlichen Beisetzung der Asche Carl Maria von Webers während des Zuges vom Ausschiffungsplatz bis an den Friedhof zu Dresden-Friedrichstadt am 14. Dezember 1844 aufgeführt. Wagner schrieb dafür 4 erste und 4 zweite Ventilhörner in F, sowie je drei erste und zweite Naturhörner in tief B vor. Auch berichtet er, was dabei für Schwierigkeiten zutage traten und wie er bei deren Bewältigung vorgegangen ist. Zum Beispiel widersetzten sich die bei Weber in schnellen Spielfiguren grummelnden Bratschen jeder Instrumentierung für Bläser. Er entschloß sich einer genialen Eingebung folgend, sie von sechs gedämpft wirbelnden Rührtrommeln ausführen zu lassen, was von geradezu ungeheuerlich erschütternder Wirkung war.

Wagners Wertschätzung Carl Maria von Webers, die vor allem seinem „Freischütz" galt, verdanken wir auch die wohl anerkennendsten Worte, die

---

[2] Neuausgabe Bärenreiter-Verlag, Kassel 1976 (BA 6717).

er jemals für Hornisten fand. In der Schrift „Über das Dirigieren"[3] schildert er ausführlich seine Aufführung der Freischütz-Ouvertüre, die er 1864 in einem Konzert in Wien zu dirigieren hatte. Er bezeichnete sie dabei als ein wundervolles musikalisches Gedicht und war voll des Lobes über die Unverdrossenheit mit der die vier Hornbläser unter der zartsinnig künstlerischen Anführung Rudolf Lewys solange den Ansatz änderten, bis es ihnen in den 16 Horntakten des Einleitungs-Adagio vollendet gelang, den beabsichtigten zauberischen Duft über ihren Gesang auszugießen, um sich dann am Ende der weichen Waldphantasie, sanft schmelzend zu verlieren. Dieser Joseph Rudolf Lewy (1802—1881) ist übrigens derselbe, für den Franz Schubert 1827 den „Nachtgesang im Walde" für Männerchor und Hornquartett und 1828 das obligate Horn zum Lied „Auf dem Strom" geschrieben hat. Dagegen nimmt sich wiederum eine Bemerkung über eben diesen Lewy recht seltsam aus, die Robert Schumann am Ostermontag des Jahres 1839 in einem Brief aus Wien an Clara Wieck schickte. Er schrieb darin: „. . . Lewy, ein jugendlicher Hornvirtuos aus Wien, ist wieder da, kömmt mir aber so albern . . . und armselig vor — ich weiß nicht warum. Und Lügen bindet er den Wienern auf, das ist zum Totlachen . . ."

Noch bemerkenswerter ist allerdings die rege Fantasie, mit der Wagner seiner überschwenglichen Beethoven-Verehrung Ausdruck verlieh: In einer der im Herbst 1840 geschriebenen „Pariser Novellen"[4] läßt er in der anekdotenhaften Erzählung „Eine Pilgerfahrt zu Beethoven" ein kleines Orchester reisender Tanzmusikanten, zusammengesetzt aus einem Baß, zwei Violinen, zwei Hörnern, einer Klarinette und einer Flöte, das Beethovensche Septuor an einer böhmischen Landstraße unter freiem Himmel mit einer Reinheit, einer Präzision und einem so tiefen Gefühle vortragen, wie selten von den meisterhaftesten Virtuosen! Der Leser dieser reizvollen Beethoven-Schwärmerei, der als Kammerkonzertbesucher schon vom Programmzettel her weiß, daß das Beethoven-Septett Op. 20 mit nur einer Violine, einer Viola, einem Violoncello und einem Baß zu Klarinette, Horn und Fagott besetzt ist, muß sich schon selber ausdenken, wie das wohl möglich war!

Am Anfang desselben Jahres (1840), und also gleich zum Beginn seiner Pariser Notzeit, in der er gezwungen war nicht nur schriftstellerische, sondern auch mancherlei musikalische Dienstleistungen zu übernehmen, müssen die Orchestermusik über Schweizer Volksweisen und der Marsch „La Descente de la Courtille" entstanden sein. Mit ihm sollten Chor und Orchester einer kleinen Vorstadtbühne die lärmende Heimkehr der Fastnachtsmas-

[3] Richard W a g n e r, Über das Dirigieren, Leipzig, Insel-Bücherei Nr. 109, S. 50 ff.

[4] Richard W a g n e r, Pariser Novellen, Leipzig 1961, S. 9 ff.

ken nach Paris am Aschermittwoch begleiten. Auch in diesen, so gut wie gänzlich unbekannt gebliebenen Gelegenheitskompositionen, die wohl heute kaum noch Aussicht haben, jemals aufgeführt zu werden, zeigen sich bereits ernste Diskrepanzen: Sein instrumental geradezu schlafwandlerisch sicheres Tonvorstellungsvermögen und sein für theatralisch-dekorative Klang-Effekte stets offener Sinn standen manchmal in recht krassem Widerspruch zu den praktischen Möglichkeiten. Es dürfte schon seinerzeit, wie auch heute noch, bestimmt nicht ganz leicht gewesen sein, die in dieser Musik obligat verlangten Alphörner in den vorgesehenen Stimmungen richtig zu besetzen.

Vor ähnliche Schwierigkeiten sahen sich selbst auch große, mit reichen Mitteln versehene Opernhäuser gestellt, wenn sie den Ehrgeiz hatten, das Fis des Nachtwächterhorns am Schluß des zweiten Aktes der „Meistersinger" auf einem echten Stierhorn blasen zu lassen. Aber nur, wenn dieser Orgelpunkt so realistisch klang- und stilgerecht wie nur irgend möglich erklingt, kann sich darauf das innige Johannisnacht-Motiv ganz einfach, schlicht und gemütvoll, wie von Wagner gedacht, als wahres Klangwunder überaus zart entfalten.

Über jeden gewünschten, wie auch immer zu erzielenden Klangeffekt war sich Wagner niemals im Unklaren. Stets hatte er eine ganz bestimmte und unabänderliche Vorstellung vom Charakter, der Stärke, Farbe und Ausdruckskraft der gewünschten Instrumente sowie ein genaues Wissen über deren klangliches Verhalten zueinander und Verschmelzen miteinander bei allen nur erdenklichen Instrumenten-Kombinationen und Klang-Mischungen.

Das traf auch — wenigstens anfangs — noch bei allen mit Hörnern in Verbindung zu bringenden Belangen ausnahmslos zu. Bei seinem Bühnen-Erstling, der erst 1888 in München uraufgeführten Märchenoper „Die Feen", waren alle diesbezüglichen Umstände noch eindeutig, einfach und daher gänzlich unproblematisch: In dieser 1833 in Würzburg komponierten Oper verwendet Wagner das gleiche und bewährte Instrumentarium, wie es schon die Klassiker verwandten und wie es beispielsweise auch Beethoven noch im Jahre 1814, also fast schon vor zwei Jahrzehnten benutzte, als er nach den drei Leonore-Ouvertüren noch eine vierte, die uns als „Fidelio-Ouvertüre" bekannte, als endgültiges Vorspiel zu seiner einzigen Oper, komponierte. In ihr sind, genau wie auch bei Wagners Ouvertüre zu „Die Feen", Hörner und Trompeten noch reine Naturinstrumente. Ihre Notation kann und muß sich dabei naturgemäß immer nur auf den kleinen, stets und ständig in C-Dur notierten Tonvorrat beschränken und kommt infolgedessen ohne jedes Vorzeichen in einem erfreulich durchsichtigen, klar und offen überschaubaren Notenbild mühelos aus.

Hornisten und Trompeter hatten also immer nur die wenigen, ganz gleichen Noten anzublasen, deren tatsächlicher Klang sich ganz von selbst ergab, sofern ihre Bläser das für die gewünschte Tonart passende Instrument verwendeten, oder die Hornisten den jeweils angegebenen Stimm- oder Inventionsbogen auswählten und je nach vermerkter Anweisung, also entweder „in C", D, E, Es, F, G oder wie auch immer gewünscht, in ihr Inventionshorn einschoben.

Die Erfindung der Ventile um das Jahr 1815 gab aber den Anlaß zu einem gänzlich neue Grundlagen schaffenden Umbruch. Selbstverständlich war der immer überaus rege Fortschrittler Wagner einer der Ersten, die die so verlockend neuen Möglichkeiten sofort aufgriffen und in die Tat umzusetzen versuchten. Es ging aber nicht von heute auf morgen, und Wagner ist vielleicht der Meister, an dessen wechselnden Horn-Notationsgepflogenheiten sich die eine oder andere Kinderkrankheit, die das „neue Ventilhorn" zu überstehen hatte, am deutlichsten ablesen läßt.

Erstmalig verwendet Wagner die neuen Hörner in seiner Oper „Rienzi" und schon dieser Hornsatz trägt offensichtlich Zeichen eines nur vorläufigen Überganges. Ganz gewiß hatten anfangs nicht gleich alle Hornisten Ventilhörner, und so mancher verstand auch nicht so schnell mit ihnen umzugehen. Andere wieder blieben hartnäckig und konservativ bei den aus der Mode kommenden Inventionshörnern. Den deshalb in den maßgeblichen Hoforchestern derzeit noch häufig gemischt besetzten Horngruppen entsprechend, setzt Wagner das in seinem „Rienzi" vorgeschriebene Hornquartett aus einem Paar neuer Ventilhörner und einem zweiten Paar noch altgewohnter Naturhörner zusammen. Die Notation ist für beide noch völlig gleich. Schon das könnte ein Beweis dafür sein, daß Wagner auch bei den Ventilinstrumenten, noch genau wie bei den alten Hörnern, die Verwendung von Inventionsbogen als obligat voraussetzt. Der klangliche Unterschied zwischen den alten und neuen Instrumenten war bei den ersten Aufführungen der Oper Rienzi absolut noch nicht erheblich. Die bei den Naturhörnern nur durch das komplizierte „Stopfen" mit der Hand im Becher „künstlich" erzeugten Zwischentöne klangen zwar nach wie vor ziemlich dumpf, gepreßt und gedämpft, die gleichen, jedoch mittels der Ventile „maschinell" hervorgebrachten „Ventiltöne" kamen aber auch noch nicht frei und offen heraus, sondern waren durch die zu engen Ventil-Durchlässe klanglich nicht minder beeinträchtigt. Die Einführung der Maschinenhörner war anfangs tatsächlich nur der unerschütterlichen Hoffnung auf einen dereinstigen Wechsel in eine mechanisch wie auch klanglich befriedigende Zukunft zuzuschreiben.

Auch in den folgenden Opern „Der fliegende Holländer" und „Tannhäuser" hat sich die Notation der Hörner nicht wesentlich verändert. Lediglich die Anzahl der bei den Ventilhörnern im Holländer angewandten Stimmungen hat sich beträchtlich verringert und im Tannhäuser beschränkt sie sich sogar auf die beiden Hornstimmungen in E und F. Dagegen kommen in beiden Opern Ventiltöne zwischen den Naturtönen schon merklich häufiger vor.

Eine beträchtliche Änderung im Hornsatz, ja ein ganz neuer Notationstyp zeigt sich dagegen — zumindest vom II. Akt an — in der Oper „Lohengrin".

Obgleich sich die Hornnotation des ersten Aktes in noch keiner Weise von der in der Oper „Tannhäuser" unterscheidet, schreibt Wagner im Lohengrin gleich anfangs im Instrumentenspiegel für alle vier Hörner Ventilinstrumente vor. Auch wenn der Beginn der Kompositionsniederschrift bereits in der Mitte des Jahres 1846 anzunehmen ist, die Fertigstellung 1848 und die Uraufführung durch Liszt 1850 in Weimar erfolgte, war Wagner nur einer der Ersten, die ausschließlich und obligat Ventilhörner verlangten. Der tatsächlich Erste war Jacques Halévy (1799—1862) und zwar mit seiner 1835 in Paris uraufgeführten Oper „Die Jüdin".

Der geradezu abrupte Wechsel innerhalb der Gesamtanlage des Lohengrin-Hornsatzes läßt jedoch vermuten, daß Wagner den als Vorschrift zu verstehenden Vermerk „Ventilhörner" auch für das zweite Hörnerpaar, für das offensichtlich ursprünglich noch Naturhörner vorgesehen waren, erst nach Beendigung der gesamten Instrumentation hinzugefügt hat. Nötig wäre es im ersten Akt eigentlich noch nicht gewesen. Das wahre Rätselraten beginnt jedoch im II. Akt. Der Wechsel der Transpositionen erfolgt hier so ungemein häufig und zumeist ganz unvermittelt ohne jegliche Pause, daß das bisher noch immer mögliche und gelegentlich auch notwendige Auswechseln der Stimmbögen vollkommen ausgeschlossen werden muß. Die Frage ist nun nur warum und weshalb diese absonderliche Notation, die auch heute noch den Hornisten in der Praxis eine ganz beträchtliche und zudem noch scheinbar völlig unnötige Gehirnakrobatik abverlangt und in jeder Aufführung immer wieder aufs Neue zu einem nicht ungefährlichen geistigen Eiertanz zwingt.

Eine ganze Menge ernst zu nehmender Wissenschaftler hat darüber tiefgründig nachgedacht sowie vielerlei Untersuchungen angestellt und in bewundernswerter Geduldsarbeit die gerade im Hornsatz auffallend unterschiedlichen Notierungen der manchmal zwei oder gar drei voneinander abweichend skizzierten Niederschriften und Originalpartituren miteinander verglichen.

Manche dieser Forscher wollen in dem so übermäßig häufigen Stimmungswechsel sogar so etwas wie eine genial ausgeklügelte Griffschrift erkannt haben, die nur den Sinn haben konnte, die seinerzeit auch noch auf den neuen Ventilhörnern ‚schlechten‘ Töne zu vermeiden.

Alle diese Deutungen, so klug und mehr oder weniger überzeugend sie auch sein mögen, sind, zumindest für die heutige Praxis, vollkommen müßig und ganz überflüssig. Absolut sicher und feststehend scheint lediglich zu sein, daß Wagner sehr genau wußte, wie sein Hornsatz klingen sollte. Unterschiedlich, gelegentlich auch wechselnd und immer noch hin und her pendelnden Experimenten unterworfen, war lediglich seine Horn-Notation. Letztendlich war sie aber stets unmißverständlich und ohne jeden Zweifel ganz klar deutbar, und das auch da, wo ab und zu Notenstecher und -Setzer der Erst- und Frühdrucke die nur als Notizen und Randbemerkungen angedeuteten Transpositions- oder Schlüssel-Umschreibwünsche nicht beachtet oder falsch verstanden hatten. Unsicherheiten, wie sie zum Beispiel bei der Drucklegung der Gesamtausgabe der Werke Joh. Seb. Bachs bei der Bestimmung der richtigen Oktavlage einzelner Hornstimmen auch unter „Fachgelehrten“ gar nicht so selten waren, hat es bei Wagner nie gegeben. Natürlich ist das Lesen der einen oder anderen Hornstimme manchmal auch heute noch reichlich unbequem, und der Streit ob dieses oder jenes nicht doch noch verbessernd zu korrigieren sei, bis zum heutigen Tage noch nicht endgültig entschieden. Auch für Wagner war die große Wende, die die Erfindung der Ventile und der Wechsel vom Natur- und Inventionshorn zum Ventilhorn mit sich brachte, nicht über Nacht und ohne Mühen zu verkraften. Erst mit „Tristan und Isolde“ und den „Meistersingern“ ist es ihm gelungen, das endgültige „Hohe Lied des Ventilhorns“ anzustimmen und sich nach vielem Experimentieren endlich dazu durchzuringen, das „Womit“ und „Wie“ die einzelnen Horntöne zu blasen seien, den Hornisten selber zu überlassen.

Die einzig vernünftige, aber auch nur einzig mögliche, allerdings etwas später gezogene Konsequenz über alles das, was nun offen oder gestopft und was mit welchem Bogen oder Ventil auch immer zu blasen sei, zieht Wagner endlich selbst. Hier die beiden erlösenden, zwar etwas wortreich und umständlich, aber absolut verständlich klärenden „Vorbemerkungen“ in der Tristan-Partitur:

> Die mit einem + bezeichneten einzelnen Noten bedeuten gestopfte Töne und mögen diese nun auch in Stimmungen vorkommen, in welchen sie offen liegen, so ist doch jedesmal angenommen, daß dann der Bläser durch ein Ventil die Stimmung derart wechsle, daß der gemeinte Ton als gestopfter zu Gehör komme.

Noch weit wichtiger nun die zweite „Vorbemerkung“:

In Erwartung einer hoffentlich unausbleiblichen Verbesserung des Ventilhorns sei den Hornbläsern dringend empfohlen, die in der vorliegenden Partitur ihnen zugewiesenen Partien sehr genau zu studieren, um für alle Erfordernisse des Vortrags die richtige Verwendung der entsprechendsten Stimmungen und Ventile auszufinden. Schon hat der Komponist auf den E-Bogen (neben dem F-Bogen) unbedingt gerechnet; ob daneben auch die anderen Umstimmungen, wie sie zur leichteren Bezeichnung der tiefen, oder auch des erforderlichen Klanges höherer Töne, häufig in der Partitur angegeben sind, durch Aufsetzen der betreffenden Bogen zu vermitteln sein werden, mögen die Hornbläser selbst entscheiden.

„Na endlich" und „warum nicht gleich so" hört man förmlich die Hornisten und vornehmlich den Münchner Kammermusikus Franz Strauss sagen. Der Vater seines damals gerade geborenen Söhnchens Richard Strauss war in diesen Jahren bereits der Anführer aller Münchner Antiwagnerianer und hatte als Solohornist und dazu auch noch Orchestervorstand im fast täglichen Umgang mit Richard Wagner so manche bitterböse Auseinandersetzung. „Dieser Strauss ist zwar ein ganz unausstehlicher Kerl, aber wenn er bläst, kann man ihm nicht böse sein", meinte Wagner, und dann wieder: „Im ‚Holländer' hab ich ihm so viel in die Stimme geschrieben, daß ihm keine Minute bleibt sein loses Schandmaul aufzureißen."

Aber auch anderswo gab es noch Antiwagnerianer: So erzählt Dr. Hermann Eichborn in seiner akustisch-praktischen Studie „Die Dämpfung beim Horn"[5] aus dem Jahre 1897 folgende, wie er meint „ergötzliche Anekdote", die er in Wien miterlebte, als der große, aber nicht unfehlbare „Meister" in den sechziger Jahren dort in einem Konzert Orchestermusik aus dem Nibelungenringe aufführen wollte. Die 4 Hörner hatten eine gewisse Fortissimo-Stelle, auf deren kräftige Wiedergabe Wagner viel ankam. Dreimal hatte er schon in der Probe diese Stelle wiederholen lassen, und immer war es ihm noch nicht stark genug, obwohl die armen Bläser das menschenmöglichste leisteten. Endlich rief er ihnen zu, sie sollten die Stürzen frei lassen, was sie zuvor schon annähernd getan hatten. Die Hornisten zogen etwas aus, um einzustimmen und „brüllten, wie die Löwen". „Der Meister" war befriedigt, aber schön wars nicht. Wagnersche Musik hat viel zur Verrohung und Vergröberung der Klangfarben beigetragen und geholfen, den Sinn für feine Effekte in der Instrumentalmusik abzutöten. Soweit Dr. Hermann Eichborn.

---

[5] Hermann E i c h b o r n , *Die Dämpfung beim Horn,* Leipzig 1897, S. 17.

Selbst Wagners beste Freunde hatten es nicht immer leicht mit ihm. Als der Würzburger Kapellmeister Wendelin Weißheimer, der sich alle Mühe gab, eine ebenfalls für Wien geplante Werbe-Voraufführung einzelner Teile des „Ring des Nibelungen" so gut wie möglich vorzubereiten, bei Wagner besorgt anfrug, was es denn mit den Tubenstimmen auf sich habe, denn diese müßten doch wohl umgeschrieben werden?, antwortete Wagner reichlich barsch: „Was fällt Ihnen ein — die Tuben, wenn auch unter anderem Namen, find' ich überall, namentlich in Wien, beim Militär."[6] Tatsächlich wurden seit 1844 in österreichischen Militärkapellen anstelle der Waldhörner häufig die klanglich wuchtigeren Cornons eingesetzt. Es waren Ventilbügel-hörner, die Červený in Königgrätz in allen Stimmlagen und in verschiedenen Formen baute. Sie wurden auch damals schon mit Horn-Trichter-Mund-stücken geblasen. Wagner widerlegt also selbst die immer wieder aufgestellte Behauptung, daß er der „Erfinder" der Wagner-Tuba sei. Freilich hat er zur Uraufführung des „Rheingold" in München 1869 dem Instrumentenbauer Moritz in Berlin den Auftrag erteilt, einen neuen Satz dieser sogenannten Cornons (2 in Tenorlage in B und 2 als Baßinstrumente in F) anzufertigen. Die näheren Anweisungen, die er dazu gab, kann man aber keinesfalls als Be-schreibung einer „Erfindung" verstehen. Im jahrelangen Verkehr mit der Mainzer Instrumentenbau-Werkstatt Alexander sind dann nach und nach verschiedene kleinere Verbesserungen vorgenommen worden. Heute sind fast überall nur noch moderne F/B-Doppel-Tuben im Gebrauch. Die auch hierbei wiederum leicht vermeidbar gewesenen Inkonsequenzen in der Notierung im „Ring des Nibelungen" sind — wie übrigens auch in den drei letzten Sinfonien Bruckners, der sich dabei nur an seinem vergötterten Vor-bild Wagner orientierte — leider bis heute immer noch geblieben. Mit Franz Strauss, der ganz gewiß sehr gute Ratschläge hätte geben können, war aber, oder wollte eben Wagner absolut nicht reden. Die Gegensätze vertieften sich in München und auch in Bayreuth sogar von Tag zu Tag noch immer mehr und erreichten zur Zeit der Tristan-Proben ihren absoluten und leider auch recht traurigen Höhepunkt.

„Ich habe ihn in die Flucht geschlagen" verkündete Franz Strauss mit noch hochrotem Kopf nach einer lautstarken Auseinandersetzung mit Richard Wagner triumphierend seinen Kollegen des Hofopernorchesters, deren Ob-mann er war. Diesmal ging es um den gemeinsamen Mittagstisch, den Wag-ner, um nicht zuviel Probenzeit einzubüßen, im Theater-Restaurant organi-siert hatte. Das paßte aber allen denen nicht, die begreiflicherweise lieber zu Hause oder anderswo essen wollten. Nach erregtem Hin und Her brüllte

---

[6] Eva-Maria D u t t e n h ö f e r , *Gebrüder Alexander. 200 Jahre Musikinstrumen-tenbau in Mainz*, Mainz 1982, S. 61.

Wagner noch „Na, dann freßt Eure sauren Gurken wo Ihr wollt" bevor der grimmige Zorn ihm seine Rede vollends verschlug. Er rannte wütend davon und damit blieb eben alles beim Alten.

Noch schlimmer muß es aber im Laden des Musikalienhändlers Halbreiter in München zugegangen sein, den Franz Strauss gerade betrat, als der kurz zuvor in Begleitung von Frau Cosima und Kapellmeister Hans von Bülow ebenfalls eingetretene Wagner, noch ganz erfüllt von seiner Tristan-Musik, sofort zu schwärmen begann: „Erste Tristan-Probe, hat herrlich geklungen!" „Das finde ich gar nicht", konterte sofort Franz Strauss, „in dem kleinen Residenztheater klang es wie in einem alten Topf". „Pap-per-la-papp, nichts da", meinte gereizt Wagner, „es hat herrlich geklungen". Im Handumdrehen war das schönste Rededuell im vollen Gange. Bald verfiel jeder in seinen Heimat-Dialekt und keiner verstand mehr was eigentlich der eine auf Sächsisch und der andere auf Original-Bayrisch brüllte. Frau Cosima rang verzweifelt die Hände, Hans von Bülow versuchte erregt, jedoch immer wieder vergeblich seinen Zylinder richtig herum aufzusetzen. Der biedere Notenhändler stand hinter seinem Ladentisch, doch genau zwischen den Fronten, raufte sich die Haare und befürchtete jeden Moment arge Tätlichkeiten.

Eine knappe Stunde später, wieder in einer Tristan-Probe, blies Franz Strauss die schwierigen Hornsoli mit seinem herrlichen, großen Ton wie stets so schön und seelenvoll, daß ihn der sonst so rücksichtslos probierende Bülow nur rückhaltlos bewunderte und Wagner dem unausstehlichen Kerl, dem Strauss, wenn er blies, eben gar nicht böse sein konnte.

Mit ähnlichen Gefühlen muß wohl auch der heranwachsende junge Richard seinen hochverehrten, wenn auch strengen und peinlich genauen, so doch aber im Grunde recht gutmütigen und lieben Vater gelauscht haben, wenn er zuhause unermüdlich all die schwierigen Hornstellen studierte, die er samt und sonders für Klarinetten-Partien erklärte. Nicht alle waren ja so halsbrecherisch wie die Prügelszene in den Meistersingern, und konnte denn überhaupt etwas so „wider die Natur des Horns" sein, wie der Vater zwar immer wieder behauptete, dann aber doch alles so herrlich blies, daß der Erz-Antiwagnerianer Franz Strauss allein schon durch eben seine Kunst, seinen Sohn Richard zum Voll-Wagnerianer machte.

Vor allem der Siegfriedruf, den der Vater so meisterhaft blies, hatte es ihm angetan. War der nicht großartig erfunden und so volkstümlich komponiert, daß ihn alle Welt zu pfeifen begann? Und dabei doch absolut nicht ‚gegen‘ das Instrument, sondern ganz im Gegenteil der Natur des Horns geradezu direkt auf den Leib geschrieben! Wie plastisch ist da mit so wenigen, ganz ohne Ventile zu gebrauchenden Naturtönen der Naturbursche als „freier Held Siegfried in nie geahnter Frische" gezeichnet und wie „lustig und

114

immer schneller und schmetternder" und „immer stärker" stürmt er am Ende sieghaft und strahlend dem hohen C entgegen! Nein, trotz aller Liebe zum Vater, Richard war Wagnerianer, und daß er durch beide, den Vater und Wagner selbst zum Meister wurde, beweist er allein schon mit den sieben knappen Horntakten, mit denen er eine andere Figur der Weltliteratur, den unsterblichen Schalksnarr Till Eulenspiegel klingend vorstellt: In übermütig lustiger Drastik balancierend gerät er auf die schiefe Ebene, und ganz im Gegensatz zu Wagners Siegfried, aber mit genau den ganz gleichen Mitteln Wagners, plumpst er, nur reine Naturton-Intervalle benutzend, zum abgrundtiefen C hinab.

Alle, die wir heute bewundernd diese beiden wohl prägnantesten Horn-Themen der gesamten Literatur hören, mögen uns, wenn aller guten Dinge drei sein sollen, wohl fragen, wann kommt endlich der, der uns das dritte schenkt, der wirklich ganz große Meister, auf den wir — und nicht nur die Hornisten — seit dem Tode von Richard Strauss noch immer warten.

Dorothea Baumann, Zürich

## WAGNERS RAUMAKUSTISCHE ÜBERLEGUNGEN
## BEI DER VERWENDUNG VON BLECHBLASINSTRUMENTEN*

Wagner äußerte sich zu aufführungspraktischen Fragen fast ausschließlich im direkten Umgang mit den an einer Aufführung Beteiligten. Sie sind deshalb nur überliefert, wenn Wagner zu schriftlicher Mitteilung gezwungen war. Hie und da ist eine Bemerkung an Minna (brieflich) oder an Cosima (in den Tagebüchern) erhalten. In Wagners Schriften finden sich Äußerungen zu grundsätzlichen Fragen. Manches von Wagners Beobachtungen und Ideen schlägt sich in Äußerungen anderer nieder. Zahlreiche, wertvolle Hinweise finden sich in den Bayreuther Probennotizen. Wie genau Wagner seine musikalische Umgebung schon in frühen Jahren beobachtete, und wie sehr er danach trachtete diese Beobachtungen für sein Werk fruchtbar zu machen, zeigt sich daran, daß er scheinbar nebensächliche, tatsächlich jedoch sehr wichtige Feststellungen Jahre später in seinen Lebenserinnerungen niederschreibt. Hinter der Wandlung Wagners vom „exzentrischen Beethovianer" (frühe Sinfonien) über den brillanten Opernkomponisten, der sich sein Libretto selber schreibt (frühe Opern) zum „Dichter von Musikdramen", die in einem eigens errichteten Festtheater zur Aufführung gelangen, liegen handfeste und ebenso erhebende wie niederschmetternde aufführungspraktische Erfahrungen.

Innerhalb dieser schriftlichen Dokumente, die auf diese Erfahrungen Bezug nehmen, finden sich Bemerkungen zu Blechblasinstrumenten und Hinweise auf raumakustische Beobachtungen und Forderungen, die zeigen, daß sich Wagner im Laufe seines Lebens immer deutlicher bewußt wurde, wie unausweichlich die Verwendung gerade dieser Instrumentengruppe mit den raumakustischen Gegebenheiten der Aufführung verknüpft ist, besonders wenn sie gleichzeitig mit Gesangsstimmen eingesetzt wird. Um einen notgedrungenen knappen Überblick über diese komplexen Zusammenhänge zu ermöglichen, werden die wichtigsten Beobachtungen Wagners wie folgt gruppiert: (1) die Wirkung großer Blechbläserbesetzung, (2) die Beziehung zwischen Raumgröße und Orchestergröße, (3) die Orchesteraufstellung.

---

* Die folgenden Ausführungen sind eine Ergänzung zum Aufsatz der Verfasserin, *Bayreuth — ein akustisch-architektonisches Wagnis mit Überraschungen,* in: Festschrift Hans Conradin, Bern 1983. Auf die dort ausführlich erläuterten Probleme der Theaterakustik kann hier nur zusammenfassend hingewiesen werden.

## 1. Die Wirkung großer Blechbläserbesetzung

In Wagners Werk lassen sich drei Phasen der Blechblasinstrumentenbehandlung feststellen: (A) überreiche Verwendung (bis Rienzi), (B) starke Reduktion (Tannhäuser), (C) wieder reichere, aber möglichst ökonomische Verwendung und besondere Besetzung in jedem Werk (Lohengrin, Ring, Tristan, Meistersinger, Parsifal).

In Wagners frühen Werken bis zur Oper Rienzi sind verschiedene Einflüsse nachweisbar. Voss hat in seiner Abhandlung „Richard Wagner und die Instrumentalmusik" auf die Bedeutung Beethovens für Wagners frühe Instrumentalmusik hingewiesen. Beethovens Vorbild wird allmählich abgelöst durch die Vorbilder Mendelssohn (Kolumbus-Ouvertüre 1835), Weber und Marschner, Bellini und Donizetti, Auber und Hérold, Meyerbeer und Berlioz. Dazu kommt der direkte Einfluß der seit Napoleon an Popularität ständig zunehmenden Militärmusik, die das Schaffen aller obengenannten Komponisten in unterschiedlichem Maß beeinflußt hat. Auf Wagner machte sie nicht nur wegen ihrer Massenwirkung, sondern wegen der unerhörten neuen klanglichen Möglichkeiten, die sich aus der Einführung der Ventilblasinstrumente ergaben, tiefen Eindruck, und er zögerte nicht, in seinen frühen Instrumental- und Opernkompositionen davon reichen, ja, mancher Kritik und Wagners späterem Urteil zufolge, überreichen Gebrauch zu machen.

In den folgenden Zitaten spiegelt sich Wagners Weg vom kühnen, unbekümmerten Experimentator zum genau berechnenden Komponisten der Musikdramen, in welchen er Instrumentierung wie Textdichtung, melodische wie szenische Einfälle sowie deren räumliche Wirkung vollständig in den Kompositionsvorgang integriert. Zu seiner „Leider ungemein flüchtig ausgeführten" Ouvertüre zu Theodor Apels „Kolumbus" hatte er „drei Paar Trompeten in verschiedenen Stimmungen bestellt, dieses prächtig und verlockend dämmernde Motiv in zartester Färbung und in den verschiedenartigsten Modulationen vorzutragen ... Meine sechs Trompeten vereinigten sich jetzt in der Haupttonart, um das ihnen bestimmte Motiv nun in prachtvollstem Jubel ertönen zu lassen. Mit der Vorzüglichkeit der preußischen Regimentstrompeter vertraut, hatte ich sehr richtig auf einen hinreißenden Effekt, namentlich meines Schlußsatzes gerechnet: die Ouvertüre setzte alle in Erstaunen und trug stürmischen Beifall davon" (16. Februar 1835; Mein Leben, 105—106).

Eine erneute Aufführung der Kolumbus-Ouvertüre und der 1837 ebenfalls mit reichem Blech versehenen Ouvertüre „Rule Britannia" am 19. März 1838 machte Wagner schmerzlich bewußt, wie sehr der hinreißende Effekt und die zarteste Färbung der ersten Aufführung den besonderen Fähigkeiten der preußischen Regimentstrompeter zu verdanken war: „Ich selbst hatte an der

Aufführung dieser beiden Ouvertüren keine Freude erlebt, und namentlich meine in diesen Kompositionen noch stark bekundete Vorliebe für Trompeten spielte mir bereits diesmal unangenehme Streiche, da ich unsren Rigaischen Musikern hierbei offenbar zu viel zugemutet hatte, und mannigfaltiges Unglück bei der Exekution ertragen mußte" (Mein Leben, 160). Wagners Reaktion ist bezeichnend. Er beschließt nicht etwa, in Zukunft im Umgang mit dem Blech etwas vorsichtiger zu sein, sondern „etwas recht Großes zu machen, eine Oper zu schreiben, zu deren Aufführung nur die bedeutendsten Mittel geeignet sein sollten, die ich daher nie versucht sein könnte in den Verhältnissen, die mich drückend und beengend umgaben, vor das Publikum zu bringen, und die mich somit, um ihrer einstigen Ausführung willen, bestimmen sollte Alles aufzubieten, um aus jenen Verhältnissen herauszukommen, — das entschied mich nun, den Plan zum ‚Rienzi' mit vollem Eifer wieder aufzunehmen und auszuführen ... Die ‚große Oper', mit all' ihrer szenischen und musikalischen Pracht, ihrer effektreichen, musikalisch-massenhaften Leidenschaftlichkeit, stand vor mir; und sie nicht etwa bloß nachzuahmen, sondern, mit rückhaltloser Verschwendung, nach allen ihren bisherigen Erscheinungen sie zu überbieten, das wollte mein künstlerischer Ehrgeiz" (Mitteilungen an meine Freunde, 48 ff.).

Daß der Durchbruch zur „wirklich großen Bühne" erst 1842 gelang, war bitter, aber dank guter Planung gelang er glänzend. Wagner war erfahren genug, zu erkennen, daß Dresden für seine Oper „Rienzi" einmalig günstige Verhältnisse bot: gute Besetzung der Titelrollen durch Wilhelmine Schröder-Devrient und Tichatscheck, ein für den Pomp auf der Bühne und im Orchester eingerichtetes Haus und ein den besonderen Anforderungen gewachsenes, rechtzeitig angefordertes sächsisches Musikkorps: „Militärmusik spielt, wie Sie bemerkt haben werden, in meiner Partitur eine erhebliche Rolle. Daß die sächsischen Musikcorps vortrefflich sind, ist mir bekannt, u. in meiner Oper somit wohl kein Zweifel. Da ich aber die Militärinstrumente nicht in der Zusammenstellung angewandt habe, wie sie bei einem auf die gewöhnliche Weise organisirten Musikcorps stattfindet, so wird es nöthig sein, daß man sie, falls man bei einem Cavallerie-Musikcorps sie vielleicht nicht vereinigt finden sollte, aus zwei verschiedenen Musikcorps zusammensetzte" (Brief Wagners aus Paris an den Dresdener Dirigenten Carl Gottlieb Reißiger vom 14. Oktober 1841, Briefe 1, 536).

Da Wagner dank des überwältigenden Erfolges des „Rienzi" Musikdirektor in Dresden wurde, konnte er mit der sächsischen Militärmusik neue Klangeffekte ausprobieren. Die von ihm in die Wege geleitete Überführung der Asche Carl Maria von Webers von London nach Dresden bot Gelegenheit, eine nach der Art von Berlioz' „Grande Symphonie funèbre et triomphale" instrumentierten Trauermusik im Freien marschierend aufzuführen: „Dieses

Stück hatte ich für 80 ausgewählte Blasinstrumente besonders orchestriert und bei aller Fülle hierbei namentlich auf die Benützung der weichsten Lagen der selben studiert; ... Mir wurde von Zeugen versichert, ... daß der Eindruck der Feierlichkeit unbeschreiblich erhaben gewesen sei" (14. April 1844; Mein Leben, 310).

Bereits hatte Wagner den „Tannhäuser" geschrieben und von Ferdinand Hiller den Lobspruch erhalten, „daß mäßiger zu instrumentieren gewiß nicht möglich sei. Die charakteristische zarte Sonorität des Orchesters erfreute mich selbst sehr und bestärkte mich in dem Vorsatz, von der äußersten Sparsamkeit in der Anwendung der Orchestermittel auszugehen und so die Möglichkeit der Fülle von Kombinationen zu gewinnen, deren ich zu meinen späteren Werken bedurfte." Der Einwand Minnas, sie vermisse die „Trompeten und Posaunen", veranlaßte Wagner, über den Standpunkt des Publikums nachzudenken: die Teilnahme des Hörers soll nicht durch billige Effekte, sondern „lediglich aus der Entwickelung von Seelenvorgängen herbeigeführt werden" (Mein Leben, 318).

Im Orchester erfolgte nicht in erster Linie eine Reduktion der Besetzung sondern ein differenzierterer Einsatz der Mittel. Die Massenwirkung wird nun auf wenige Höhepunkte beschränkt. Wagner sucht durch Kombinationen, d. h. durch eine feingestufte Skala von Mischklängen die negativen Aspekte der „Fülle", nämlich die Verdeckung der Singstimmen, zu vermeiden und ihre positiven Aspekte, nämlich die Erreichung neuer Farben und, was hier besonders interessiert, die Verdeckung der „groben", „materiellen", „rohen" „Produktionsgeräusche" zu fördern. „Fülle der Kombinationen" heißt für Wagner aber auch Klangverschmelzung.

Die Genauigkeit und Konstanz von Wagners Vokabular über Jahre hinweg ist bemerkenswert. Bestimmte Formulierungen verwendet er nur im Zusammenhang mit Blechblasinstrumenten. 1874 schreibt er an den Herausgeber des „Musikalischen Wochenblattes" „Über eine Opernaufführung in Leipzig" zu Spohrs „Jessonda": „Es war hier nicht alles, wie es sollte: namentlich wurden die Sätze der Holzbläser etwas zu matt vorgetragen; hiergegen war das erste Solo des Hornes zu stark und bereits mit einiger Affektation geblasen, und ich erkannte hierin die schwache Seite aller unserer Hornisten seit der Erfindung des Ventilhornes" (SS X, 4).

Diese Stelle erfährt durch das bekannte Vorwort zum „Tristan" eine wichtige Ergänzung: „Die Behandlung des Hornes glaubt der Tonsetzer einer vorzüglichen Beachtung empfehlen zu müssen. Durch die Einführung der Ventile ist für dieses Instrument unstreitig soviel gewonnen, daß es schwer fällt, diese Vervollständigung unbeachtet zu lassen, obgleich dadurch das

Horn unleugbar an der Schönheit seines Tons, wie namentlich auch an der Fähigkeit, die Töne weich zu binden, verloren hat. Bei diesem großen Verluste müßte allerdings der Komponist, dem an der Erhaltung des echten Charakters des Horns liegt, sich der Anwendung der Ventilhörner zu enthalten haben, wenn er nicht andererseits die Erfahrung gemacht hätte, daß vorzügliche Künstler durch besonders aufmerksame Behandlung die bezeichneten Nachteile fast bis zur Unmerklichkeit aufzuheben vermochten" (zitiert nach Voss, Instrumentation, 178).

Voss weist darauf hin, daß Wagner die Klangveränderung weder bei den neuen Holzblasinstrumenten (Boehmflöte etc.) noch bei den übrigen Blechblasinstrumenten kommentiert hat. Wagner will deutlich machen, daß er dem Horn seinen Charakter als „Stimme der Natur" zu erhalten sucht. Dies kann durch Verdeckung der „rohen Produktionsgeräusche" geschehen. Das macht der folgende, im 3. Abschnitt noch einmal zu diskutierende Ausspruch Wagners zum Klang des Rheingoldvorspiels aus dem verdeckten Orchestergraben im neuen Bayreuther Festspielhaus deutlich: „Das ist es, was ich wollte, jetzt klingen die Blechinstrumente nicht mehr so roh!" (überl. durch Glasenapp, zit. nach Gregor-Dellin, Wagner, 686). Ein ähnlich verdeckender Effekt wird auch durch Mischklänge erzielt: alles wird in einen geheimnisvollen Schleier gehüllt und der Phantasie des Hörers wird auf diese Weise ermöglicht, sich den wahren Naturklang vorzustellen.

## 2. Orchestergröße und Raumgröße

Wagner gelangt durch experimentierende Erfahrung zu einer Anpassung der Orchestergröße an das Volumen des Theaters oder Saales, die modernsten Erkenntnissen über Energiedichte entspricht (J. Meyer, Akustische und musikalische Aufführungspraxis, 200). Zwei von Wagner verwendete Ausdrücke sind in diesem Zusammenhang zu kommentieren: (1) der „sonore Klang" des Orchesters oder der Streicher — im Gegensatz zum „gemeinen Klang" derselben, (2) die „lärmende Wirkung" des Orchesters oder „das lärmende Lokal".

Die erste Aufführung seiner Sinfonie in C-Dur vom 10. Januar 1833 durch die Orchestergesellschaft „Euterpe" in der Leipziger Schneider Herberge beschreibt Wagner wie folgt: „Es war ein schmutziger, enger, schmählich erleuchteter Raum, in welchem, unter gemeinster Wirkung des Orchesters, mein Werk dem Leipziger Volke zum ersten Mal vorgeführt wurde" (Mein Leben, 78). Die Charakterisierung der anschließenden Aufführung desselben Werkes in dem für seine gute Akustik berühmten alten Leipziger Gewandhaussaal zeigt, daß Wagner sich des günstigen Einflüsses dieses Raumes auf sein Werk bewußt war: „Mit guter Hoffnung sah ich daher ... der Ausführung im Gewandhaus-Konzert entgegen, wo denn auch alles hell und glänzend ganz nach Wunsch ablief" (Mein Leben, 79).

Die zweite Aufführung der Kolumbus-Ouvertüre führte ein Benefizkonzert in eine akustische Katastrophe, deren krönender Abschluß durch Beethovens „Schlacht von Vittoria" den 22jährigen Wagner wohl zum ersten Mal in ein langanhaltendes Philosophieren über die Abhängigkeit der Musik vom Raum versetzt haben dürfte: „Ein andres unerwartetes Mißgeschick traf mein Konzert durch die Wahl der Orchesterstücke, welche in dem kleinen, übermäßig resonierenden Saal des Gasthofs ‚Zur Stadt London' von unerträglich lärmender Wirkung waren. Meine Kolumbus-Ouvertüre mit ihren sechs Trompeten hatte bereits alle Zuhörer mit Entsetzen erfüllt; nun kam aber zum Schlusse die ‚Schlacht bei Vittoria' von Beethoven, welche ich, in enthusiastischer Erwartung der reichlichen Entschädigung durch unerhörte Einnahmen, mit allem nur erdenklichen Orchesterluxus ausgestattet hatte. Geschütz und Gewehrfeuer war durch besonders konstruierte kostbare Maschinen, sowohl auf der französischen wie auf der englischen Seite, mit größter Vollständigkeit organisiert, Trommeln und Signalhörner verdoppelt und verdreifacht; und nun begann eine Schlacht, wie sie grausamer wohl selten in einem Konzert geschlagen wurde, da das Orchester mit so entschiedener Übermacht auf das geringe Auditorium sich stürzte, daß dieses jeden Widerstand endlich vollständig aufgab und buchstäblich die Flucht ergriff. Alles stürzte davon, und die Feier des Sieges Wellingtons ward schließlich zu einem traulichen Erguß zwischen mir und dem Orchester" (Mein Leben, 107—108).

Auch zur Wirkung einer zu geringen Streichbesetzung äußert sich Wagner. Sie soll hier kurz erwähnt werden, denn bei Platzmangel im Orchesterraum könnte ja theoretisch die Streicherbesetzung reduziert werden, die Blechbläserbesetzung jedoch aus satztechnischen Gründen nicht (vgl. dazu weiter unten zur Münchner Uraufführung des Tristan).

Über seine ersten Eindrücke der Opernvorstellungen in Dresden berichtet Wagner: „. . . sie wollten keinen besonders günstigen Eindruck auf mich machen; namentlich vermißte ich den sonoren Klang des vollbesetzten Pariser Streichinstrumenten-Orchesters sehr. Ich bemerkte, daß man bei der Eröffnung des schönen neuen Theatergebäudes gänzlich außer acht gelassen hatte, die Vermehrung der Saiteninstrumente im Verhältnis zu dem größeren Raume vorzunehmen" (Mein Leben, 238). Der Klang des Pariser Orchesters in dem heute noch gelobten Saal des Conservatoire war Wagner aus dem Jahr 1839 von den berühmten Aufführungen von Beethovens 9. Sinfonie unter Habeneck in unvergeßlicher Erinnerung geblieben (Mein Leben, 185). Und zur Aufführung des „Fliegenden Holländers" 1843 in Berlin bemerkt Wag-

ner: „Ich . . . hatte mich zwar über die schwach besetzten Saiten-Instrumente
und den daraus erfolgenden gemeinen Klang des Orchesters viel zu kränken
. . ." (Mein Leben, 276).

Nun bedarf es keiner weiteren Erklärung mehr, weshalb Wagner mit der
Uraufführung des Tristan 1865 in München schweren Herzens aus dem von
den Sängern so geschätzten Cuvilliés-Theater (damals „Residenztheater") —
„der Klang ist wunderbar schön in diesem Raum, schöner als ich dies je in
einem Theater oder Saal vernommen habe" (Brief vom 20. April 1865;
Königsbriefe 1, 86) — ins große Theater umzog: „(. . .) der materielle, sinn-
lich geräuschvolle Schall des Orchesters, welchen ich durch keine Vorrichtung dämpfen kann, (. . .) treibt mich aus diesem kleinen lärmenden Saale in
das große Theater zurück. Hier bin ich zwei Nachteilen unterworfen (. . .):
der zu großen Entfernung der Darsteller vom Zuschauer (für die mimische
Action), und der störenden Masse des Publikums . . . Dieses muß ich nun
daran geben, um zur musikalischen Deutlichkeit zu gelangen; — oh, mein
unsichtbares, tiefer gelegenes, verklärtes Orchester im Theater der Zukunft!"
(Brief vom 1. Mai 1865; Königsbriefe, 90).

„Lärmend" heißt hier wiederum: die Schalleistung des Orchesters ist für
den kleinen Theaterraum zu groß. Ein dynamischer Ausgleich läßt sich
weder innerhalb des Orchesters noch zur Bühne herstellen. Eine Reduktion
der Streicher ist keine brauchbare Lösung. Die „materiellen" Produktionsgeräusche gelangen wegen zu geringer Klangverschmelzung ungedeckt ans Ohr
des Publikums.

Doch auch im großen Haus sind die Verhältnisse nicht ideal. In etwas ge-
ringerem Maß wiederholen sich dieselben Probleme. Zur Unterbringung des
Orchesters müssen Sitzreihen des Parketts entfernt werden. (Eine Vergrößerung und Absenkung des Münchner Orchesterraums erfolgt erst 1869; Gran-
dauer, Chronik, 191.) Wagner denkt über die Voraussetzungen nach, die ein
„Festtheater" erfüllen muß: die Zahl der Blasinstrumente wird durch das
Drama bestimmt, das gewisse Klangkombinationen verlangt. Um in der dadurch vorgegebenen Raumgröße einen „sonoren" Streicherklang zu erzielen,
ist auch eine angemessene Zahl von Streichinstrumenten erforderlich. Wagner schreibt erstmals für den Ring die Zahl der Streichinstrumente mit
16-16-12-12-8 vor. (Im verdeckten Bayreuther Orchestergraben sind es dann
22-22-16-16-11.) Zur Unterbringung dieses Orchesters mit vierfachem Holz
und Blech und allen zusätzlich verlangten Instrumenten ist ein dem Blick des
Publikums entzogener, abgesenkter Orchesterraum von nie dagewesenen
Dimensionen erforderlich.

Der mit Wagner befreundete Architekt Semper war bereit, ein Theater zu
entwerfen, das diesen Forderungen genügte. König Ludwig II. war ent-

schlossen, dieses Theater mit einem Zuschauerraum von rund 38 m Länge und 44 m Breite zu bauen. Es hätte die Ausmaße der damals größten Theater Europas (Scala Mailand: 28 x 22 m; Große Oper Paris: 22 x 21 m) nahezu verdoppelt. Verständlich, daß Wagner die neue Konzeption eines Zuschauerraums ohne Logen zuerst in einem provisorischen Theater von bescheideneren Ausmaßen (24,5 x 21,5 m) im Münchner Kristallpalast erproben wollte, um gleichzeitig eine Schule für seinen neuen Gesangstil schaffen zu können, in welcher Sänger für das große Theater hätten ausgebildet werden können. Offenbar ahnte Wagner, daß eine Singstimme, auch wenn sie gut geschult ist und dem dramatischen Fach angehört, nur Räume von begrenzten Ausmaßen füllen kann. Sein nicht allzu großer Widerstand gegen das Scheitern der Münchner Pläne wäre von diesem Standpunkt aus verständlich (Abb. S. 125).

### 3. Die Orchesteraufstellung

Wagners Neuerungen in der Orchesteraufstellung, soweit wir sie kennen, dienen der guten Abstrahlung und der Klangverschmelzung zugleich. In Dresden war Wagner gezwungen, Konzerte im Theater durchzuführen und die Bühne als Podium zu verwenden. Die dadurch sich ergebenden Nachteile der schlechten akustischen Verhältnisse einer nach oben offenen Bühne bekämpfte er schrittweise. 1844 hatte er sich mit der schon von Carl Maria von Weber beanstandeten Orchesteraufstellung abzufinden: „. . . Namentlich war die Aufstellung des Orchesters bei diesen berühmten Konzertaufführungen, wo das Orchester in langer dünner Reihe halbkreisförmig den Sängerchor umschloß, unglaublich fehlerhaft . . ." (Mein Leben, 286). 1846 verbesserte er die Aufstellung durch die Konstruktion eines aufsteigenden Podiums: „Ich trug aber auch Sorge, durch einen gänzlichen Umbau des Lokales mir eine gute Klangwirkung des jetzt nach einem ganz neuen System von mir aufgestellten Orchesters zu versichern; (. . .) ich erreichte durch eine vollständig neue Konstruktion des Podiums, daß wir das Orchester ganz nach der Mitte zu konzentrieren konnten und es dagegen amphitheatralisch auf stark erhöhten Sitzen von dem zahlreichen Sängerchor umschließen ließen, was der mächtigen Wirkung der Chöre von außerordentlichem Vorteil war, während es in den rein symphonischen Sätzen dem fein gegliederten Orchester große Präzision und Energie verlieh" (Mein Leben, 345).

1848 schließlich veranlaßte Wagner die Anbringung eines „Schallgehäuses": der Bühnenraum wurde mit drei Wänden und einer Decke nach hinten und oben vollkommen abgeschlossen (Mein Leben, 371). Er erntete dafür Lob und Tadel, der andernorts noch genauer zu kommentieren sein wird (vgl. dazu Kirchmeyer 1, 705; Kirchmeyer 3, 50; 3, 378; 3, 393), war aber von der Wirkung so überzeugt, daß er auch im Zürcher Aktientheater 1853 für Kon-

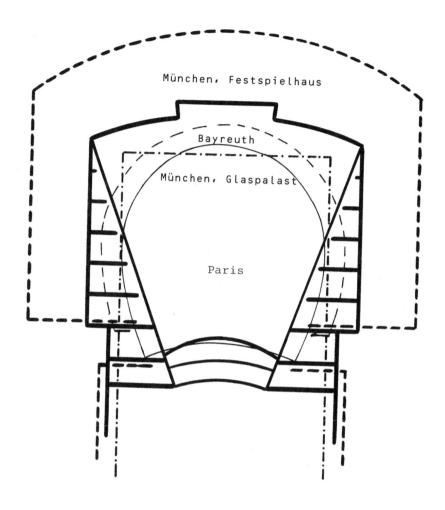

Abb. 1:
Die Dimensionen der Zuschauerräume im Vergleich. Größte Länge und größte Breite des Parketts: München, Festspielhaus: 38 x 44 m, München, Provisorium im Glaspalast: 24,5 x 21,5 m, Bayreuth, Festspielhaus: 28 x 30 m, Paris, Opéra: 22 x 21 m, Mailand, Scala: 28 x 22 m, München, Nationaltheater: 20,5 x 19 m, München, Cuvilliés-Theater: 10,5 x 9 m.

zerte ein Schallgehäuse errichten ließ (30. Mai 1853; Briefwechsel mit Liszt I, 238). Ähnliches ist noch heute in Theatern, die als Konzertsaal verwendet werden müssen, üblich, beispielsweise in der Mailänder Scala oder im Teatro Colòn in Buenos Aires.

Die Situation im Orchester bei Opernaufführungen war noch schwieriger. Spontinis Verteilung der Blechblasinstrumente auf die ganze Breite des (übrigens nicht abgesenkten) Dresdener Orchesterraums anläßlich der Aufführung seiner „Vestalin" im Jahr 1845 fand natürlich Wagners begeisterte Zustimmung. Wagner hatte bereits durch Verschiebung der Bässe versucht, eine bessere Klangmischung zu erreichen, die alte nach Streichern (links) und Bläsern (rechts) getrennte Sitzordnung jedoch noch nicht anzutasten gewagt (vgl. Kirchmeyer 1, 685 ff.; Kirchmeyer 2, 510; Mein Leben, 296). Nach Spontinis Weggang nahm Wagner weitere Umstellungen im Orchester vor.

Im Bayreuther Festspielhaus war die Situation durch den trotz Wagners Forderungen bedeutend zu klein ausgefallenen Orchesterraum besonders kompliziert: „Not mit dem Orchesterraum des Theaters, es ist da etwas versehen worden" (Cosima am 28. Oktober 1874, Tagebücher I, 862). Die Verschiebung des Orchesterraums unter die Bühne bis über den ersten Kulissenpfeiler hinaus ist das Ergebnis einer ersten Erweiterung. In einem zweiten Schritt mußten zusätzlich Sitzplätze im Zuschauerraum geopfert werden (C.-F. Baumann, Bühnentechnik, 39) (Abb. 2, S. 127).

Der von Wagner so bewunderte „durch eine akustische Schallwand verklärte, reine, von jeder Beimischung des zur Hervorbringung des Tones der Instrumentisten unerläßlichen, außermusikalischen Geräusches befreite Klang" (Vorwort zum Ring, SS VI, 275) wurde durch den versenkten Orchesterraum und den die Streicher baldachinartig abdeckenden Schirm erreicht. Gleichzeitig ließ sich die mit eigentlich zu reicher Schalleistung ausgestattete, nunmehr klanglich veredelte „Blasmusik" leichter unter Kontrolle halten. Daß der Eindruck eines scheinbar mühelosen Zusammenwirkens von intimer „mimischer Action", von deutlich zu hörenden und zu verstehenden Sängern und einem riesigen Orchester, das vom zartesten Klang bis zu erhabenstem Fortissimo alle menschlichen Gefühle und Empfindungen auszudrücken hat, auch in Bayreuth nur durch größte Disziplin und höchstes Können aller Beteiligten sich einstellt, war Wagner selbst wohl am meisten klar, denn noch Mitte Juli 1882, ein halbes Jahr vor seinem Tod, klagte er sich in einem Gespräch mit Franz Liszt während der Proben zum Parsifal an, in diesem Werk, das ja als einziges aus der direkten Erfahrung mit den Verhältnissen im Festspielhaus komponiert worden war, „zuweilen zu dick instrumentiert zu haben, und er beschloß an einer Stelle die Bläser zu streichen" (Glasenapp 6, 626).

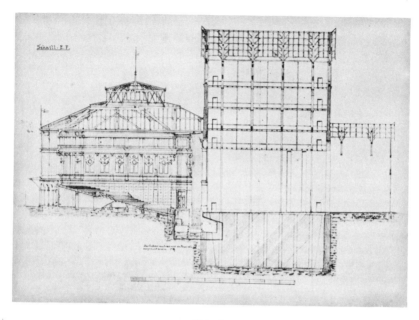

**Abb. 2:**
Längenschnitt durch das Bayreuther Festspielhaus von Otto Brückwald, 1876 eröff-
net. Deutlich sichtbar die nachträgliche Vergrößerung des Orchestergrabens und die
Anmerkung: Das Orchester mußte während des Baus ... vergrößert werden (aus:
Zum 150. Geburtstag R. Wagners, Bayreuth 1963).

## BIBLIOGRAPHIE

R. W a g n e r , *Mein Leben,* Vollständige, kommentierte Ausgabe, hg. von Martin
G r e g o r - D e l l i n , München 1963, ungek. Lizenzausg., Zürich 1977.

R. W a g n e r , *Sämtliche Schriften und Dichtungen,* Volksausgabe, 16 Bde., Leipzig
1911.

R. W a g n e r , *Sämtliche Briefe,* hg. i. A. des Richard-Wagner-Familien-Archivs
Bayern von Gertrud Strobel und Werner Wolf, Bd. 1—4, Leipzig und Mainz
1967—1979.

R. W a g n e r , *Briefwechsel mit Franz Liszt,* 2 Bde., Leipzig 1887.

*König Ludwig II. und Richard Wagner, Briefwechsel,* hg. von ... Winifred W a g -
n e r , bearb. von Otto S t r o b e l , Karlsruhe 1936 (Bd. 1—4) und 1939 (Bd. 5).

C. W a g n e r , *Die Tagebücher,* Bd. I, 1869—1877, München-Zürich 1976—1979.

R. W a g n e r , *Sämtliche Werke,* — Bd. 23: Dokumente und Texte zu *Rienzi . . .,*
hg. von R. S t r o h m , Mainz 1976. — Bd. 29, I: Dokumente zur Entstehungsge-
schichte des Bühnenfestspiels *Der Ring des Nibelungen,* hg. von W. B r e i g und
H. F l a d t , Mainz 1976. — Bd. 30: Dokumente zur Entstehung und ersten Aufführung des Bühnenweihfestspiels *Parsifal,* hg. von M. G e c k und E. V o s s ,
Mainz 1970.

C.-F. B a u m a n n , *Bühnentechnik im Festspielhaus Bayreuth,* München 1980 (Arbeitsgemeinschaft „100 Jahre Bayreuther Festspiele", Bd. 9).

D. B a u m a n n , *Wagners Festspielhaus — ein akustisch-architektonisches Wagnis mit Überraschungen,* in: Festschrift Hans Conradin, Bern 1983, 123—150 (Publikationen der Schweizerischen Musikforschenden Gesellschaft, II/33).

C.-F. G l a s e n a p p , *Das Leben Richard Wagners,* 6 Bde., 4. Aufl., Leipzig 1905—1911.

M. G r e g o r - D e l l i n , *Richard Wagner, Sein Leben, sein Werk, sein Jahrhundert,* München-Zürich 1980.

H. K i r c h m e y e r , *Situationsgeschichte der Musikkritik und des musikalischen Pressewesens in Deutschland, dargestellt vom Ausgang des 18. Jahrhunderts bis zum Beginn des 20. Jahrhunderts:* Teil IV: *Das zeitgenössische Wagnerbild,* Bd. 1—3, Regensburg 1972, 1967 und 1968 (Studien zur Musikgeschichte des 19. Jahrhunderts, Bd. 7).

J. M e y e r , *Akustik und musikalische Aufführungspraxis,* Frankfurt a. M. 2. Aufl. 1981.

H. P o r g e s , *Die Bühnenproben zu den Bayreuther Festspielen des Jahres 1876,* 4 Teile, Leipzig 1896.

E. V o s s , *Richard Wagner und die Instrumentalmusik, Wagners symphonischer Ehrgeiz,* Wilhelmshaven 1977 (Taschenbücher zur Musikwissenschaft, Bd. 12).

E. V o s s , *Studien zur Instrumentation Richard Wagners,* Regensburg 1970 (Studien zur Musikgeschichte des 19. Jahrhunderts, Bd. 24).

Gregor Widholm, Wien

## MESSMETHODEN ZUR OBJEKTIVEN BEURTEILUNG
## DER QUALITÄT VON BLECHBLASINSTRUMENTEN

Wie man am Beispiel Richard Wagners sieht, haben sich nicht nur Instrumentenbauer und Musiker intensiv mit den akustischen Eigenschaften der Musikinstrumente beschäftigt. Viele große Komponisten versuchten, um ihre persönliche Klangvorstellung realisieren zu können, durch gezielte Anregungen die Instrumentenmacher ihrer Zeit zur qualitativen Verbesserung der bestehenden und nicht selten zur Konstruktion völlig neuer Musikinstrumente zu bewegen. Die Instrumentenmacher waren ihrerseits bestrebt, die Forderungen der Komponisten und Musiker an das Instrument durch die Veränderung der Bauform zu befriedigen. Durch das Fehlen physikalischer Grundlagen waren die Instrumentenerzeuger in der Vergangenheit gezwungen, die bestehenden Instrumente empirisch und in Zusammenarbeit mit den Musikern im Detail zu verbessern.[1]

Aber nicht allein die Unkenntnis der physikalischen Grundlagen, sondern auch der Einfluß des Musikers erschwerten die objektive Beurteilung der Instrumente; denn im Gegensatz zu allen anderen Instrumentengruppen wird bei den Blechblasinstrumenten der Klang von nicht zum Instrument gehörenden Elementen, nämlich den Bläserlippen, erzeugt. Er ist damit direkt abhängig von den physiologischen Merkmalen des Musikers, wie: Lippenform, Zahnstellung, Lippenkraft usw. Der Mensch bildet mit dem Instrument im physikalischen Sinne eine Einheit. Die in Pomona (USA) durchgeführten Versuche zeigten, daß selbst erfahrene Musiker die Klangcharakteristika und die Qualität von fünf verschiedenen Instrumenten, die sie an drei Tagen je dreimal testen konnten, widersprüchlich (und je nach Tagesverfassung völlig konträr) beurteilten.[2] Ähnliche Versuche, die an der Physikalisch-Technischen Bundesanstalt in Braunschweig durchgeführt wurden brachten dieselben Resultate.[3] Spielt ein Musiker auf einer Posaune mehrmals hintereinander eine Tonleiter, so differiert die Stimmung (Tonhöhe) bis zu 30 Cent. Spielen mehrere Musiker auf demselben Instrument, beträgt der Streubereich bis zu 60 Cent.

Wird einem guten Musiker nachgesagt, daß er „sein Instrument beherrscht", so ist dieses geflügelte Wort mit kleinen Einschränkungen nur für die Streicher verwendbar. Der Bläser hingegen ist beim Musizieren von den physikalischen Gegebenheiten seines Instrumentes abhängig und muß sich diesem anpassen. Die technische Qualität eines Bläsers hängt daher weitgehend von der Fähigkeit ab, sich dem physikalischen Verhalten des Instru-

129

mentes anzupassen. Durch konsequentes Üben wird diese „Anpassung" automatisiert, und für die verschiedensten Situationen ein möglichst differenziertes Anpassungsverhalten erarbeitet, das letztlich unterbewußt gesteuert wird. Daher ist die Meinung, daß ein Bläser sein Instrument „einblasen", „zurechtbiegen", also durch das Spielen selbst in seiner Qualität beeinflussen könne, längst widerlegt[4], obwohl sich dieser Irrglaube unter Musikern hartnäckig hält und bis vor wenigen Jahren noch international namhafte Lehrer daran glaubten.[5]

Wie viele — teilweise höchst komplizierte — Vorgänge beim Musizieren oft innerhalb von hundertstel Sekunden stattfinden, soll am Beispiel eines Blechbläsers mit folgendem Blockschema gezeigt werden.

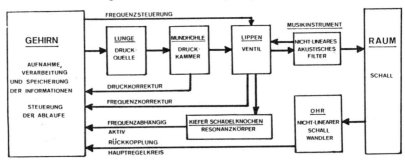

Abb. 1

Schematische Darstellung der wichtigsten Abläufe beim Spielen eines Blechblasinstrumentes.

Die an den Abläufen beteiligten Körperorgane wurden als Kästchen dargestellt. Unter der (unterstrichenen) Bezeichnung des Körperorganes sind dessen physikalische Funktionen vermerkt. Das Blasinstrument kann man als nicht-lineares und aktives akustisches Filter bezeichnen. Das heißt, daß das Instrument durch seine Bauform die Bildung bestimmter Schwingungsmuster (die im Instrument befindliche Luftsäule schwingt gleichzeitig mit mehreren Frequenzen, die in einem geordneten Verhältnis zueinander stehen) begünstigt, während es anderen Schwingungsformen Widerstand entgegensetzt.

Interessant ist, daß der spielende Musiker den Klang seines Instrumentes anders wahrnimmt, als der von ihm in einiger Entfernung sich befindliche Zuhörer. Ursachen dafür sind die direkte Rückkoppelung durch den Schädelknochen (der ebenfalls bestimmte Frequenzen bevorzugt), die Abstrahlungscharakteristiken der Musikinstrumente[6] sowie der am Gesamtklang geringfügig beteiligte, hochfrequente Anteil, der durch die Schwingung der Instrumentenwandung entsteht und dessen Intensität mit dem Quadrat der Entfernung abnimmt.

Untersuchen wir die Anforderungen der Musiker an ihr Instrument, so lassen sich diese im Wesentlichen in 3 Punkte zusammenfassen: 1. Es soll einen „schönen Klang" haben. Das ist eine subjektive Aussage; denn es ist allgemein bekannt, daß die Klangideale sich nicht nur im Laufe der Zeit stark verändert haben, sondern auch regional sehr unterschiedlich sind. Trotzdem hat man immer wieder versucht, die Instrumente durch bauliche Veränderungen (Richard Wagner) dem jeweiligen Klangideal anzupassen. Um den instrumentenspezifischen Klang erfassen zu können, haben wir am Institut in Wien eine künstliche Anregungsvorrichtung für Blechblasinstrumente — auf die ich unten eingehen werde — gebaut. 2. Die Töne sollen gut und leicht ansprechen. Physikalisch betrachtet heißt das: Die Trennschärfe zwischen Resonanzen der Luftsäule im Instrument bei bestimmten Frequenzen soll möglichst ausgeprägt sein. Diese Eigenschaft kann man im Wesentlichen mit der sogenannten Eingangsimpedanzmessung untersuchen. 3. Das Instrument soll gut in sich stimmen, das heißt, die Resonanzen sollen nicht nur gut ausgeprägt sein, sondern auch im musikalischen Sinne bei den richtigen Frequenzen liegen. (Das g soll nicht zu hoch sein, das e nicht zu tief, usw.)

Die Erforschung dieser akustischen Eigenschaften der Blechblasinstrumente ist die Aufgabe der Musikinstrumentenakustik, einer noch relativ jungen Wissenschaft, die jedoch in den letzten Jahrzehnten große Fortschritte verzeichnen konnte.

Kehren wir zu Punkt 1 der Anforderungen an das Blechblasinstrument zurück: Auf dem Gebiete der Analyse von musikalischen Klängen stammen die ersten richtungsweisenden Arbeiten von H. Helmholtz, der schon 1863 eine umfassende Analyse und zum Teil auch Synthese von musikalischen Klängen vornahm. Mit C. Stumpfs Untersuchungen (1914—1926) hat sich später der Schwerpunkt der Forschung auf die Sprachlaute verschoben. Erst Mitte unseres Jahrhunderts begann man sich wieder mit musikalischen Klängen zu beschäftigen.[7] Um die Klänge der einzelnen Blechblasinstrumente analysieren und miteinander vergleichen zu können, benötigt man eine Vorrichtung die im Stande ist, die Instrumente vollkommen gleich und jederzeit reproduzierbar „anzublasen".

### Künstliche Anregungsvorrichtungen

Die Grundlage für die erste erfolgreiche Konstruktion einer Anregungsvorrichtung für Blechblasinstrumente schuf 1941 D. W. Martin in Illinois[8], dem es gelang, die Lippenbewegung innerhalb des Mundstückes während des Spielens zu filmen. Abb. 2 zeigt schematisch den Versuchsaufbau und Abb. 3 die registrierten Lippenbewegungen. Links die Abweichung der Lippenmitten voneinander (mm) in Abhängigkeit von der Zeit bei verschiedenen Frequenzen, rechts die Abweichung der Lippen von der Mundstückachse über die Zeit.

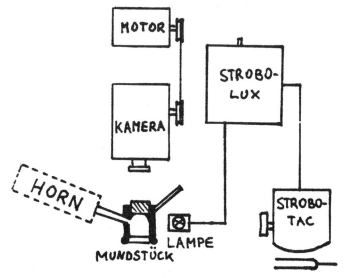

Abb. 2

D. Martins Versuchsaufbau beim Filmen der Lippenbewegung im Mundstück (1941).

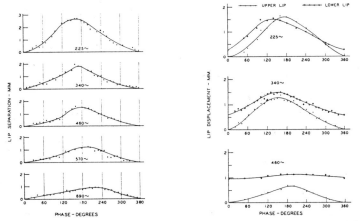

FIG. 4. Lip-vibration curves for cornet of central separation of the lips.

FIG. 5. Lip-vibration curves of displacement of the lips along the mouthpiece axis of cornet.

Abb. 3

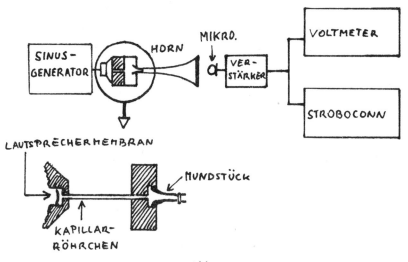

Abb. 4

Erste künstliche Anregungsvorrichtung für Blechblasinstrumente von J. Webster (1946) zur Intonationsmessung.

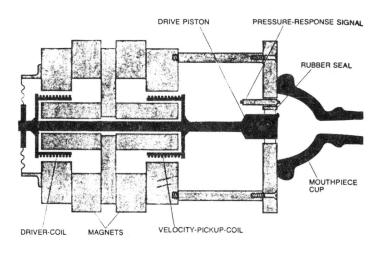

Abb. 5

Anregungsvorrichtung von J. Coltman, bei der mit dem Kolben direkt in das Mundstück gegangen wird.

Die erste künstliche Anregungsvorrichtung wurde von J. Webster[9] 1946 konstruiert. Über einen mit einer Lautsprechermembran starr verbundenen Kolben wird periodisch, entsprechend der Membranbewegung, über ein dünnes Glasröhrchen Luft in das Mundstück gepreßt (Abb. 4). Dieses Prinzip wurde in den folgenden zwanzig Jahren von allen Wissenschaftlern übernommen und dem jeweiligen Stand der Technik entsprechend abgewandelt und verbessert.

Abb. 5 zeigt die Variante von J. W. Coltman, der mit der Kolbeneinheit direkt an das Mundstück anschließt. Abb. 6 zeigt die von Yoshinori Ando und Jiro Tanaka (Japan) gewählte Lösung, bei der durch die Bewegung der Lautsprechermembran mittels eines Hebels ein Schubventil bewegt wird, das die periodische Luftzufuhr aus einer Druckkammer steuert.

Gesamtansicht

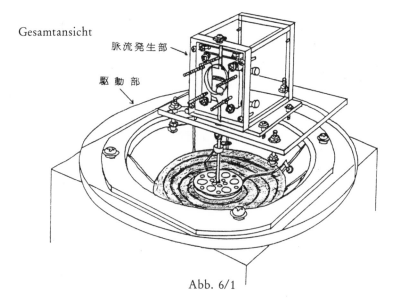

Abb. 6/1

In den siebziger Jahren wurde von F. Fransson und E. Jansson in Stockholm ein völlig trägheitsloses Anregungsprinzip entwickelt.[10] Mit Hilfe zweier in der Lippenebene plazierten Elektroden wird die Luft ionisiert und in genau definierte Schwingungen versetzt. Der Vorteil dieses „Ionophons" liegt in der Masselosigkeit des Anregers, der Nachteil, daß damit keine Forte- und Fortissimo-Töne auf dem Musikinstrument produziert werden können. Das Ionophon wird in der CSSR und in einigen Oststaaten verwendet. Wir wählten für die Konstruktion unserer künstlichen Anregungsvorrichtung das von K. Wogram 1970 vorgestellte „Lochsirenenprinzip".[3]

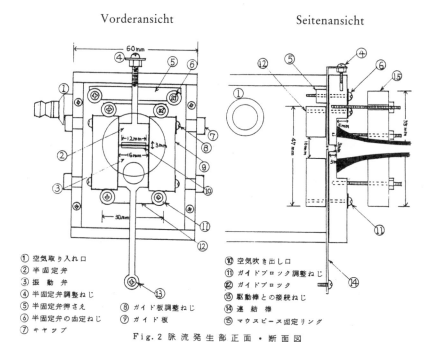

Vorderansicht                    Seitenansicht

① 空気取り入れ口        ⑩ 空気吹き出し口
② 半固定弁             ⑪ ガイドブロック調整ねじ
③ 振動弁              ⑫ ガイドブロック
④ 半固定弁調整ねじ       ⑬ 駆動棒との接桃ねじ
⑤ 半固定弁押さえ        ⑧ ガイド板調整ねじ        ⑭ 連結棒
⑥ 半固定弁の面定ねじ     ⑨ ガイド板              ⑮ マウスピース固定リング
⑦ キャップ

Fig. 2 脈流発生部正面・断面図

Abb. 6/2

Anregungsvorrichtung nach Y. Ando.

Seit den Arbeiten D. Martins[8] weiß man, daß die Lippenspaltfläche, durch die die Luft von der Mundhöhle in das Mundstück gelangt (die Bläserlippen fungieren dabei als Ventil) von Null beginnend bis zum Maximum ansteigt und wiederum gegen Null geht. Diese annähernd sinusförmige Flächenänderung wird folgendermaßen erreicht (Abb. 7): In einem halb offenen Zylinder, der auf einer Antriebswelle sitzt und als „Rotor" dient, werden 16 gleichgroße quadratische Schlitze (Seitenlänge = a) mit dem Abstand „a" gefräst. Um Frequenzschwankungen zu vermeiden ist dabei eine Genauigkeit von einigen tausendstel Millimeter nötig. In das mit nur sieben hundertstel Millimeter darüber „gepaßte" Gehäuse wird genau in der Ebene der Rotorschlitze ein um 45° gedrehtes Quadrat mit der Seitenlänge b gefräst, wobei

$$b = \sqrt{\frac{a^2}{2}}$$

ist.

135

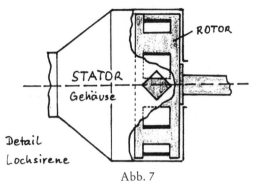

Detail
Lochsirene

Abb. 7

Durch den Schlitz des Gehäuses wird durch den sich drehenden Rotor ein sinusförmig modulierter, pulsierender Luftstrom in das Mundstück gepreßt.

Wird in das Gehäuse Luft gepreßt, so ergibt sich ein von der Drehzahl des Rotors abhängiges, genau definiertes Anregungssignal. Abb. 8 zeigt schematisch den Aufbau des „künstlichen Bläsers". Ein drehzahlgeregelter Kompressor sorgt für die notwendige Luftzufuhr. Der Druck wird mit einem U-Rohr-Manometer kontrolliert. Die Lufttemperatur im Rotor wird von einem Digitalthermometer angezeigt und soll um die 30° Celsius betragen. Der Antrieb des Rotors wird von einem Servo-Gleichstrom-Scheibenläufer-Motor besorgt, der von einem 4-Quadranten-Linearverstärker mit eingebautem Tacho-Regelkreis gesteuert wird. Mit einem von der Technischen Universität Wien entwickelten Steuerpult können mit einer Tastatur (die nach Art der Klaviertastatur konzipiert ist) sämtliche Töne über 4 Oktaven auf Knopfdruck abgerufen werden. Zusätzlich gibt es die Möglichkeit der manuellen Feinabstimmung über ± 100 Cent und des „Frequency-Sweep" über den Pegelschreiber. Die Ist-Frequenz wird über eine auf der Antriebswelle montierte Strich-Scheibe und einer Lichtschranke abgetastet und digital angezeigt.

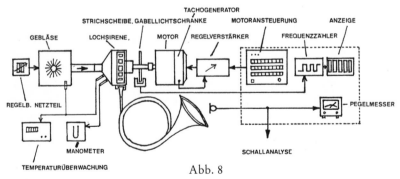

Abb. 8

Blockschema des „künstl. Bläsers" der Hochschule für Musik in Wien.

136

Mit dieser eben beschriebenen Vorrichtung ist es möglich, ein Blechblasinstrument auf dieselbe Art und Weise wie der Musiker es tut anzuregen. Einziger physikalischer Unterschied: Im Gegensatz zum Menschen, der dem Instrument gegenüber durch seine physiologischen Gegebenheiten einen bestimmten Innenwiderstand besitzt, setzt der „künstliche Bläser" dem Instrument einen unendlich hohen Innenwiderstand entgegen. Die Maschine kann also im Gegensatz zum Menschen jeden beliebigen Ton auf einem Blechblasinstrument mühelos „spielen". Die Abbildung 9 zeigt den Klangvergleich zwischen einem Doppelhorn (Fa. Paxmann, London) und einem Wiener F-Horn (Fa. Uhlmann, Wien). Beide Instrumente wurden im schalltoten Raum von dem künstlichen Bläser „gespielt". Man erkennt deutlich den Klangunterschied im stationären Teil des Tones c (klingendes f) mit 349 Hz.

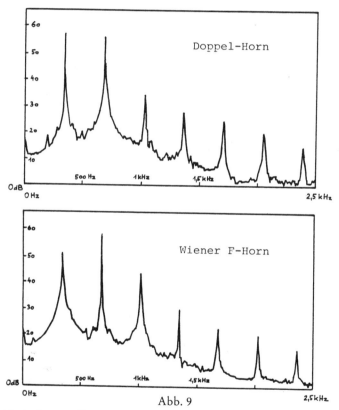

Abb. 9

Graphisch dargestellter Klangunterschied im stationären Bereich des Tones zwischen einem Doppelhorn und einem Wiener-Horn mittels einer Fourier-Analyse.

Während beim Doppelhorn die beiden ersten Teiltöne eine annähernd gleiche Amplitude aufweisen, ist beim Wiener F-Horn der 2. Teilton gegenüber dem Grundton um ca. 7 dB stärker. Die Amplitudenabnahme der weiteren Teiltöne ist bei den betreffenden Instrumenten ebenfalls unterschiedlich.

Die zweite Forderung der Musiker an das Instrument ist: Die Töne sollen gut und leicht ansprechen.

Bevor ich jedoch auf die Meßmethoden, die „Ansprache" eines Musikinstrumentes festzustellen näher eingehe, muß ich noch kurz erläutern, wie ein Blechblasinstrument funktioniert und was ein musikalischer Ton physikalisch bedeutet: Wenn der Musiker von einem Ton spricht, dann ist das physikalisch betrachtet in Wirklichkeit ein Klang, der aus mehreren Tönen besteht. Wer von einem Musikinstrument den Ton a (440 Hz) gespielt hört, der hört nicht allein eine Schwingung mit 440 Hz sondern zur selben Zeit Schwingungen mit 880, 1320, 1760, 2200, 2640, 3080 usw. Hz, also meistens die ganzzahligen Vielfachen der ersten Schwingung. Diese mitschwingenden Vielfachen der Grundfrequenz (440 Hz) nennt man Obertöne oder Teiltöne. Ein musikalischer Ton besteht aus mehreren Teiltönen die je nach Instrument verschieden stark im Gesamtklang enthalten sind; oder, wenn man es anders ausdrücken möchte, aus dem Grundton (1. Teilton) und den Obertönen (übrige Teiltöne). Dieses Faktum ist deswegen wichtig, weil man aus den Erkenntnissen der Psychoakustik weiß, daß im menschlichen Ohr der Klang ebenfalls in seine Teiltöne zerlegt wird. In der Instrumentenakustik wiederum bedeutet es, daß die gesamte vom Musikinstrument abgegebene Schallenergie sich nicht nur auf den Grundton (der Ton, den man bewußt registriert) bezieht, sondern sich auch auf die Obertöne aufteilt, die man als Klangfarbe wahrnimmt.

Was geschieht physikalisch gesehen in einem Blechblasinstrument? Durch das „Lippenventil" des Bläsers wird — wie an früherer Stelle beschrieben — dem Musikinstrument periodisch Luft zugeführt. Dadurch entsteht eine Druckwelle, die sich vom Mundstück weg in Richtung Schallbecher fortpflanzt, also in der Längsrichtung. Sie heißt daher Longitudinalwelle. Auf dem Weg zum Schallbecherende wird dieser Welle aufgrund der Reibung an der Instrumentenwandung (eine Schallwelle hat das Bestreben, sich nach allen Seiten, also kugelförmig auszubreiten) etwas Energie entzogen. Dieser Reibungsverlust liefert auch eine Erklärung für das Phänomen, daß die meisten Bläser sofort erkennen, wenn ein Instrument neu ist oder längere Zeit nicht gespielt wurde. Ist die Druckwelle am Schalltrichterende angelangt, so treten ein Teil der schwingenden Luftmoleküle in den Raum aus — und ein Teil wird reflektiert. Wobei je nach Bauform des Schallbechers die mit hohen Frequenzen schwingenden Luftmoleküle bevorzugt durchgelassen und die tieferen Frequenzen reflektiert werden.

Wenn Länge und Bauform des Musikinstrumentes so beschaffen sind, daß die Zeit, die die reflektierte Druckwelle für ihre Rundreise vom Mundstückanfang zum Schallbecherende und wieder zurück benötigt, genau der Zeitspanne entspricht, die zwischen dem ersten und zweiten Öffnen bzw. Schließen der Lippen vergeht, dann bildet sich eine stehende Welle. Das heißt: Die Luftsäule schwingt synchron zur Lippenschwingung. Eine stehende Welle gibt es aber auch, wenn diese „Rundreisezeit" der Welle genau doppelt so lang, oder 3fach, 4fach, usw. dauert. Diese stehende Welle ist die Voraussetzung, daß auf dem Instrument ein Ton erzeugt werden kann. Es gibt also mehrere Frequenzen in einem Rohr, bei denen stehende Wellen erzeugt werden können. Daher kann man auch mehrere Töne (die Naturtöne) darauf erzeugen. Die verschiedenen Möglichkeiten zur Bildung einer stehenden Welle nennt man Resonanzen. Die Frequenz, bei der eine solche Resonanz auftritt, hängt ausschließlich von dem Verhältnis des Durchmessers zur Länge des Rohres ab.

Kurz zusammengefaßt: Das Blechblasinstrument ist ein Rohr, das teilweise zylindrisch und teilweise konisch ist und entsprechend der Bauform bei verschiedenen Frequenzen Resonanzen aufweist. Der Bläser führt über die sich periodisch öffnenden Lippen einen annähernd sinusförmigen modulierten Luftstrom mit einer bestimmten Frequenz zu, der die im Instrument sich befindliche Luftsäule zu Schwingungen anregt. Entspricht diese Frequenz einer Resonanzfrequenz des Instrumentes, so bildet sich eine stehende Welle, und dem Bläser ist es möglich einen Ton zu spielen.

Nach dieser kurzen Betrachtung über die physikalischen Vorgänge innerhalb des Blechblasinstrumentes und die Interaktion von Musiker und Instrument kehren wir zurück zu der Forderung einer „leichten" und „guten Ansprache" des Instrumentes. Aufschluß über die physikalischen Charakteristika des Instrumentes und wichtige Informationen über die „Ansprache" gibt die sogenannte Eingangsimpedanzmessung.

Kurz die historische Entwicklung: Schon Bernoulli, Euler und Lagrange beschäftigten sich ab 1760 mit den Wellengleichungen von schwingenden Luftsäulen. Weitere wichtige Arbeiten stammen von H. Helmholtz (1895/98), A. Webster (1919) und H. Bouasse (1929). Bei der Suche nach geeigneten Formeln zur Berechnung der Wellenausbreitung im Schalltrichter der Blechblasinstrumente erkannte man bald die Analogien zu anderen Wissenschaftsgebieten. So wird die Wirkungsweise des Schallbechers heute allgemein mit einer klassischen Gleichung der Quanten-Pysik angegeben („Schrödinger-Formel").[11] Die Eingangsimpedanz entspricht wiederum einer wichtigen Größe in der Elektrotechnik — die Maßeinheit ist das „akustische Ohm" — und stellt das wichtigste Kriterium zur objektiven Beurteilung der Qualität eines Instrumentes dar.

Physikalisch gesehen ist die Eingangsimpedanz der Quotient aus Schalldruck und Volumenstrom. In der Praxis stellt sie die „Rückantwort" des Blasinstrumentes an die Lippen des Bläsers dar und entscheidet darüber, ob ein bestimmter Ton auf dem Instrument vom Musiker leicht, schwer oder überhaupt nicht gespielt werden kann. Ich möchte hier nicht auf die physikalisch komplizierten Überlegungen, die dieser Messung zugrunde liegen näher eingehen, diese sind in den Dissertationen von R. Pratt[12] und St. Elliot[13] ausführlich dargelegt. Nur soviel: In der Praxis wird die aufwendige Schallschnelle-Messung üblicherweise durch eine Schalldruck-Messung in der Mundstücks-Ebene ersetzt. Dabei benützte Webster seine 1946 entwickelte künstliche Anregungsvorrichtung.[9] Zwischen 1945 und 1965 entwickelte Earle L. Kent die in Abb. 10 gezeigte Anordnung zur Impedanzmessung. J. Merhaut entwickelte 1968 in Prag eine ähnliche Methode (Abb. 11), die auch von dem berühmten Akustiker A. Benade übernommen wurde.

1952 ersetzten die Japaner J. Igarashi und M. Koyasu bei der Impedanzmessung das Kapillarröhrchen erstmals durch eine „Drahtleitung".[14] Seit der Entwicklung der Schwingungsanregung von Blasinstrumenten mit ionisier-

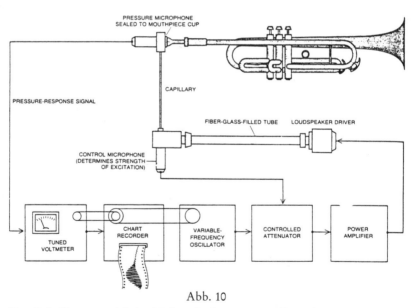

Abb. 10

Von E. L. Kent entwickelte Meßmethode zur Feststellung der Eingangsimpedanz einer Trompete (1945—1965).

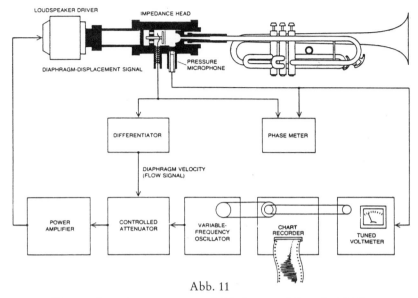

Abb. 11

Eingangsimpedanzmessung nach Merhart und Benade (1968).

ter Luft durch F. Fransson und E. Jansson (1975) wird die Impedanzmessung in der ČSSR mittels des Ionophons durchgeführt.[15] 1978 gelang es der Gruppe um J. Bowsher an der Universität of Surrey erstmals exakt die „Schall-Schnelle" mit einem im Mundstück plazierten „Hitzedrahtanemometer" zu messen (Abb. 12). Somit konnte erstmals der Wert der Eingang-

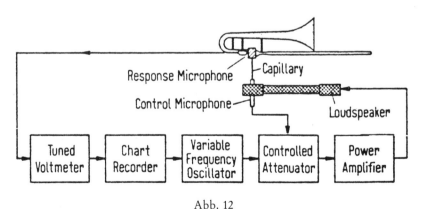

Abb. 12

Impedanzmeßmethode nach J. Bowsher (1978).

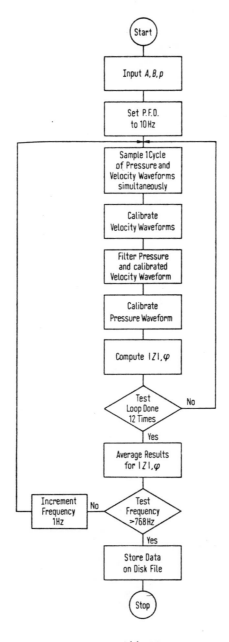

Abb. 12

„Flow-Chart" des Computer-Korrekturprogramms.

simpedanz in absoluten Zahlen (Acoustic Ohms) angegeben werden.[16] Da jedoch die Impedanzmessung mittels eines Hitzedrahtanemometer komplizierte Korrekturprogramme erfordert, die nur mit Großrechenanlagen und ungeheurem Aufwand an Computer Hard- und Software möglich sind[12/13], haben wir uns für den in Abbildung 13 gezeigten Meßaufbau entschieden.

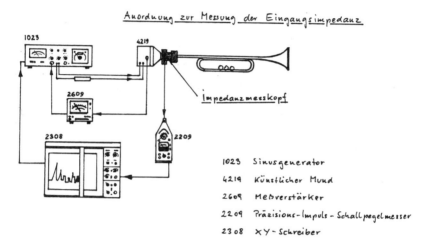

Abb. 13

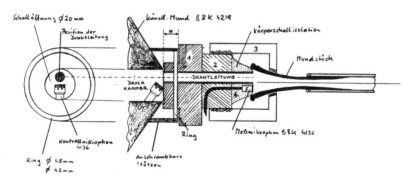

Abb. 14

Konstruktion des Impedanzmeßkopfes. Das Meßmikrophon (Position 5) ist in einer elastischen Masse eingebettet, die zwecks Volumsverringerung in das Mundstück des angekoppelten Instrumentes hineinragt. Die Drahtleitung ist mit Stahldrähten, deren Durchmesser 0,5, 0,6 und 0,8 mm beträgt, gefüllt.

Das Blechblasinstrument wird über den in Abbildung 14 näher gezeigten Impedanzmeßkopf durch den „künstlichen Mund" der Firma Brüel & Kjaer über den gesamten Frequenzbereich angeregt. Der Impedanzmeßkopf ragt etwas in das Mundstück hinein, um die Volumsveränderung durch die Bläserlippen zu simulieren, trägt das Meßmikrophon und verhindert durch die „Draht-Leitung" (das ist ein Rohr, das mit Stahldrähten verschiedener Durchmesser gefüllt ist) die Beeinflussung des künstlichen Mundes durch die Rückwirkung der schwingenden Luftsäule im Instrument. Die Energiequelle ist ein Sinusgenerator, dessen „Frequency-Sweep" vom XY-Schreiber gesteuert wird. Ein Spezialmikrophon (siehe Abb. 14) mißt den der jeweiligen Anregungsfrequenz zuzuordnenden Schalldruck in der Lippenebene (nicht Mundstücksebene!), der dann der Impedanz proportional ist. Damit erhält man die in Abbildung 15 gezeigte Impedanzkurve.

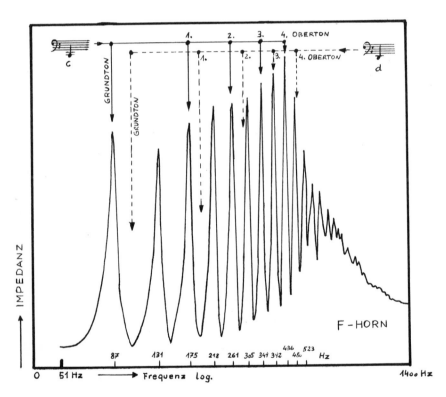

Abb. 15

Eingangsimpedanzkurve eines F-Horns.

144

Betrachten wir die Kurve näher: auf der X-Achse ist die Frequenz (Lage der Töne) aufgetragen und auf der Y-Achse der Wert der dazugehörigen Eingangsimpedanz für ein F-Horn ohne gedrückte Ventile. Spielt der Musiker — wie in Abb. 15, Notenbeispiel links — ein notiertes c, so kommen sämtliche Teiltöne auf Impedanspitzen zu liegen, der Ton ist für den Bläser gut zu spielen. Anders beim rechten Notenbeispiel (Notiertes d): Die „Rundreisezeit" der Druckwelle entspricht nicht der Öffnungsfrequenz der Lippen. Die Druckwelle kommt „phasenverschoben" in der Lippenebene an, hebt sich zum Teil auf und der Schalldruck erreicht wie in der Abbildung gut ersichtlich, bei dieser Anregungsfrequenz (98 Hz) ein Minimum. Der Bläser kann daher diesen Ton am Instrument nicht spielen.

Stimmt ein Instrument in sich schlecht, so liegen die Spitzen der Impedanzkruve nicht exakt bei den richtigen Frequenzen. Sie sind auf der Frequenzachse entweder etwas nach oben oder unten verschoben. Dadurch kann es passieren, daß zwar der Grundton auf einer Spitze zu liegen kommt, der 1., 2. und 3. Oberton aber nicht. Da ein Piano-Ton zum Beispiel nur ca. 4 Teiltöne besitzt und sich die Gesamtenergie nach dem Summenprinzip[17] auf alle Partialtöne im Verhältnis der Amplitudenrelationen der Impedanzkurve verteilt, hat der Musiker in diesem Fall Probleme mit dem Anblasen dieses Tones. Der Ton spricht im Piano schlecht an. Im kräftigen Forte jedoch, wo sich die gesamte Schwingungsenergie auf ca. 10—15 Partialtöne verteilt (vorausgesetzt, daß die restlichen Impedanzspitzen frequenzmäßig „richtig" liegen), ist dieser Ton für den Musiker durchaus spielbar. Die Kurve, die bei der Impedanzmessung gewonnen wird, gibt also Aufschluß über die innere Stimmung (Lage der Naturtöne zueinander), die Ansprache der Töne in Abhängigkeit von der Dynamik und (mit Einschränkungen) auch über die klanglichen Eigenschaften des gemessenen Blechblasinstrumentes. Gut ablesbar ist ebenfalls der Einfluß des Mundstückes und des Schallbechers, wenn man den Meßvorgang ohne Mundstück beziehungsweise ohne Schallbecher wiederholt.

Die dritte Forderung der Musiker an das Instrument ist die nach einer einwandfreien Stimmung. Das heißt, die Naturtöne müssen im richtigen Frequenzverhältnis zueinander stehen. Um die Stimmung eines Blechblasinstrumentes objektiv beurteilen zu können, benötigen wir wiederum eine der im ersten Teil des Referates beschriebenen künstlichen Anregungsvorrichtungen und einen Schallpegelmesser. Diese Messung muß im „Schalltoten Raum" durchgeführt werden und basiert auf folgenden physikalischen Fakten: Will der Musiker auf dem Instrument einen Ton erzeugen, ist die Bildung eines Schwingungssystems von stehenden Wellen notwendig. Dieses Schwingungsmuster bildet sich bei Frequenzen, wo möglichst viele Teiltöne des angeregten Tones auf Impedanzspitzen fallen. Nachdem bei diesen Frequenzlagen innerhalb des Instrumentes kein Energieverlust durch eine Phasenverschiebung auftritt, erhält man am Schalltrichter-Ende bei konstanter Energiezufuhr durch das Mundstück ein Schallpegelmaximum. Dies heißt aber auch, daß bei diesen Frequenzlagen ein sehr guter Energietransport durch das Instrument gegeben ist, was umgekehrt bedeutet, daß an diesen Stellen das Instrument dem Bläser den geringsten Widerstand entgegensetzt. Genau dort wird der Musiker auch den Ton „anblasen". Der Meßvorgang ist folgender: Alle zu untersuchenden Töne werden mit der Sollfrequenz künstlich angeregt (je nach Bedarf entweder in „temperierter" oder „reiner" Stimmung). Anschließend wird die Anregungsfrequenz etwas nach oben und nach unten verschoben. Sobald der Schallpegel am Ende des Instrumentes ein Maximum erreicht hat, liest man die entsprechende Anregungsfrequenz ab und erhält somit die tatsächliche Lage des Naturtones. Die Differenz zwischen der so ermittelten „Ist-Frequenz" und der vorher rechnerisch ermittelten „Soll-Frequenz" gibt an, um wieviele Hertz, bzw. Cent der untersuchte Ton zu hoch oder zu tief ist.

Für die Praxis bedeutet dies, daß man mit der Intonationsmessung feststellen kann, welche Töne zu hoch oder zu tief sind. Mit der Eingangsimpedanzmessung kann man die Ursachen der schlechten Intonation feststellen und das Instrument gezielt verbessern.

Damit wären die wichtigsten Meßmethoden zur objektiven Qualitätsbeurteilung von Blechblasinstrumenten besprochen. Es gibt noch eine Reihe weiterer Messungen, die Aufschlüsse über einige interessante Details geben, beziehungsweise zur gezielten Qualitätsverbesserung von Nutzen sind. So kann man zum Beispiel mit Hilfe eines neuen Gerätes der Firma Brüel & Kjaer, einem sogenannten „Beschleunigungsaufnehmer", die Druckknoten und Druckbäuche der schwingenden Luftsäule im Instrument sehr einfach von außen messen. Das schnelle Auffinden solcher Stellen an der Instrumentenwandung ist eine wesentliche Hilfe bei der Eliminierung von Intonationsmängel. Mit einem Fast-Fourier-Analysator, der über eine „Scan-Analysis-Einrichtung" verfügt, kann man den Einschwingvorgang genau untersuchen. Dies ist deshalb von Bedeutung, weil der Einschwingvorgang, also der Beginn des Tones, ganz wesentlich zur Instrumentenerkennung durch den Zuhörer beiträgt. Bei der Scan-Analysis wird vorerst das Zeitsignal gespeichert, sodann werden alle 2 bis 3 Millisekunden Fourierspektren errechnet, die beliebig oft in Zeitlupe abgerufen werden können. Damit kann man das Einschwingverhalten der im musikalischen Klang enthaltenen Teiltöne genau verfolgen.

146

# ANMERKUNGEN

[1] H. H e y d e , *Mensur*, in: *Trompeten, Posaunen, Tuben*, Musikinstrumenten-Museum Leipzig, Bd. 3, Leipzig 1980, S. 12—13.

[2] M. C. H e n d e r s o n , *The 1971 horn tests at Pomona*, Horn Call 3.

[3] K. W o g r a m , *Ein Beitrag zur Ermittlung der Stimmung von Blechblasinstrumenten*, Diss. TU Carolo-Wilhelmina, Braunschweig 1972.

[4] A. H. B e n a d e , *The Physics of Brasses*, in: Scientific American 229 (1973), S. 24—35.

[5] G. F r e i b e r g , *Hohe Schule der Musik*, Bd. IV, Der Weg zu den Blechblasinstrumenten. Das Horn, Wien o. J.

[6] J. M e y e r , *Die Richtcharakteristiken von Klarinetten*, in: Das Musikinstrument 1, 1965, S. 21—25; *Die Richtcharakteristiken von Oboen und Fagotten*, ebda. 9, 1966, S. 985—964; *Die Richtcharakteristiken des Horns*, ebda. 6, 1969, S. 1—12; *Die Richtcharakteristiken von Trompete, Posaune und Tuba*, ebda. 2, 1970, S. 171—180.

[7] H. B a c k h a u s , *Ausgleichsvorgänge in der Akustik*, in: Zeitschrift für technische Physik Nr. 13, 1932; F. S a u n d e r s , *Analyses of the Tones of a few Wind Instruments*, in: JASA 18, 1946, S. 395—410; E. S c h u m a n n , *Physik der Klangfarben*, Hab.-Schrift, Universität Berlin, 1929; E. M e y e r / G. B u c h m a n n , *Die Klangspektren der Musikinstrumente*, in: Zeitschrift für technische Physik, Nr. 12, 1931, S. 606—611; J. M e y e r , *Die Deutung von Klangspektren*, in: Das Musikinstrument 12, Heft 9, 1963.

[8] D. W. M a r t i n , *Lip Vibrations in a Cornet Mouthpiece*, in: JASA 13, 1942, No. 3, S. 305—308.

[9] J. C. W e b s t e r , *An Electrical Method of Measuring the Intonation of Cup-Mouthpiece Instruments*, in: JASA 19, 1947, No. 5, S. 902—906.

[10] F. F r a n s s o n / E. J a n s s o n , *The STL-Ionophon: Transducer properties and construction*, in: JASA 58, 1975, No. 4, S. 910—915.

[11] A. B e n a d e , *The Physics of Brasses*, in: Scientific American 229, 1973, S. 24—35.

[12] L. P r a t t , *The Assessment of Brass Instrument Quality*, Diss. University of Surrey, England, 1978.

[13] St. E l l i o t t , *The Acoustics of Brass Wind-Instruments*, Diss. University of Surrey, England, 1980.

[14] J. I g a r a s h i / M. K o y a s u , *Acoustical Properties of Trumpets*, in: JASA 25, No. 1, 1953, S. 122—128.

[15] K. D e k a n , *The Ionophon in Musical Instrument Research*, in: Hudebni Nastroje 11, 1974, S. 49—53.

[16] R. P r a t t / St. E l l i o t t / J. B o w s h e r , *The Measurement of the Acoustic Impedance of Brass Instruments*, in: Acustica 38, 1977, S. 236—246.

[17] K. W o g r a m , *Die Beeinflussung von Klang und Ansprache durch das „Summenprinzip" bei Blechblasinstrumenten*, in: Mitteilungen der Physikal.-Techn. Bundesanstalt, Braunschweig o. J.

Friedhelm Brusniak, Augsburg

FRIEDRICH BUCK, EIN BAYREUTHER ZEITGENOSSE
RICHARD WAGNERS, UND SEIN WIRKEN FÜR DIE BLASMUSIK-
UND SÄNGERBEWEGUNG IN BAYERN

In seinem Vortrag zur Eröffnung der ersten internationalen Blasmusikfach-
tagung 1974 in Graz hat Wolfgang Suppan die Aufgaben und Ziele künftiger
Blasmusikforschung umrissen und in das Zentrum die musikwissenschaftliche Fragestellung „nach den historischen Wurzeln des Blasorchesters, seiner
Entwicklung, seiner jeweiligen Stellung zur allgemeinen Musikkultur, seinen
jeweils zeitlich und geographisch wechselnden Aufgaben, nach den Instrumenten und Besetzungen, nach dem Repertoire, den Interpretationsstilen,
nach den Kapellmeistern und Komponisten" gerückt.[1] Damit wurden
Aspekte angesprochen, die in modifizierter Formulierung auch im Rahmen
des 1982 am Lehrstuhl für Musikwissenschaft der Universität Ausburg ange-
laufenen Forschungsprojektes „Laienchorwesen des 19. Jahrhunderts im
bayerischen Regierungsbezirk Schwaben" untersucht werden sollen.[2] Die
Verbindungslinien bzw. Wechselbeziehungen zu Laienorchestervereinen, zu
Kirchenmusik, Volksmusik, Blasmusik (einschließlich Militärmusik) und
Oper beanspruchen hierbei besonderes Interesse, wie ein erster Überblick
über rund 50 bisher erfaßte Archive von Chorvereinigungen, deren Gründung nachweislich vor oder um 1862 — Zusammenschluß im Deutschen bzw.
Schwäbisch-Bayerischen Sängerbund — erfolgte, zeigt.

Wenn im folgenden der Versuch einer Charakterisierung von Leben und
Wirken eines Stadtkantors und Musikdirektors der sogenannten Biedermeierzeit unternommen wird, geht es nicht — etwa im Sinne positivistischer
„Lokal- und Kleinmeistergeschichtsschreibung" — darum, einen „zu Unrecht vergessenen" Bayreuther Zeitgenossen Richard Wagners über Gebühr
„aufzuwerten", sondern typische Merkmale des sozialen und beruflichen
Aufstiegs und der Tätigkeit eines „Wegbereiters" der Blasmusik- und Sänger-

---

[1] Wolfgang S u p p a n , *Das Blasorchester. Forschungsbericht und Forschungsauf-
gabe,* in: Bericht über die erste internationale Fachtagung zur Erforschung der Blasmusik Graz 1974, Tutzing 1976 (= Alta Musica 1, hg. von Wolfgang S u p p a n und
Eugen B r i x e l ), S. 15.

[2] Franz K r a u t w u r s t , *Laienchorwesen des 19. Jahrhunderts in Bayerisch-
Schwaben — Aufgaben und Ziele der Forschung;* Friedhelm B r u s n i a k , *Bayerisch-
Schwäbische Chormusik 1825—1863: Erste Forschungsergebnisse,* Vorträge anläßlich
des Forschungsforums der Universität Augsburg am 15. Dezember 1982 (mschr.), Zu-
sammenfassung in: Jahrbuch der Universität Augsburg 1982, Augsburg 1983,
S. 51—52.

bewegung in Bayern aufzuzeigen. Angesichts des Fehlens der Termini ‚Blasmusik‘, ‚Blechmusik‘, ‚Harmoniemusik‘, ‚Militärmusik‘ in neueren Darstellungen der Musik im 19. Jahrhundert soll diesen integrierten, nicht selten sogar dominierenden Bestandteilen der Musikkultur jener Zeit besondere Aufmerksamkeit geschenkt werden.[3]

Johann Friedrich Buck wurde am 21. August 1801 als Sohn des Webermeisters Johann Friedrich Buck d. Ä. und seiner Frau Maria Katharina geb. Stadelmann in Oettingen geboren.[4] Dort erhielt er auch seinen ersten Musikunterricht. 1817 trat er in das königliche Lehrerseminar zu Nürnberg ein und wurde von Kantor Johann Daniel Zösinger[5] in Orgelspiel und Harmonielehre unterrichtet. In der allgemeinen Konkurs-Prüfung vom 16.—18. September 1819 erhielt er „im Singen, Orgelspielen und der übrigen Instrumental-Musik“ die Note ‚sehr gut‘.[6] Von 1819 bis 1824 hielt sich Buck in Augsburg auf, wo er sich seinen Unterhalt als Lehrer an der Schaezlerschen Armenschule, begehrter Baßsänger (Mitglied des Chores bei St. Moritz), talentierter Organist, Pianist, Violinspieler und Komponist verdiente.[7] Als die Stelle des Stadtkantors, Organisten und Musikdirektors in Nördlingen nach dem Tod des bekannten Kirchenmusikkomponisten Christoph Friedrich Wilhelm Nopitsch am 22. Mai 1824 neu zu besetzen war, bewarben sich 13 Kandidaten.[8] Friedrich Buck wurde der erste Platz zuerkannt.[9] Im Anstellungs-Dekret vom 27. August d. J. mahnt das Königliche Protestantische Konsistorium in Ansbach, „daß derselbe allen Obliegenheiten seines Dienstes gewissenhaft nachkomme, für die gute Leitung und besonders für

---

[3] Vgl. etwa Ernst L i c h t e n h a h n , *Musikalisches Biedermeier und Vormärz,* in: Schweizer Beiträge zur Musikwissenschaft 4, Bern-Stuttgart 1980 (= Publikationen der Schweizerischen Musikforschenden Gesellschaft Serie III, Vol. 4, hg. von Jürg S t e n z l ), S. 7—33; Carl D a h l h a u s , *Die Musik des 19. Jahrhunderts,* Wiesbaden 1980 (= Neues Handbuch der Musikwissenschaft Bd. 6), Glossar S. 333—338, Sachregister S. 358—360.

[4] Evang. Dekanat Oettingen, Kirchenbuch Taufen, S. 126, Nr. 50. Vgl. im folgenden auch die Kurzbiographien in: Karl S e i t z , *Lieder-Album für Männergesang-Vereine,* Regensburg 1875 (Partitur), S. 206 und Friedrich Wilhelm T r a u t n e r , *Zur Geschichte der evangelischen Liturgie und Kirchenmusik in Nördlingen,* Nördlingen 1913, S. 24 f. Porträt im Besitz der Chorgemeinschaft Nördlingen 1825/41 e. V., Reproduktion in: Festschrift zum 150jährigen Bestehen, Nördlingen 1975.

[5] Siehe Otto B a r t h e l , *W. K. Schultheiß,* Nürnberg 1970, S. 56.

[6] Stadtarchiv Nördlingen D 3 Bd. 1, Bewerbungsunterlagen Friedrich Buck vom 1. Juli 1824, Beilage Zeugnis E.

[7] Ebda., Bewerbungsschreiben und Zeugnisse.

[8] Ebda., Liste der Bewerber vom 28. Juli 1824.

[9] Ebda., Schreiben des Königl. Distrikts-Dekanats Nördlingen an den Stadtmagistrat vom 1. August 1824 (Abschrift).

die Verbesserung des Kirchengesangs durch fleißige Ertheilung des Sing-
unterrichts nach allen Kräften bemüht sein werde, auch die Einführung vier-
stimmiger Choralgesänge sich angelegen sein lasse."[10] Buck erfüllte die in ihn
gesetzten Erwartungen und sorgte zusätzlich für repräsentative Aufführungen größerer eigener Werke. So komponierte er nach einem eigenhändigen
Verzeichnis zwischen 1828 und 1830 eine Passionsmusik (‚Die 7 Worte Jesu'),
eine ‚Große Cantate zum Reformationsfest', Choräle und Leichengesänge
mit 6- bis 12stimmiger Begleitung.[11] Die Möglichkeit, 12stimmige ‚Trom-
peten-Aufzüge' mit Pauken und Orgelbegleitung aufführen zu können, bestätigt nachdrücklich den Erfolg seiner intensiven Bemühungen um eine
Reorganisation der Stadtmusik.

Ende November 1825 ergriff Friedrich Buck mit Unterstützung einiger
Bürger die Initiative zur Gründung einer Gesellschaft zum Zwecke „musikalischer Abendunterhaltungen zum geselligen Vergnügen und zur Beförde-
rung der musikalischen Bildung", wie es in der Präambel zu den Statuten
vom 2. Dezember d. J. heißt.[12] Der ‚Musik- und Singverein' Nördlingen —
heute ‚Chorgemeinschaft' — verdient nicht nur als älteste Vereinsgründung
dieser Art in Bayerisch-Schwaben, sondern auch wegen seines reichhaltigen
Archivbestandes besondere Beachtung. Zu den wertvollsten Materialien gehören die lückenlos von der Gründung bis zur Gegenwart geführten Proto-
kollbücher mit einigen hundert handschriftlichen und gedruckten Konzertprogrammen. Der älteste Musikalienbestand ist leider vor wenigen Jahren
der Altpapierverwertung zum Opfer gefallen, doch bieten sorgfältig ange-
legte Inventare einen gewissen Ersatz. Die überkommenen Quellen legen be-
redtes Zeugnis von den Aktivitäten der Veranstalter und der Vielfalt des
Musikangebots ab: Allein von 1826 bis 1830 fanden über 60 Konzerte mit
durchschnittlich sechs Nummern für eine ‚Produktion' statt. Als Buck am
30. Oktober 1830 als Stadtkantor nach Bayreuth ging, hatte er als Kirchen-
musiker, Direktor der Stadtmusik und Kapellmeister der örtlichen Land-
wehrmusik den Grundstock für eine bis heute ungebrochene und lebendige
Musikkultur in der ehemaligen Freien Reichsstadt Nördlingen gelegt. Seine
Leistungen würdigte der Vorstand des Musikvereins im Rechenschaftsbericht
vom 1. Dezember 1830 — fast auf den Tag genau fünf Jahre nach der Gründung:

---

[10] Ebda., Schreiben des Königl. Protestantischen Konsistoriums in Ansbach vom
27. August 1824.

[11] Ebda., Verzeichnis derjenigen Compositionen und der dabei gehabten Auslagen
für Papier und Schreibgebühren, welche Unterzeichneter vom Janr. 1828 bis
Octbr. 30 für die Kirche geschrieben hat.

[12] Protokollbuch Musik- und Gesangverein Nördlingen 1825—1838, fol. 7. Proto-
koll der Gründungsversammlung vom 30. Nov. 1825 ebda., fol. 3.

„Wer erinnert sich nicht noch des Entstehens dieser Gesellschaft, was waren wir vor 5 Jahren zu leisten im Stande? höchstens Quartette und Quintette, denn es fehlte an Musikern und Instrumenten, bis die Oeconomie Commission des Landwehr Bataillons für die Landwehr Musik, deren Leitung Buck ebenfalls anvertraut war, Instrumente anschaffte und zu gleicher Zeit erlaubte, daß diese Instrumente bei den Unterhaltungen des Musik Vereins benützt werden konnten. Unter Bucks Leitung wurden nun verschiedene Jünglinge unterrichtet, zur Deckung der Kosten verstanden sich edle Menschenfreunde zu vierteljährigen Beiträgen, welche leider zu bald aufhörten. So stieg die Musik von Stufe zu Stufe, und Bucks rastlose, uneigennützige Thätigkeit brachte es dahin, daß wir in der letzten Zeit Sinfonien mit Besetzung von 15 Stimmen und 13stimmige Harmonie und Blech Musik aufführen hören konnten. Unter Buck's Leitung bildete sich auch jener Gesang-Verein, der so oft zum Vergnügen der Gesellschaft beigetragen hat, und dessen Seele Buck ebenfalls war."[13]

Auch in Nördlingen kann also ein Charakteristikum des Musikvereins der Biedermeierzeit, „das Ineinandergreifen von geselliger Kultur, Bildungsfunktion und bürgerlicher Repräsentanz" (Carl Dahlhaus), nachgewiesen werden.[14] Zwei ausgewählte Programme vom 16. Dezember 1829 und 6. Januar 1830 geben einen Einblick in das typische gemischte und möglichst viele Gattungen und Musizierformen berücksichtigende Angebot: Symphonie, Kammermusik, virtuose oder gefühlvolle Solostücke, Oper, Chormusik mit und ohne Begleitung sowie Blasmusik.

Musik Verein

in

Nördlingen

Abendunterhaltung am 16. Dezember 1829

*Erste Abtheilung*

1) Sinfonie von Pleyel
2) Quintetto für Flöte, Horn, Violin, Viola
   und Violoncello von Witt
3) Gesang für Maenner Chor von Silcher

*Zweite Abtheilung*

1) Duetto für 2 Violinen von Sitter
2) 2 Chöre mit Musikbegleitung aus Pretiosa
   von Carl Maria von Weber
3) Thema mit Variationen u. 1 Allegretto für Blechmusik
   von Herrn Buck[15]

---

[13] Ebda., fol. 170.
[14] D a h l h a u s , S. 142.
[15] Protokollbuch Musik- und Gesangverein Nördlingen 1825—1838, fol. 154.

Musik Verein
in
Nördlingen
Abendunterhaltung am 6. Januar 1830

*Erste Abtheilung*

1) Sinfonie von Mozart
2) Romanze aus der Oper „Jacob u. seine Söhne" v. Mehul
   vorgetragen von Herrn Buck
3) Andante u. Menuetto aus obiger Synfonie
4) Duetto aus der Oper „Camilla" von Paer
   vorgetragen von Fräulein Zorn u. Herrn Buck

*Zweite Abtheilung*

1) Große Baß Arie von Maurer
   vorgetragen von Herrn Buck
2) Quartetto mit obligater Clarinette von Göpfert
   vorgetragen von Georg Klingler
3) Chor mit Echo aus Pretiosa von C. M. v. Weber
   vorgetragen von den Mitgliedern des Gesang Vereins
4) Blech Musik von Herrn Buck[16]

Es gelang dem Musikdirektor nicht nur, sämtliche musikalischen Kräfte im instrumentalen und vokalen Bereich zu mobilisieren und für gemeinsame ,Produktionen' im Musik-Verein zu gewinnen, sondern mit einer sorgfältigen Programmauswahl auch den personellen Bedingungen — Berufsmusiker, Dilettanten, Lehrer, Schüler — sowie den Neigungen und der Erwartungshaltung der bürgerlichen „Geschmacksträgerschicht" Rechnung zu tragen.[17] Mit eigenen Auftritten und Werken war diesen Problemen am geschicktesten zu begegnen, wobei zugleich die persönlichen künstlerischen und kompositorischen Qualitäten unter Beweis gestellt werden konnten. Das Repertoire reicht von Klavierimprovisationen über vorgegebene Themen, Hornquartetten, Grabgesängen und anderen vertonten ,Prologen' von Vereinsmitgliedern für Männerchor, Walzern, Polonaisen und Potpourris für Harmonie- und Blechmusik bis hin zu Arrangements von Hummel-Divertimenti und Auszügen von Opern Aubers und Boieldieus.

Nicht nur in den Programmen, sondern auch in den ,Verzeichnissen der dem Musik-Verein gehörigen Musikalien' spiegeln sich das Standardreper-

---

16 Ebda., fol. 158.
17 Vgl. D a h l h a u s , S. 34 ff.

toire und der Geschmack der Zeit wider. In dem 1832 für Bucks Nachfolger Wilhelm Kündinger angelegten Inventar sind neben Orchester- und Kammermusikwerken von Haydn, Mozart, Weber oder dem Wallersteiner Ignaz von Beecke Ouvertüren und Auszüge aus Opern von Auber, Paer, Rossini oder dem Münchener Peter von Winter aufgeführt. Handschriftliche und gedruckte Sammlungen für Harmonie- und Blechmusik, namentlich von dem Würzburger Militär-Musikdirektor Joseph Küffner, stehen neben zeitgenössischen Männerchorsammlungen wie ‚Kreuzers vierstimmige Gesänge‘, dem ‚Stuttgarter Liederkranz‘ oder Heften des ‚Orpheus‘.[18] ‚2 Parthien Tänze‘ und Chorsätze von Buck fehlen ebensowenig wie ‚Gesänge von Mühling, Marschner und Schneider‘ oder ‚Der bairische Schützenmarsch‘ von Joseph Hartmann Stuntz.[19] Bemerkenswert im Hinblick auf Besetzungsfragen und eventuelle instrumentationstechnische Neuerungen scheinen Anmerkungen wie „12stimmige Harmonie Musik, hat [Stadtmusiker] Möhnle die 1 chromat. Tromp. u. die Clapphornstimme".[20] Unter den Kompositionen für Männerchor mit Bläserbegleitung finden sich ‚Kriegslieder für 4 Singstimmen nebst Militair Musik‘, ‚Gebet während der Schlacht für 4 Singstimmen mit 3 Hörner, 1 Trompete u. Trommel‘, ‚Schillers Ode an die Freude für 4 Singstimmen mit 4 Hörner‘ und ein ‚Postillionslied für 4 Singstimmen mit Posthorn‘.[21]

Die eigentliche musikgeschichtliche Bedeutung von Bucks Wirken in Nördlingen darf jedoch nicht nur unter dem lokal begrenzten Blickwinkel gewürdigt werden: Die Musikkultur der Biedermeierzeit ist undenkbar ohne ein dichtes menschliches, institutionelles und künstlerisch-musikalisches Beziehungsgeflecht.

Am 29. März 1825 starb der letzte amtierende Hofkapellmeister von Oettingen-Wallerstein, Johann Andreas Amon. Die Gründung des Nördlinger Musikvereins im selben Jahr fällt zeitlich zusammen mit dem Niedergang der benachbarten fürstlichen Hofmusik, der seit dem Tod des Fürsten Kraft Ernst 1802 und Ignaz Franz von Beeckes im folgenden Jahr nicht mehr aufzuhalten war:

> „Dem Versuch des Fürsten Ludwig, nach seinem Regierungsantritt im Jahr 1812 die Hofmusik wieder zu beleben, war auf die Dauer kein Erfolg beschieden. Er hat zwar noch mit Franz v. Destouches und Johann Amon zwei Hofkapellmeister berufen und er hat durch die Gründung einer Quar-

---

[18] Protokollbuch Musik- und Gesangverein Nördlingen 1847—1876, fol. 255 f., Nrn. 13, 24, 25, 28, 29.

[19] Ebda., Nrn. 18, 20, 26, 27.

[20] Ebda., Nr. 31.

[21] Ebda., Nrn. 30, 32, 33, 34, 35.

tettschule und einer Singschule versucht, den Nachwuchs für die Hofkapelle am Ort selbst heranbilden zu lassen. Selbst der Chorregent mußte bei seiner Anstellung 1821 sich noch verpflichten, für eine vollständige Musik des Landwehr-Bataillons Wallerstein durch die Ausbildung junger Leute zu sorgen, die dann auch für die Hofmusik zur Verfügung stehen sollten. Ohne größeren finanziellen Aufwand war aber auch auf solchen Grundlagen kein leistungsfähiges Orchester mehr aufzubauen."[22]

Infolge des Abgangs von Instrumentalisten war die Hofkapelle 1817 nicht mehr in der Lage, bestimmte Werke aufzuführen. Bezeichnenderweise klagt die Hofintendanz am 17. Januar 1818, „es könne hier keine Ouverture gegeben werden, ohne den Kontrabassisten Hetsch von Nördlingen kommen zu lassen".[23] Damit ist das Augenmerk auf eine aus dem Kurpfälzischen stammende Musikerfamilie gelenkt, die seit etwa zweieinhalb Jahrhunderten die Stadtpfeifer in der Riesmetropole stellte.[24] Ein Mitglied, Johann Paul Hetsch, zog Ende des 17. Jahrhunderts ins Württembergische und wurde der Stammvater der Stuttgarter Musikerdynastie, der auch der Geschichts- und Bildnismaler Philipp Friedrich (v.) Hetsch (1758—1838)[25] und der spätere Mannheimer Musik- und Chordirektor Ludwig Hetsch (1806—1872)[26] angehören. Die weite Verbreitung der Familie Hetsch in Schwaben — wovon hier nur auf zwei Hauptzentren verwiesen werden konnte — mag an den heuristi-

---

[22] Volker von V o l c k a m e r, *Geschichte des Musikalienbestandes*, in: Gertraud H a b e r k a m p, *Thematischer Katalog der Musikhandschriften der Fürstlich Oettingen-Wallerstein'schen Bibliothek Schloß Harburg*, München 1976 (= Kataloge bayerischer Musiksammlungen 3) S. XII. Vgl. auch Adolf L a y e r, *Glanzzeit und Niedergang der Wallersteiner Hofmusik*, in: Der Daniel 5, 1969, H. 2, S. 1—4 und 45 (= erweiterte Fassung des Art. *Wallerstein*, in: MGG 14, Kassel 1968, Sp. 169—173). — Als letzter hatte Johann Michael Mettenleiter († 1859) seit 1825 die bedeutungslos gewordene Hofkapellmeisterstelle dem Titel nach inne.

[23] Ludwig S c h i e d e r m a i r, *Die Blütezeit der Öttingen-Wallerstein'schen Hofkapelle*, in: Sammelbände der Internationalen Musikgesellschaft 9, 1907/08, S. 116. Vgl. auch H a b e r k a m p, S. 150 (Mitwirkung bei einer Aufführung von Pergolesis Stabat mater f-moll).

[24] Vgl. vorläufig Daniel Eberhard B e y s c h l a g / Johannes M ü l l e r, Art. *Hetsch*, in: Beyträge zur Nördlingischen Geschlechtshistorie II, Nördlingen 1803, S. 205—213 und Th. H a u c h - F a u s b ø l l, Slaegthaandbogen 1, 1900, S. 360—363: Von 34 in Nördlingen ansässigen Familienmitgliedern, deren Lebensstellung bis Ende des 19. Jahrhunderts bekannt ist, waren 24 Musiker. — Siehe auch Gustav W u l z, *Nördlingen — Porträt einer Stadt*, Oettingen/Bayern 1965, S. 100 u. 188. — Eine genealogische Studie vom Verf. dieses Aufsatzes ist in Vorbereitung.

[25] Vgl. A. W i n t t e r l e i n, Art. *Hetsch*, in: ADB 12, Leipzig 1880, S. 320—321 und Paul K ö s t e r, in: NDB 9, Berlin 1972, S. 27—29.

[26] Vgl. K l ü p f e l, Art. *Hetsch*, in: ADB 12, Leipzig 1880, S. 319—320. Ludwig Hetsch wirkte mit Friedrich Silcher an der Gestaltung des ‚Musikalischen Volksblattes, vorzugsweise für Dilettanten mit besonderer Rücksicht auf Singvereine, Liederkränze und Volkslehrer', Stuttgart 1842—1852 mit.

schen Wert genealogischer Forschungen in Verbindung mit musiksoziologischen Fragestellungen erinnern.[27]

Bereits 1820 wurde in Wallerstein die erste bürgerliche musikalische Liebhaber-Gesellschaft ‚Casino' gegründet, aus der 1832 die Harmonie-Gesellschaft hervorging; 1838 konstituierte sich ein Sextett-Verein.[28] Nicht nur hier spielten die fürstlichen Beamten und überlebenden Hofmusiker eine führende Rolle: „Sämtliche Herren Dilettanten von Wallerstein und Stadtmusiker von Oettingen" wirkten bereits beim „ersten großen Vocal und Instrumental Concert" des Nördlinger Musik-Vereins am 3. März 1826 mit.[29] Angehörige der Musikerfamilien Link, Zwierzina, Weinhöppel, die z. T. noch die glanzvolle Ära unter Rosetti miterlebt hatten, bereicherten das Programm mit Kammermusikwerken und Solokonzerten und konnten ihre Erfahrungen der neuen Generation weitergeben. Zugleich bot das Zusammenspiel von höfischen und städtischen Berufsmusikern einen unmittelbaren Leistungsvergleich und trug zweifellos entscheidend zu einer Anhebung des allgemeinen musikalisch-technischen und -künstlerischen Niveaus bei.

Traditionsgebundenheit und Auseinandersetzung mit den Anforderungen der neuen Zeit spiegeln sich besonders deutlich in der Geschichte der Nördlinger Stadtmusik wider. Hier ist familienübergreifenden freundschaftlichen und beruflichen Kontakten, die sich zwangsläufig während der Lehr- und Wanderjahre, später vor allem der Militärmusikzeit der Stadtmusiker ergaben, besondere Aufmerksamkeit zu schenken. So bewarb sich beispielsweise 1827 der aus Nördlingen stammende Heinrich Hetsch, ‚derzeit Hautboist im Kgl. Bairischen 11ten Linien-Infanterie-Regiment in Lindau', um die VI. Stadtmusikusstelle in der Vaterstadt mit einem Zeugnis des Musikdirektors Fischer aus Kempten, daß der Bewerber „sich bei mehreren Instrumenten als /: Poßaun-Cornu-Trompetto-Clarinetto et Baßetto :/ sehr brauchbar zeigte."[30] Der aus solchen Begegnungen resultierende Informationsfluß blieb

---

[27] Vgl. hierzu Hans E r d m a n n , Die Musikerfamilie Braun, in: Mf 12, 1959, S. 184—186 und in diesem Zusammenhang Werner B r a u n , Entwurf für eine Typologie der „Hautboisten", in: Der Sozialstatus des Berufsmusikers vom 17. bis 19. Jahrhundert, hg. von Walter S a l m e n , Kassel 1971 (= Musikwissenschaftliche Arbeiten 24), S. 43—63, bes. S. 49 Anm. 54 und Christoph-Hellmut M a h l i n g , Herkunft und Sozialstatus des höfischen Orchestermusikers im 18. und frühen 19. Jahrhundert in Deutschland, in: ebda., S. 103—136 bes. S. 109 f.

[28] V o l c k a m e r , a.a.O.

[29] Protokollbuch Musik- und Gesangverein Nördlingen 1825—1838, fol. 12—13.

[30] Stadtarchiv Nördlingen, Bestand Reichsstadt, Handwerkerakten — Stadtmusik 1821—1842, Fasz. Die Erledigung und Wiederbesetzung der VI. Stadtmusikusstelle dahier durch den Heinrich Hetsch 1827, Bewerbungsunterlagen.

nicht ohne Folgen. Im Februar 1842 mußte sich z. B. der Nördlinger Magistrat mit einer ungewöhnlichen Beschwerde beschäftigen: Die Stadtmusiker hatten mit dem Hinweis auf die Verwendung der neuen „chromatischen Trompeten" kurzerhand ihre Taxen erhöht.[31]

Während über das Zunftwesen die traditionellen Bindungen der ehemaligen Reichsstädte untereinander bis in die Mitte des 19. Jahrhunderts hinein deutlich sichtbar blieben, kam es über die Lehrerbildung, die in ihren Anfängen in manchen Zügen — etwa in der Ausbildungsstruktur — durchaus noch an Zunftvorbilder erinnerte, zu neuen Kontakten. In seinen ausführlichen ‚Gutachten und Vorschlägen zur Hebung der Musik in hiesiger Stadt' vom 22. Januar 1845 verwies der Nördlinger Gewerbslehrer Paul Haid darauf, daß das Musik-Vereins-Orchester „nicht gerade schlecht, aber nicht im Stande wäre, die großen Symphonien von Bethhoven, Mozart, Schneider, Kalliwoda, Onslow und anderen gut [unterstrichen] vorzutragen."[32] Im Vergleich hierzu hätten Memmingen und Kaufbeuren weitaus bessere Voraussetzungen geschaffen. Dem Memminger Musikdirektor Carl August Schügens z. B. waren um 1825

> „alle Stadtmusiker und alle Handwerker, welche die Musik als Nebenverdienst trieben, streng subordiniert. Er dirigierte die Kirchenmusik, die Musik im Theater, in Konzerten, er war Intendant beim Landwehrbataillon und beaufsichtigte die Tanzmusiken. Nur er allein wies jedem Musiker seinen Platz an, und jeder mußte gehorchen."[33]

Haid stellte ferner nachdrücklich die wohldurchdachte Ausbildung für mehrere Instrumente in Memmingen und Kaufbeuren und die Einrichtung von „Vorspielabenden" in den unterschiedlichsten Besetzungen als nachahmenswertes Beispiel vor. Seine eigenen Vorschläge gipfelten in der Forderung:

> „Jeder Stadtmusiker müßte mir folgende Instrumente spielen und blasen koennen: Violin, Violoncello, Kontrabaß, Horn, Trompete und Posaune."[34]

Musikgeschichtlich aufschlußreicher als die offenkundige Absicht des Nördlinger Lehrers, den städtischen Musikdirektor in seinen ständigen Bemühungen um „Hebung der Musik" nachdrücklich zu unterstützen, scheint

---

[31] Ebda., Fasz. Funktion der Stadtmusici und deren Bezüge Februar 1842.
[32] Stadtarchiv Nördlingen D 3 Bd. 2, Die Unterstützung des Musikers Hofstaetter resp. Die Hebung des Gesanges und der Musik Sept. 1844, fol. 32v.
[33] Ebda., fol. 33v. Vgl. Felix O b e r b o r b e c k , *Die Musikpflege in Memmingen*, in: ZfMw 5, 1922/23, S. 598—612.
[34] Stadtarchiv Nördlingen D 3 Bd. 2, fol. 41.

hier die bewußte Verknüpfung von Lehrer- und Militärmusiker/Stadtmusiker-Ausbildung zu sein.[35]

Angesichts des geradezu explosionsartig aufblühenden Männerchorwesens — die Bildung von Gesangvereinen war 1836 durch ministeriellen Erlaß angeregt worden — hatten sich die Nachfolger Bucks mit bisher unbekannten organisatorischen Belastungen auseinanderzusetzen, 1840 etwa anläßlich des Sängerfestes in Nördlingen, an dem über zwanzig Gastvereine teilnahmen[36], 1841 angesichts der Gründung des Konkurrenzvereins ‚Schützenliederkranz‘.[37] Sängertreffen und -wettstreite schufen günstige Bedingungen für neue Kontakte, Repertoire- und Leistungsvergleiche und prägten nachhaltig den musikalischen Geschmack.[38]

Wie in Nördlingen bestand Anfang der dreißiger Jahre auch in Bayreuth ein ‚Konzertverein‘, in dem Dilettanten und Militärmusiker vom 13. Infanterie-Regiment unter der Leitung des damaligen Hauptmanns Pfretschner miteinander musizierten.[39] Erwartungsgemäß suchte der neue Stadtkantor Buck seine gewohnten Aktivitäten zu entfalten.[40] Bereits am 17. August 1831 leitete er das Orchester anläßlich einer vielbeachteten Aufführung von Aubers ‚Stumme von Portici‘.[41] Nach dem Wegzug Pfretschners setzte er zusammen mit dem Stadtmusikus Geißer die nach dem Gasthof ‚Zum Anker‘ benannten „Ankerkonzerte" fort und entfaltete in der Zusammenarbeit mit der

---

[35] Haid empfiehlt in diesem Zusammenhang, den Instrumentalunterricht mit der Violine zu beginnen und erst später Blasinstrumente zu erlernen.

[36] Stadtarchiv Nördlingen E IV/3 Bd. 1, Fasz. Das im Jahre 1840 dahier abzuhaltende Gesangfest 1839, bes. fol. 32—56: Das Gesangfest zu Nördlingen am 13. Juli 1840. Ein Gedenk- und Erinnerungsblatt an dasselbe.

[37] Die beiden Vereine fusionierten erst 1933.

[38] In einem Schreiben an das Komitee des allgemeinen Gesangfestes in Nördlingen vom 29. Juni 1840 sicherten alle Musikdilettanten aus Donauwörth zu, „nach Kräften sowohl bei der Instrumental- als bei der Vokalmusik mitzuwirken. Es werden 3 verläßige Violinisten, 1 Altviolist, 1 Violonzellist, 2 Hornisten und ein Baßposaunist erscheinen, und diese können sich nach Umständen auch bei den Gesangparthien verwenden lassen. Ein Gesangverein besteht dahier nicht, deßhalb konnte den frühern ... Einladungen ... nicht dahin entsprochen werden." Protokollbuch Musik- und Gesangverein Nördlingen 1839—1846, fol. 132—132v.

[39] Vgl. Heinrich S c h m i d t , *Geschichte des Musikvereins Bayreuth von 1860 bis 1903*, Festgabe zur 200. Aufführung, Bayreuth 1903, S. 5 f.

[40] Vgl. im folgenden Karl H a r t m a n n , *Aus dem geistigen Leben Bayreuths nach den Befreiungskriegen bis zum Wetterjahr 1848*, in: Archiv für Geschichte und Altertumskunde von Oberfranken 33, 1938 (H. 3), S. 65—115 und ders., *Aus dem geistigen Leben Bayreuths in den Jahrzehnten vor dem Eintreffen und Eingreifen Richard Wagners*, in: Ebda., 34, 1940 (H. 2), S. 1—35.

[41] H a r t m a n n , Archiv 33, 1938, S. 93.

Bayreuther Sängerin und Pianistin Maria Molendo eine rege Tätigkeit, wobei er auch als Baßsänger — 1838 etwa in einem Duett aus der ,Schöpfung' — erfolgreich war.[42] Als sich der ,Konzertverein' nach einigen Jahren auflöste, wurde der größte Teil des Notenmaterials — „143 Nummern für Orchester, zumeist Sinfonien, Ouvertüren und Konzertstücke der klassischen und nachklassischen Zeit" — unter dem Namen ,Stadtmusikus Geißer'sche Verlassenschaft' dem Inventar des Kgl. Gymnasiums Bayreuth einverleibt.[43] Diese Musikaliensammlung ist z. Zt. leider nicht auffindbar.[44]

Gymnasiallehrer riefen in den vierziger Jahren einen ,Gesangverein' ins Leben, der unter der Leitung Bucks Oratorienmusik pflegte.[45] Nach dem erfolgreichen Auftritt eines Männerquartetts 1843 konstituierte sich am 4. April 1844 eine Chorvereinigung, die sich nach einer für die Entwicklung des Männerchorwesens in dieser Region aufschlußreichen Abstimmung für die bekanntlich für Süddeutschland charakteristische Namensgebung „Liederkranz" gegen „Liedertafel" entschied.[46] Der erste Dirigent wurde bezeichnenderweise ebenfalls Friedrich Buck, der bereits bei seinem Wegzug von Nördlingen die Notenausgabe des ,Stuttgarter Liederkranzes' nach Bayreuth mitgenommen hatte und somit als Mittelsmann zum ostfränkischen Raum angesehen werden darf.[47] Buck richtete auch eine „Gesangschule" für die Chorsänger ein, so daß er sich tatsächlich wieder „in allen Sätteln tummelte", wie der Bayreuther Musikhistoriograph Karl Hartmann zutreffend bemerkt.[48] Analog zu seiner Nördlinger Zeit komponierte der Stadtkantor Männerchorsätze und arrangierte Orchesterbegleitungen, z. B. zu bekannten Chorwerken des Dresdeners Julius Otto. Seine Dirigententätigkeit beim ,Liederkranz' beendete er offiziell am 8. Dezember 1852 mit einer Aufführung von Franz Abts Zyklus ,Der Sängertag'; den ,Gesangverein' leitete er noch 1856.[49]

---

[42] Ebda., S. 105.

[43] S c h m i d t , a.a.O.

[44] Freundliche Auskünfte von Herrn Oberstudiendirektor Heinz H u t z e l m e y - e r , Gymnasium Christian-Ernestinum Bayreuth, vom 20. Januar 1983, von Frau Irmgard W o p p e r e r , Stadtarchiv Bayreuth, vom 1. Dezember 1982 und von der Universitätsbibliothek Bayreuth, vom 15. August 1983.

[45] S c h m i d t , S. 6.

[47] Protokollbuch Musik- und Gesangverein Nördlingen 1847—1876, fol. 255v, Nr. 28. Vgl. Anm. 18.

[48] H a r t m a n n , Archiv 33, 1938, S. 112. Vgl. Stadtarchiv Bayreuth, Vereinsverzeichnis der Stadt Bayreuth, angelegt 1850, Archiv-Sign. 2776 (Musik- und Gesangvereine 19. Jh.) und ebda., Acta des Magistrats, Archiv-Sign. 15882 (nur Liederkranz betr.). Für die freundliche Überlassung von Kopien zur Überprüfung der Daten sei dem Stadtarchiv Bayreuth bestens gedankt.

[49] Steichele, S. 78. Stadtarchiv Bayreuth, Archiv-Sign. 2776.

Auch im Bereich der Kirchenmusik trat Friedrich Buck in den dreißiger und vierziger Jahren mit besonderen Aktivitäten hervor. Zwei Jahre nach der probeweisen Einführung eines neuen bayerischen protestantischen Gesangbuchs gab er 1839 zusammen mit C. W. L. Wagner aus Kirchrüsselbach ein ‚Choralbuch' mit schlichten vierstimmigen Sätzen für Männerchor heraus, wobei „Sing-Uebungen" und die namentlich hervorgehobenen Adressaten — Seminaristen — erneut auf die didaktischen und pädagogischen Intentionen des als Lehrer ausgebildeten Kirchenmusikers verweisen.[50] In den folgenden Jahren setzte er sich u. a. für die Beibehaltung von „Local-Melodien" ein und empfahl nachdrücklich die Einführung und Einübung „revidierter" Choralmelodien in den Schulen.[51] Zur Festigung seiner beruflichen und sozialen Stellung trugen zweifellos auch die Heirat seiner ältesten Tochter mit dem Bayreuther Orgelbauer Karl Ernst Ludwig Weineck 1845 und die Niederlassung seines Neffen Heinrich Buck aus Bopfingen in Württemberg, eines Schülers von Weineck, im Jahre 1863 bei.[52]

Bucks Rückzug aus dem öffentlichen Musikleben nach der Jahrhundertmitte darf im historischen Kontext als sichtbares Zeichen eines Generationenwechsels gewertet werden. Als der 1824 in Bayreuth geborene Lehrer und Stiftskantor in St. Georgen Friedrich Fichtelberger im Jahre 1860 den ‚Musik-Dilettanten-Verein Bayreuth' gründete, gehörte Buck nicht mehr zu den Mitgliedern.[53] 1854 war Dr. Lorenz Kraußold Konsistorialrat und Hauptprediger in Bayreuth geworden. Sein Eintreten für die Wiederbelebung der „rhythmischen", d. h. nichtisometrischen Gestalt der Gemeindeliedweisen ist ebenso bekannt wie seine Funktion im ‚Historisch-politischen

---

[50] Bayreuth 1839. Vgl. hierzu Landeskirchliches Archiv Nürnberg, Bestand Dekanat Bayreuth, Nr. 657 und Nr. 742, fol. 5.

[51] Ebda., Nr. 742, fol. 14 ff., 25 ff.

[52] Daniel Heinrich Buck (* 25. März 1833 als Sohn des Johann Christian Buck [1807—1837]) reist nach dem Tode des Vaters am „4./5. April 1837 nach Baireuth zum Onkel Cantor u. Musikdirektor Buck, der ihn erziehen will — kommt d. 30. Nov. [Mai?] 1847 zu einem Schreiner in Augsburg in die Lehre." Ev. Pfarramt Bopfingen, Fam.-Reg. I, S. 63. Buck wurde Orgelbaulehrling bei März in München bis 1854 und kam dann über Regensburg wieder nach Bayreuth. Nachdem er sich selbständig machen konnte, belieferte er Schwaben, Mittelfranken und die Oberpfalz. Er starb am 24. Januar 1883 in Bayreuth. Hermann F i s c h e r / Theodor W o h n h a a s, *Bayreuther Orgelbauer in der zweiten Hälfte des 19. Jahrhunderts,* in: Archiv für Geschichte von Oberfranken 51, 1971, S. 225 f. — 1861 ist Heinrich Buck, Orgelbaugehilfe, als Vorstand der Gesellschaft ‚Concordia', eines Vereins zur geselligen Unterhaltung, belegt. Stadtarchiv Bayreuth, Verzeichnis über die im Stadtbezirk Bayreuth bestehenden nicht politischen Vereine, Archiv-Sign. 16647 (Gesang- und Musikvereine vor 1890).

[53] Schmidt, S. 7 ff.

Kränzchen' und der enge Kontakt zu Haus Wahnfried.[54] Den Namen Buck
wird man in der einschlägigen Wagner-Literatur dagegen vergeblich
suchen.[55] Wie aus der Chronik des ‚Liederkranzes‘ hervorgeht, blieb der
Stadtkantor lediglich diesem Bayreuther Verein als Ehrendirigent verbunden
und schrieb zu verschiedenen Anlässen Festgesänge.[56] 1875 wurde er zum
Ehrenmitglied des ‚Musik-Vereins‘ Nördlingen ernannt.[57] Friedrich Buck
konnte 1880 sein 50jähriges Stadtkantorjubiläum feiern; er starb an seinem
80. Geburtstag, den 21. August 1881.[58] Im Nachruf des ‚Bayreuther Tagblat-
tes‘ vom folgenden Tag heißt es:

> „In ihm geht ein treuer Lehrer, ein hochgefeierter Orgelspieler und Kir-
> chengesangcomponist, ein mackelloser, mannhafter Charakter zu Grabe.
> Seine Schüler und Schülerinnen zählen nach Tausenden, und sie Alle wer-
> den den Hingang dieses braven, allzeit ernsten, der strengen classischen
> Schule angehörigen Lehrers tief bedauern. An seine Person knüpft sich die
> Erinnerung an eine glanzvolle, vorher in Bayreuth nie gekannte Entwick-
> lung, namentlich classischer Musik."[59]

Das pädagogische Wirken des Stadtkantors war bezeichnenderweise den
Zeitgenossen am lebendigsten in Erinnerung geblieben. Trotz seines 50jähri-
gen Wirkens in Bayreuth erhärtet sich der Eindruck, daß die musikgeschichtlich bemerkenswerteste Leistung Bucks im Aufbau des Nördlinger Musiklebens zu einem für das musikalische Vereinswesen in Bayern relativ frühen
Zeitpunkt zu sehen ist. Die wenigen überkommenen gedruckten Kompositionen für Klavier und Männerchor — Manuskriptsammlungen scheinen verlorengegangen zu sein — lassen jedenfalls kaum personalstilistische Eigen-
arten erkennen und brauchen nicht „der Vergessenheit entrissen" zu werden.[60] Als geschickter und vorausschauender Organisator gab Buck in der

---

[54] Franz K r a u t w u r s t, Art. *Kraußold*, in: NDB 12, Berlin 1980, S. 721—722.

[55] Vgl. Carl Fr. G l a s e n a p p, *Das Leben Richard Wagners in sechs Büchern*, Leipzig 4/1907, Bd. 5, Sechstes Buch, erste Hälfte: Bayreuth (1872—77), S. 6 ff.

[56] S t e i c h e l e, S. 11 (1860), 16 (1869).

[57] Protokollbuch Musik- und Gesangverein Nördlingen 1847—1876, foll. 390 (Proto-koll vom 16. Dezember 1875), 402 f., 405.

[58] Evang.-Luth. Pfarramt Bayreuth-Stadtkirche, Sterbebuch 1881, S. 33, Nr. 198. Herrn Pfarrer i. R. Johannes W i l f e r t sei für seine Auskünfte freundlichst ge-dankt.

[59] Bayreuther Tagblatt vom 22. August 1881.

[60] Vgl. ‚Sechs Walzer für großes Orchester . . ., für's Piano Forte eingerichtet‘, Augsburg, Gombart & Comp. o. J. (Platten-Nr. 982); ‚X Sing- und Trink-Sprüche für 4 Männerstimmen‘, Bayreuth, Buchnersche Buchhandlung o. J.; S e i t z, Nr. 10-12. — Bezeichnenderweise wurde Bucks Bewerbung um die Stadtkantorenstelle in Ans-bach im Januar 1829 nur aufgrund des negativen Eindrucks seiner Prüfungskomposi-tion — „die ganze Kirchenmusik sei ein einziges Quodlibet" — abgelehnt, nach Sin-

161

ersten Hälfte des 19. Jahrhunderts vor allem der Musikkultur in der ehemaligen Reichsstadt Nördlingen und der ehemaligen Residenzstadt Bayreuth vielfältige Impulse und schuf wichtige Voraussetzungen für die Entfaltung musikalischer Talente. Die sich immer deutlicher abzeichnende Eigenentwicklung musikalischer Teilkulturen in der zweiten Jahrhunderthälfte trug zweifellos mit dazu bei, daß ein Charakteristikum der Buckschen Ära, die Vereinigung möglichst vieler und durchaus heterogener Kräfte zu einem gemeinsamen musikalischen und geselligen Erlebnis allmählich abgebaut wurde. 1867 heißt es in einem Aufsatz über ‚Die Weiterbildung eines Lehrers in musikalischer Beziehung': „Vorzüglich möchte ich abrathen, sich der Blechmusik hinzugeben, weil die Schule den jungen Mann schon so sehr anstrengt und in Gesellschaft von solchen Musikern der Mann von besserer Bildung, von Anstand und guten Sitten nicht immer verweilen kann."[61]

---

gen und Instrumentalunterricht hatte er an erster Stelle gestanden. Vgl. Luise M e y e r , *Es begann 1831 . . . Aus der Geschichte des Sing- und Orchestervereins Ansbach. Ein Beitrag zur Geschichte der protestantischen Kantoren und der bürgerlich-kirchlichen Musikpflege in Ansbach*, Ansbach 1982, S. 26. Frau M. A. Rita F i - s c h e r , Bamberg, sei für den Literaturhinweis freundlichst gedankt.

[61] Gualbert W ä l d e r , *Die Weiterbildung eines Lehrers in musikalischer Beziehung*, in: Repertorium der pädagogischen Journalistik 21, 1867, S. 146.

Erich Schneider, Bregenz

## WIE WURDEN RICHARD WAGNERS WERKE IN DER PROVINZ BEKANNT?
## GEZEIGT AM BEISPIEL DES BODENSEERAUMES

Die vorliegende Arbeit erstreckt sich geographisch über den Bodensee-raum, der Region rings um den See, etwa 20 bis 30 km landeinwärts. Poli-tisch entfallen von den 263 km Gesamtlänge des Bodenseeufers 64% auf die BRD, 26% auf die Schweiz und 10% auf Österreich (Vorarlberg).[1] Kulturell ist dieser Raum Provinz. Die Städte sind Mittel- bzw. Kleinstädte, ohne musikalisches Zentrum, und was das Werk Richard Wagners betrifft und da-für von besonderer Bedeutung ist, es gab und gibt im Bodenseeraum kein ständiges Musiktheater. Zeitlich beschränkt sich die Untersuchung auf einen Zeitraum von etwa 1850 bis 1930, also auf eine Zeit, in der zunächst Wagner selbst noch um die Aufführung seiner Werke auf Bühnen kämpfen mußte, und schließlich auf einen Zeitabschnitt, in dem Grammophon und Rund-funk noch nicht als Massenmedien für eine weite Verbreitung der Werke Richard Wagners in Frage kamen. Die Quellen für die Untersuchung stam-men aus der Kantonsbibliothek St. Gallen, den Stadtarchiven Konstanz, Lin-dau, Bregenz und Dornbirn, aus dem Vorarlberger Landesarchiv und dem Vorarlberger Landesmuseum in Bregenz. Das Material für die Studie setzt sich aus rund 4500 Theater- und Konzertprogrammen, aus über 1000 Wochenspielplänen des Stadttheaters St. Gallen sowie aus einschlägigen Zei-tungsberichten zusammen.

Der erste Teil der Arbeit befaßt sich mit der Frage, welche Werke Richard Wagerns zu seinen Lebzeiten im Bodenseeraum bekannt waren. Seit 28. Mai 1849 lebte Richard Wagner in Zürich, am 15. Januar 1850 dirigierte er erst-mals in Zürich, im Winter 1851 dirigierte Wagner drei Beethoven-Konzerte sowie Vorstellungen am Züricher Stadttheater, und Ende April, Anfang Mai 1852 dirigierte Wagner vier Aufführungen seiner Oper „Der fliegende Hol-länder". Am 18., 20. und 22. Mai 1853 stellt Wagner mit größtem Erfolg in drei Konzerten in Zürich seine eigenen Kompositionen vor. Am 20. Februar 1855 leitete Wagner zum letztenmal eine Aufführung seiner Oper „Tannhäu-ser" in Zürich, bei dessen Inszenierung er dort schwere Unzulänglichkeiten des Apparates zu überwinden hatte.[2] Zweifellos hat die Tätigkeit Wagners in

---

[1] *Bodensee,* in: Bodensee und das württembergische Oberschwaben, Grieben-Reise-führer, Band 184, München 1961, S. 10.
[2] M. F e h r , *Richard Wagners Schweizer Zeit,* 2 Bde., Aarau und Leipzig 1934.

Zürich eine Ausstrahlung auf den Bodenseeraum gehabt, zumindest erschienen in der Lokalpresse Notizen über die Konzerte und Opernaufführungen in Zürich.

Zum Freundeskreis Wagners zählte in Zürich der aus Rorschach stammende Musikpädagoge und Liedkomponist Wilhelm Baumgartner (1820–1867), der seit 1845 in Zürich lebte und 1859 Universitätsmusikdirektor wurde.[3] Seit 1854 war der junge St. Galler Musikdirektor Heinrich Szadrowsky (1828–1878) Teilnehmer an Wagners Züricher Konzerten. Szadrowsky hatte in St. Gallen aus Wagners eigener Partitur den „Friedensmarsch" aus „Rienzi" und die „Tannhäuser"-Ouvertüre aufgeführt. Das St. Galler Orchester hatte damals erst einen Konzertwinter hinter sich, war aber an Beethovens Symphonien geschult worden. Durch Vermittlung Szadrowskys dirigierten Franz Liszt und Richard Wagner im Saale des Bibliotheksgebäudes (neues Schulhaus) am 23. November 1856 das dritte St. Galler Abonnementskonzert. Dem Konzert ging ein Briefwechsel Szadrowskys mit Wagner und Liszt wegen des Programms voran. Schließlich einigte man sich darauf, daß Franz Liszt im ersten Teil des Abends seine symphonischen Dichtungen „Orpheus" und „Les Préludes" dirigierte. Dazwischen hat Szadrowsky zwei Romanzen von Christoph Willibald Gluck aus „Armida" und „Iphigenie in Aulis", gesungen von Fräulein Stehle, zur Aufführung gebracht. Im zweiten Teil des Konzertes dirigierte dann Richard Wagner Beethovens „Eroica".[4] Um den hohen Ansprüchen der beiden Gastdirigenten zu genügen, wurden die besten Instrumentalisten aus dem ganzen Bodenseeraum dafür gewonnen. Aus Feldkirch wurden beispielsweise der Chorregent Philipp Schmutzer (1821–1898), ein ausgezeichneter Cellist, und dessen Bruder Wilhelm Schmutzer (1819–1867) als Bratschist und Posaunist verpflichtet. Zum Andenken an dieses Konzert erhielten die beiden Feldkircher Musiker Erinnerungsdiplome, die ihnen die Mitwirkung bestätigen.[5] Über eine Nachfeier im Hotel „Hecht" in St. Gallen erzählt Richard Wagner in seinem Buch „Mein Leben" unter anderem: „Liszt geriet in seiner dithyrambischen Begeisterung so weit, auf eine Mustervorstellung des ‚Lohengrin' in St. Gallen, womit das neue Theater eröffnet werden sollte, anstoßen zu lassen, wogegen niemand etwas einzuwenden hatte." Die Skepsis Wagners kam deutlich in seiner Rede an die St. Galler zum Ausdruck, wenn er sagte: „Lieber kein Theater als ein schlechtes!" Anfang 1857 wurde das St. Galler Theater am Bohl, damals als

---

[3] R. W a g n e r , *Wilhelm Baumgartners Lieder (1852)*, Sämtliche Schriften, Volks-Ausgabe XI, Leipzig, 6. Auflage, 1911.

[4] M. S z a d r o w s k y - B u r c k h a r d t , *Wagner und Liszt in St. Gallen 1856,* in: Schweizerische Musikzeitung 96, 1956, Heft 12, S. 476 ff.

[5] M. A. G e t z n e r , *Die Musikerfamilie Schmutzer. Biographie und Werkverzeichnis,* hg. von der Rheticus-Gesellschaft, Feldkirch-Dornbirn 1981, S. 32/33.

modernstes und schönstes Theater der Schweiz bezeichnet, eröffnet, allerdings nicht mit Wagners „Lohengrin", sondern mit Mozarts „Don Juan" in deutscher Fassung.[6]

Zweifellos haben die Militärkapellen des Bodenseeraumes einen besonders großen Anteil an der Verbreitung der Werke Richard Wagners. Auffällig dabei ist, daß zunächst die Ouvertüre zu „Rienzi" am häufigsten auftaucht. Vermutlich besteht ein Zusammenhang mit der Aufführung der „Rienzi"-Ouvertüre am 23. Oktober 1858 am Markusplatz in Venedig, wo das Musikkorps der österreichischen Kriegsmarine unter Kapellmeister Rudolf Sawerthal (1819—1893) Konzerte gab. Ein herzliches Dankschreiben Richard Wagners, der die Aufführung von Kapellmeister Sawerthal lobte, dürfte dazu beigetragen haben, daß sich auch andere Kapellmeister der „Rienzi"-Ouvertüre annahmen.[7]

Während die Militärkapellen schon zu Lebzeiten Wagners zu den mutigen und unentwegten Wegbereitern der Werke Wagners gehörten, findet man nur selten in den Programmen der singenden und klingenden Vereine des Bodenseeraumes Wagners Werke vertreten. Bloß die 1859 gegründete Orchestergesellschaft Dornbirn unter der Leitung von August Rhomberg (1838—1912), dem Prokuristen der Firma Rhomberg, der selbst auch einige Kompositionen hinterließ, macht eine Ausnahme. Seit 1872 wirkte dann in Dornbirn Anton Torggler (1838—1887), ein gebürtiger Südtiroler, als Musikdirektor für Kirche, Konzert und Musikkapelle. Torggler, Gründer des akademischen Gesangsvereines und dessen Leiter in Innsbruck sowie Dirigent am Innsbrucker Stadttheater, hat gewiß schon Werke Wagners gekannt. Am 17. August 1876 führte er mit der Dornbirner Orchestergesellschaft das Lied „An den Abendstern" aus Wagners „Tannhäuser" in seiner eigenen Orchestrierung auf. Am 27. April 1877 folgte eine Wiederholung, und in einem Benefizkonzert am 10. April 1881 dirigierte Torggler den Festmarsch aus „Tannhäuser".[8]

---

[6] R. W a g n e r , *Mein Leben*, Vollständige, kommentierte Ausgabe, München 1963, S. 555—556.

[7] E. R a m e i s , *Die österreichische Militärmusik — von ihren Anfängen bis zum Jahre 1918*, Tutzing 1976, S. 122; L. A. W e i d i n g e r , *Richard Wagner und die österreichische Militärmusik in Venedig*, Wiener Zeitung Nr. 155, 6. Juli 1963.

[8] *Gedenkschrift* zur Feier des 25jährigen Bestehens der Orchester-Gesellschaft und des „Männerchor" zu Dornbirn am 14. Dezember 1884; E. S c h n e i d e r , *Vorarlberger Musikerporträt: Anton Torggler*, in: Vorarlberger Volksblatt vom 12. November 1960.

Im Winter 1876/77 wurde nach dem Vorbild der Leipziger Gewandhaus-konzerte ein provisorischer Konzertverein der Stadt St. Gallen gegründet, der in der nächsten Saison seine Tätigkeit aufnahm. Ziel des Vereins war es, bei jedem Konzert eine Symphonie als Hauptnummer und weitere Orche-sterstücke aufzuführen sowie den Solovortrag eines auswärtigen Künstlers einzubauen. Der Konzertverein der Stadt St. Gallen erhielt Verstärkung durch Militärmusiker der Regimentsmusik Konstanz. Joseph Laible behaup-tet in seiner „Geschichte der Stadt Konstanz", daß die Konstanzer Regi-mentsmusik die St. Galler Winterkonzerte eingeführt habe und die Fest-musik der Ostschweiz gewesen sei. Als erstes Werk Wagners stand bei den St. Galler Abonnementskonzerten der Saison 1877/78 die Ouvertüre zu „Rienzi" auf dem Programm. In den folgenden Jahren bis 1883 kamen dazu das Vorspiel zu „Lohengrin", der Brautchor, der Zug der Frauen und das Finale des 1. Aktes sowie der Marsch aus „Tannhäuser".

Während wir über die Programme der St. Galler Abonnementskonzerte vollständig informiert sind, fehlen leider über die Konzerte der Konstanzer Regimentsmusik unter Leitung des Königlichen Musikdirektors Konstantin Handloser (1849–1905) sowie der Konstanzer Stadtmusik unter Michael Gei-ler fast jegliche Angaben. Es sind keine Programmzettel vorhanden, und auch die Ankündigungen in der „Konstanzer Zeitung" enthalten kaum Hin-weise auf das Programm.[8a] Auch über die Konzerte der Militärmusik in Lin-dau (4. Jägerbataillon), der Stadtmusik Lindau und der Stadtmusik Bregenz gibt es nur wenig Quellenmaterial, das Hinweise auf Aufführungen von Wer-ken Richard Wagners anzeigt. Ein Kuriosum stellt wohl das Schülerkonzert im Stadttheater Bregenz am 2. Juli 1881 dar, das „zum Vortheile der Unter-stützungscasse für bedürftige Lehramtszöglinge" gegeben wurde. Neben Männerchören der Schweizer Komponisten Karl Attenhofer (1837–1914) und Rudolf Krenger (1854–1925) standen Klavierstücke von Chopin und Mozart auf dem Programm. Zum Abschluß des Konzertes folgte dann ein komischer Chor über Richard Wagners Broschüre „Das Judenthum in der Musik" von Josef Koch von Langentreu. Der Komponist Josef Koch, Edler von Langentreu (1833–1905), ein gebürtiger Wiener, von Beruf Bankbeam-ter, Mitglied des Wiener Männergesangvereines, hat eine Reihe humoristi-scher Männerquartette und Chöre geschrieben, die seinerzeit sehr beliebt waren. Seit 1896 lebte Koch als Pensionist in Graz.[9]

8a Dazu neuerdings W. S u p p a n , *Blasmusik in Baden. Geschichte und Gegen-wart einer traditionsreichen Blasmusiklandschaft,* Freiburg im Breisgau 1983, S. 87, 90 u. ö.; ders., *C. Handloser,* in: Die Blasmusik 33, 1983, S. 299 f.

9 K. N e f , *Denkschrift zur Feier des 25jährigen Bestehens des Concert-Vereines der Stadt St. Gallen 1902 (1877–1902);* J. L a i b l e , *Geschichte der Stadt Konstanz und ihrer Umgebung,* Konstanz 1896, S. 258; Programmzettel im Vorarlberger Landes-museum in Bregenz.

Die Gesellschaft der Musikfreunde in Wien besitzt die Partitur des heiteren Quartetts „Das Judentum in der Musik" von Koch von Langentreu. Der Inhalt: Zuerst läßt Koch von Langentreu Richard Wagner sprechen, der sich über das Judentum beschwert: Wörtlich heißt es: „In der bösen Rezensenten-Clique machen lauter Juden Kunstkritik, tadeln meine Zukunfts-Prachtmusik, diese Judenbande treibt es mir zu dick." Darauf antwortet zuerst Mendelssohn: „Es ist bestimmt in Gottes Rath, daß jeder etwas liegen hat im Magen; dem Wagner dreht das Judenthum seit zwanzig Jahren den Magen um." Dann tritt Meyerbeer vor: „Erlogen ist's, es ist infam! Lebe wohl, danke Gott, du frommer Christ, daß du nicht Jude bist!" Zum Schluß Offenbach: „Ich werde mich nie schämen, Tantiemen anzunehmen, Jud' bin ich zum Glück und mache in Musik. Ich lobe mir das Judentum, Wagnerleben bringt's nicht um."

Zu Lebzeiten Richard Wagners wurde im Bodenseeraum keine seiner Opern aufgeführt. Die Bevölkerung kannte also bis 1883 nur Fragmente aus den Opern „Rienzi", „Lohengrin" und „Tannhäuser", die in Konzerten zu hören waren. Der Tod Richard Wagners, in der Presse der Region registriert und kommentiert, hat zu einer verstärkten Aufnahme Wagnerscher Werke in die Konzertprogramme geführt (zunächst in Gedenkkonzerten) und schließlich Opernaufführungen selbst ausgelöst. In diesem Zusammenhang sind übrigens einige Pressestimmen zum Tod Richard Wagners bemerkenswert, weil sie die Welle des Streites um die Persönlichkeit und das Werk Wagners, den Kampf für und wider ihn, in der Lokalpresse der Provinz widerspiegeln. Das „Vorarlberger Volksblatt", katholisch-konservatives Organ des Landes, bringt am 15. Februar 1883 die Todesnachricht, berichtet am 20. Februar kurz von der Überführung und Beisetzung und schaltet am 27. Februar 1883 folgende Notiz ein: „Der Todtenkultus, der mit Richard Wagner getrieben wird, fängt nachgerade an — ekelhaft zu werden. Alles auf der Welt hat seine Grenzen, die Wagner-Enthusiasten aber finden weder Grenzen noch Maß. Das Übermaß der Verhimmelung Wagners hat seine guten Gründe, und dafür gibt ein römisches Telegramm eine genügende Andeutung nach einer Richtung: ‚Der große Orient der Freimaurer von Italien hat den venetianischen Freimaurerligen die Theilnahme an den Leichenfeierlichkeiten für R. Wagner anbefohlen.' Der ‚große Orient' wird gewußt haben, warum, die Freimaurer Italiens und Deutschlands wissen es nicht minder; die Logen sind dankbar für die guten Dienste, die ihnen und ihrer Sache Richard Wagner seit 20 Jahren geleistet hat, und sie haben allen Grund, ihm dankbar zu sein." Die Beziehungen Richard Wagners zur Freimaurerei hat der Wiener Musikschriftsteller Max Graf (1873—1958) in seiner Arbeit „Unbekanntes von Richard Wagner. Wie der berühmte Komponist Freimaurer werden wollte" untersucht. Graf stellt darin fest, daß Wagner zeit seines Lebens enge Verbindungen zu Freimaurern hatte und deren Kultus gekannt haben mußte. Richard Wagners leiblicher Vater war Freimaurer und seine Mutter und sein Bruder Julius fanden nach dem frühen Tod des Vaters (23. November 1813) Unterstützung der Logenbrüder in Leipzig. Während der Kapellmeisterzeit in Magdeburg verkehrte Richard Wagner in den beiden dortigen Logen. Richard Wagners Schwager, Professor Oswald Marbach (1810—1890), der Mann seiner ältesten Schwester Rosalie, war in Leipzig Meister vom Stuhl und Ehrenmitglied von 50 deutschen Logen. Der größte Künstler, der Wagner unter den Freimaurern begegnet ist, war Franz Liszt (1811—1886). Nach Grafs Behauptungen sind die beiden Tempelfeiern im „Parsifal", das Liebesmahl im ersten Akt und die Trauerfeier im dritten Akt, freimaurerische Kultformen. In Bayreuth gab es zwei Freimaurerlogen. Wagner wünschte, in die Bayreuther Loge „Eulisis, zur Verschwiegenheit" aufgenommen zu werden, der sein Freund, der Bankier Friedrich Feustel, angehörte. Feustel riet Wagner davon ab, das Aufnahmegesuch einzubringen. Die Loge sah in der Heirat Wagners mit Cosima, der Frau seines Freundes Hans von Bülow, etwas, was den freimaurerischen Idealen nicht entsprach. Außerdem fürchtete Feustel, daß beim Beitritt Wagners zu einer Freimaurerloge „die ultramontane Hetze gegen Richard Wagners Person mit neuer Wucht durchgebrochen wäre und dadurch die Beziehungen Wagners zu König Ludwig II. erschwert worden wären".[10]

Ganz im Gegensatz dazu würdigt Richard Wagner die Zeitschrift „Der Kirchenchor" in Nr. 3, 1883, gedruckt bei J. N. Teutsch in Bregenz als Organ der Cäcilienbewegung der Diözese Brixen, der auch Vorarlberg angehörte. Es heißt dort: „Am 13. Februar ist Richard Wagner gestorben. Wenn auch seine religiösen Ansichten, besonders wie seine Anhänger selbe ausbeuten, unserer Religion fremd sind und Wagner seine Kräfte fast ausschließlich der Bühne gewidmet, hat er dennoch die katholische Kirchenmusik sehr wohl zu würdigen gewußt: es sei hier u. A. nur die musterhafte Edition Palestrinas Stabat mater und die schon öfters angedruckten Worte aus seinem ‚Entwurf zur Organisation eines deutschen Nationaltheaters für das Königreich Sachsen' erwähnt, in denen er auf Palestrina und seine Schule als die Blüthe und höchste Vollendung der katholischen Kirchenmusik hinweist, die Instrumentalmusik in der Kirche bekämpft und deren Einführung als den ersten Schritt zum Verfall des Kirchengesanges bezeichnet." Dann folgt eine

---

[10] Vorarlberger Volksblatt vom 15. Februar 1883, 20. Februar 1883 und 27. Februar 1883; M. G r a f , *Unbekanntes von Richard Wagner. Wie der berühmte Komponist Freimaurer werden wollte,* in: Die Wiener Oper, Wien-Frankfurt 1955, S. 244—251; *Josef Koch, Edler von Langentreu,* in: Wiener genealogisches Taschenbuch, 1927/28, S. 178; F r a n k - A l t m a n n , *Tonkünstler-Lexikon,* Wilhelmshaven 1971, (Neudruck von 1935).

Charakterisierung Wagners von Karl Eduard Schelle (1816–1882), dem Musikreferenten der Wiener „Presse", die in der Broschüre „Deutsche Bücherei" veröffentlicht wurde und sich durch entschiedene Unparteilichkeit auszeichnet.[11]

Nach dem Tode Richard Wagners wurde in St. Gallen, Konstanz und Lindau in Gedenkkonzerten der Komponist geehrt, wobei auch bisher im Bodenseeraum unbekannte Werke Wagners zur Aufführung kamen. Die Abonnementskonzerte des St. Galler Konzertvereines, die seit der Gründung 1877 der Schweizer Dirigent Albert Meyer (1847–1933) leitete, brachten als Novitäten das Vorspiel zu „Parsifal", „Siegfrieds Tod" und den „Trauermarsch" aus der „Götterdämmerung" sowie Walthers „Preislied" und den Schlußchor aus den „Meistersingern". Albert Meyer hat sich um die Pflege Wagnerscher Werke besonders verdient gemacht. Von 1883 bis 1914, also in rund 30 Jahren, standen 57mal Werke auf dem Programm der St. Galler Konzerte, darunter 10mal der „Karfreitagszauber", 8mal die „Meistersinger"-Ouvertüre, 6mal das „Waldweben" aus „Siegfried", 5mal das Vorspiel zu „Lohengrin", 4mal die „Tannhäuser"-Ouvertüre, 3mal das Vorspiel zu „Tristan" usw. Zu den Aufführungen von Chören aus Wagner-Opern zog Albert Meyer zwei St. Galler Chorvereinigungen heran, und zwar den Männerchor „Harmonie" (gegr. 1821) und den gemischten Chor „Frohsinn" (gegr. 1833). Dazu gewann Meyer Opernsänger von München, Stuttgart und Karlsruhe als Solisten, so daß es möglich wurde, einzelne Opernszenen aufzuführen.[12]

Die Konstanzer Regimentsmusik führte unter der Leitung von Kapellmeister Handloser bei ihren Konzerten am 25. Februar, am 7. März und am 11. März 1883 Werke Wagners auf. Über das Symphoniekonzert vom 7. März, bei dem die D-Dur-Symphonie von Johannes Brahms und der „Karfreitagszauber" aus Wagners „Parsifal" aufgeführt wurden, schreibt der Rezensent am 9. März in der „Konstanzer Zeitung": „Weniger gefiel der ‚Charfreitagszauber' aus Wagners ‚Parsifal', und das ist ganz begreiflich. Für Wagner ist in seinen neuesten Werken die Musik nicht Selbstzweck, das Ohr soll nicht ohne das Auge genießen, und man wird geradezu sagen dürfen, daß, wenn ein aus ‚Parsifal' herausgerissenes Stück im Konzertsaal großen Eindruck machen wird, Wagner seinen eigentlichen Zweck nicht erreicht hätte." Übrigens verfügte die Konstanzer Regimentsmusik über ein Streichorchester, so daß es möglich war, die Werke im Original aufzuführen.

---

[11] Der Kirchenchor, Bregenz 1883, Nr. 3, S. 21–22.
[12] K. N e f , *Denkschrift zur Feier des 25jährigen Bestehens des Concert-Vereins der Stadt. St. Gallen, 1902*; Dora J. R i t t m e y e r - I s e l i n , *Konzertverein der Stadt. St. Gallen 1877–1952* (Festgabe zum 75jährigen Jubiläum), 1952.

Am 11. März 1883 bringt die „Konstanzer Zeitung" folgendes Inserat eines geschäftstüchtigen Münchners, der sich offenbar den Tod des Komponisten zunutze machen wollte: „Neues und originelles Vexierbild! Richard Wagners Geist. Eine spiritistische Erscheinung. Preis gegen Einsendung von 25 Pf. in Briefmarken franko. Erschienen bei Ph. Höpfner in München."[13]

Einem größeren Kreis von Zuhörern wurden Stücke aus den Werken Wagners bei den großen Sängerfesten des Bodenseeraumes zugänglich gemacht, bei denen die Militärkapellen aus Weingarten und Lindau als Festmusik engagiert waren. So spielte beim Oberschwäbischen Gau-Sängerfest in Friedrichshafen am 8. August 1886 die Kapelle des 2. Württembergischen Infanterie-Regiments in Weingarten unter C. Büttner den „Karfreitagszauber" aus „Parsifal". Beim Oberschwäbischen Gau-Sängerfest in Isny am 7. August 1887 brachte die gleiche Kapelle eine Bearbeitung des Preisliedes aus den „Meistersingern" zum Vortrag. Beim Sängerfest in Bregenz spielte die Kapelle des k.k. Infanterie-Regiments Nr. 73 unter Wendelin Kopetzky (1844—1899) die Ouvertüre zu „Rienzi", die auch von der Bataillonskapelle Lindau bei einem Konzert des Bregenzer Liederkranzes 1892 gespielt wurde. Allmählich, gewiß sich der Schwierigkeiten bewußt, wagten sich auch die zivilen Blasmusikkapellen an die Werke Richard Wagners heran. Beim Sängertag in Bludenz am 7. Juli 1889 präsentierte Josef Sobotka, ein gebürtiger Deutschböhme, mit dem Harmoniemusikverein Bludenz einen Festmarsch über Motive aus „Rheingold", eine Bearbeitung des Kapellmeisters, die leider nicht erhalten ist. Beim Sängertag am 10. Juni 1900 in Dornbirn spielte die Gemeindemusik Dornbirn eine Introduktion zum „Brautchor" aus „Lohengrin" von August Rüf und am Abend ein Potpourri aus Wagnerschen Opern, zusammengestellt von Rüf. In Lustenau führte 1907 zum 50jährigen Wiegenfest des Musikvereines Harmonie Rudolf Hämmerle die Ouvertüre zu „Rienzi" auf.[14]

Damals dürfte sich mit Sicherheit bereits die Tätigkeit der seit 1901 in Bregenz stationierten Militärmusik ausgewirkt haben. Schon Franz Rezek (1847—1912) setzte immer wieder Stücke aus Wagner-Opern auf die Programme seiner Konzerte, die in den Städten und Märkten Vorarlbergs gegeben wurden. Zum Abschluß jedes Konzertes wurde ein Potpourri gespielt, dessen einzelne Nummern detailliert auf der Rückseite des Programmzettels angegeben waren und die stets auch Melodien aus Wagner-Opern enthielten. Kapellmeister Gustav Mahr, der 1908 in Bregenz mit der Regimentsmusik der Tiroler Kaiserjäger Einzug hielt, war Wagnerianer und brachte somit be-

---

13 Konstanzer Zeitung vom 25. Februar, 7., 9. und 11. März 1883.

14 Angaben aus Programmheften vom Archiv des Vorarlberger Sängerbundes (Standort: Vorarlberger Volksliedarchiv, Bregenz).

170

wußt in seine Konzerte eine neue Note. Auch bei allen folgenden nach Bregenz kommandierten Militärkapellmeistern, wie Wilhelm Riepl (1872—1915), Moritz Zinner (1878—1951), Franz Soutschek (1868—1924) und Karl von Thann (1877—1946), bildete Wagners Musik einen integrierenden Bestandteil ihrer Konzertprogramme, von denen die nachhaltigsten musikalischen Anregungen für die Arbeit der zivilen Blasmusikkapellen ausgingen.[15]

Im Bodenseeraum gab es vier städtische Bühnen: in Konstanz (seit 1786), in Bregenz (seit 1819), in St. Gallen (seit 1857) und in Lindau (seit 1887). Die Häuser besaßen kein ständiges Ensemble, sondern wurden saisonweise an Wandertruppen vermietet. In den Spielplänen hatte das Schauspiel den Vorrang, gelegentlich traten Ensembles mit Operetten und leichten Spielopern auf, wobei mit Ausnahme von St. Gallen in allen anderen Orten die Erstellung eines geeigneten Begleitorchesters die Veranstalter vor schwierige Probleme stellte. In St. Gallen waren die Musiker des Konzertvereines nicht ausgelastet, weil im Theater nur Schauspiele gegeben wurden. Daher setzte man das Orchester als Zwischenaktmusik bei Sprechstücken ein. Auf diese Weise wurde das Theaterpublikum auch mit Werken Wagners konfrontiert, die allerdings mit dem Inhalt des Sprechstückes nichts zu tun hatten. So wurden beispielsweise am 13. November 1885 zu Friedrich Halms Gladiatorenstück „Der Fechter von Ravenna" Motive aus „Tannhäuser" als Zwischenaktmusik geboten, und am 22. Februar 1886 zu Gustav Freytags Schauspiel „Die Valentine" der Zug der Frauen zum Münster aus „Lohengrin". Am 19. März 1886 lernte das St. Galler Theaterpublikum die Parodie einer Wagner-Oper kennen: „Tannhäuser oder der Sängerkrieg auf der Wartburg", ein komisches Intermezzo von David Kalisch (1820—1872). Kalisch, Herausgeber der Berliner satirischen Wochenschrift „Kladderadatsch", ist seit der Mitte des 19. Jahrhunderts ein bedeutender Vertreter der Berliner Posse. Die Musik zur „Tannhäuser"-Parodie arrangierte der Berliner August Conradin (1821—1873), der neben Motiven aus Wagners „Tannhäuser" auch das volkstümliche Lied „Mädle, ruck, ruck, ruck an meine grüne Seite" verwendete, mit dem sich Tannhäuser der entsetzten Hofgesellschaft vorstellt.

Als erste Oper Richard Wagners wurde als Gesamtwerk am 25. Dezember 1886 im Stadttheater St. Gallen „Lohengrin" unter der Direktion von Paul Hiller (1853—1934) und der musikalischen Leitung von Rudolf Fischer aufgeführt. Das positive Echo der Ostschweizer Lokalpresse bewirkte eine Wie-

---

[15] E. S c h n e i d e r , *Kapellmeister Franz Rezek*, in: Jahrbuch des Vorarlberger Landesmuseumsvereins 1957, S. 124 ff.; ders., *Militärkapellmeister Gustav Mahr*, ebda. 1976/77, S. 141—146; E. S c h n e i d e r , *Die Entwicklung des Blasmusikwesens in Vorarlberg*, in: Bericht über die Erste Internationale Fachtagung zur Erforschung der Blasmusik in Graz 1974, Tutzing 1976, S. 145—174.

derholung am 3. Januar 1887. Die Chöre stellten St. Galler Laiensänger, aus großen Opernhäuser wurden Wagnersänger für die Solopartien engagiert. Im Dezember 1888 fanden zwei weitere Vorstellungen des „Lohengrin" unter der Regie von Direktor G. v. Leuw und der musikalischen Leitung von Emil Gutknecht statt. Am 3. April 1889 folgte dann eine Inszenierung der Oper „Der fliegende Holländer".[16] Bemühungen, für die Werke Richard Wagners um Verständnis zu werben, sind mehrfach nachweisbar. So hielt am 30. März 1896 der badische Generalmusikdirektor Felix Mottl (1856—1911), der berühmte Wagner-Dirigent, im Saale des Inselhotels in Konstanz einen Vortrag über „Der Ring des Nibelungen" von Richard Wagner, erläutert durch sein Klavierspiel sowie durch den Gesang seiner Gattin Henriette Mottl-Standthartner, des Tenoristen Gerhäuser und des Bassisten Nibe.[17]

In St. Gallen erkannte man die Chance des Musiktheaters erst unter der Direktion des Kölners Paul von Bongart, der sich anschickte die große Oper in den Mittelpunkt zu stellen. Bongart inszenierte während seiner Direktionszeit zwischen 1907 und 1914 praktisch alle Wagner-Opern, ausgenommen die Frühwerke („Die Feen", „Das Liebesverbot" und „Rienzi") sowie „Parsifal". Am 5. Februar 1908 ging „Lohengrin" in Szene, 1909 folgte „Tannhäuser" sowie der gesamte „Ring", 1910 „Der fliegende Holländer" und „Tristan und Isolde". Während die „Walküre" in der Spielzeit 1910/11 weitergespielt wurde, 1911 und 1912 folgten die „Meistersinger von Nürnberg" und Wiederholungen des „Lohengrin", stand 1913 wieder „Tannhäuser" auf dem Programm. Bongart gewann für seine Aufführungen bedeutende Dirigenten, und zwar den Münchner Franz von Hoesslin (1885—1946) und den aus Würzburg stammenden August Dechant, die abwechselnd die Werke dirigierten. Das Orchester des Konzertvereins wurde entsprechend verstärkt, die Chöre stellten St. Galler Chorvereinigungen und für die schwierigen Solopartien wurden Wagnersänger großer Häuser engagiert.[18] Im Stadttheater Konstanz wurde am 10. April 1913 unter der Direktion von Max Engelhard als Gastspiel „Der fliegende Holländer" gegeben, übrigens die einzige Aufführung einer Wagner-Oper in Konstanz. Am 3. Oktober 1917 gab in Konstanz der Münchner Hofopernsänger Max Kraus, begleitet von dem Pianisten Michael Raucheisen (geb. 1889), einen Wagner-Abend. In den Theate-

---

[16] Theaterarchiv, Kantonsbibliothek (Viadiana) St. Gallen. *Wagner-Parodien*, ausgewählt von D. B o r c h m e y e r und Stephan K o h l e r , Frankfurt am M. 1983, S. 9—20.

[17] J. L a i b l e , *Geschichte der Stadt Konstanz und ihrer Umgebung*, Konstanz 1896, S. 258.

[18] Theaterarchiv, Kantonsbibliothek (Viadana) St. Gallen; J. K i r c h g r a b e r , *Das Theater um die Jahrhundertwende*, in: 175 Jahre Stadttheater St. Gallen, Festschrift in Zusammenarbeit mit dem Rorschacher Neujahrsblatt 1980, S. 18.

rakten des Stadtarchivs Konstanz befindet sich ein Brief (datiert 23. Januar 1925) des Münchner Hofkapellmeisters Franz Beidler (1872—1930), des Schwiegersohnes von Richard Wagner, dessen Tochter Isolde Beidler zur Frau hatte. Beidler wollte in Konstanz die Oper „Tristan und Isolde" aufführen und acht Sänger und Sängerinnen aus München mitbringen. Die Sache scheiterte an der Orchesterfrage. Es wäre sehr teuer gekommen, weil die Streicher von weit her hätten kommen müssen. Mit einem verminderten Orchester zu spielen, weigerte sich Beidler. Als Ersatz dafür fand am 4. März 1925 in Konstanz ein Richard-Wagner-Abend statt, gestaltet von Kammersänger Karl Stolzenberg und Kammersängerin Luise Prerard-Theisen am Klavier begleitet von Franz Beidler.[19]

Über das Stadttheater in Lindau im 19. Jahrhundert berichtet K. Wolfart, der Stadthistoriker, wie folgt: „Die Kleinheit der Verhältnisse brachte es mit sich, daß mehr kleine Gaben der leichten Muse als ernstere für die Volksbildung wertvolle Werke geboten wurden."[20] Bei Durchsicht der Theaterzettel des Stadttheaters Bregenz kommt man zu ähnlichen Schlüssen. Die Pflege Wagnerscher Werke lag somit bei den Vereinen, den Gesangvereinen, den Orchestervereinen und den Blasmusikkapellen, die besonders Gedenktage (1903, 1913) benützten, um Wagner-Konzerte zu geben. Götzis erlebte durch besondere Umstände einige Wagner-Konzerte. Hans Ellensohn, geboren 1875 in Götzis, unehelicher Sohn einer Wäscherin, im Armenhaus aufgewachsen, von Beruf Kaminkehrer, besaß einen ungeheuer starken und umfangreichen Tenor. Ellensohn wurde in München entdeckt, von Kapellmeister Otto Schwarz (geb. 1873) ausgebildet, nahm einen kometenhaften Aufstieg als Heldentenor. In den Sommermonaten, die Ellensohn mit seinem Gesangslehrer in Götzis verbrachte, gab er mehrmals Konzerte mit berühmten Tenorpartien aus Wagner-Opern. Ellensohn war ein Abenteurer, der Schulden machte, oft dem Alkohol zusprach und von der Bildfläche ebenso rasch verschwand, wie er gekommen war.[21]

In Dornbirn gründete der gebürtige Aachener Franz Offermanns (1883—1942) im Jahre 1920 eine Operngesellschaft, eine lose Vereinigung von musikalischen Laienkräften, mit denen er jährlich eine Opern- oder Operettenaufführung einstudierte. Offermanns war seit 1910 Musikdirektor der Dornbirner Gesellschaft der Musikfreunde, war nebenbei Chorleiter einer Reihe von Gesangvereinen, bekleidete von 1920 bis 1927 das Amt des Bundeschor-

---

[19] Theaterakten im Stadtarchiv Konstanz.

[20] K. W o l f a r t , *Das gesellige Leben in Lindau während des 19. Jahrhunderts,* in: Neujahrsblätter des Museumsvereines Lindau i. B., Lindau 1911.

[21] Vorarlberger Landeszeitung vom 27. Februar 1909. — Angaben von Hans Ender, Götzis.

meisters des Vorarlberger Sängerbundes und erwarb sich auch auf dem Gebiet der Kirchenmusik als Organist, Chorregent und Vortragender größte Verdienste. Mit dem Musiktheater, das damals in Vorarlberg so gut wie unbekannt war, errang sich Offermanns einen Ruf, der weit über die Grenzen des Landes hinausging. Daß er sich außer den Opern „Freischütz", „Martha", „Die lustigen Weiber von Windsor", „Evangelimann", „Margarethe" und „Mignon" zu Ostern 1928 an eine Aufführung von Wagners „Lohengrin" wagte, gehört wohl zu seinen bedeutendsten Taten. Seine Gattin, Ellen Offermanns, eine geprüfte Gesangslehrerin, studierte mit den Laienkräften die Partien ein. Das Begleitorchester bestand durchwegs aus 30 Mann. Offermanns hat selbst für die gegebenen Verhältnisse jedes Werk arrangiert. Wochenlang arbeitete er in den Ferien in seinem Sommerhäuschen auf dem Bödele an der Instrumentierung. Die Partitur des Lohengrin ist noch erhalten und weist folgende Besetzung auf: sechs 1. Violinen, neun 2. Violinen, 2 Bratschen, 4 Celli, 4 Bässe, 2 Flöten, 2 Klarinetten, 2 Oboen, 2 Fagotte, 4 Hörner, 3 Trompeten, 1 Posaune, 2 Schlagzeuge, 2 Klaviere und 1 Harmonium. Einen Helfer hatte Offermanns in seinem Landsmann Xaver Westerop (1881—1966), der seit 1911 in Dornbirn wirkte, zunächst als Musiklehrer, dann als Direktor der Musikschule, seit 1918 als Leiter der Stadtmusik Dornbirn und seit 1924 als Bundeskapellmeister des Vorarlberger Harmoniebundes (heute Landesverband der Vorarlberger Blasmusikvereine). Westerop war Wagnerianer und galt als besonders guter Wagner-Dirigent, der 1928 mit der Stadtkapelle Dornbirn im Innsbrucker Stadtsaal mit großem Erfolg ein Wagner-Konzert gab. Die Dornbirner „Lohengrin"-Aufführung, bei der Westerop Regie führte, war besonders vom „Vorarlberger Volksblatt", das 1883 Richard Wagner wegen seiner Beziehungen zur Freimaurerei begeifert hatte, nun mit großer Begeisterung unter dem Titel „Lohengrin — eine Osterbotschaft der Kunst an unser Volk" angekündigt worden. In einer Rezension vom 11. April 1928 heißt es in der „Vorarlberger Landeszeitung": „Alle die kleinen Mängel, die sich da und dort ergaben, können das Gesamturteil über die ‚Lohengrin'-Aufführung nicht abschwächen, das da lautet: voller Erfolg." Am 24. April befaßt sich nochmals das „Vorarlberger Volksblatt" mit der Aufführung, „vom Standpunkt der Volksbildung aus betrachtet", und zitiert ein Urteil aus Wien, in dem erklärt wird: „Derzeit werden im Gebiet des österreichischen Bundesstaates Opern nur in Wien und in Dornbirn aufgeführt." Damals waren in Österreich die meisten Provinzbühnen aus finanziellen Gründen geschlossen, zumindest konnten sie sich keine Opernaufführungen leisten. In dem Artikel des „Volksblattes" heißt es weiter, daß für die „Lohengrin"-Aufführung in Dornbirn schriftliche Kartenbestellungen aus München, Nürnberg, Augsburg, Ravensburg, Weingarten, Zürich und St. Gallen eingingen. Auch aus den entferntesten Gemeinden Vorarlbergs liefen Kartenbestellungen ein, wie zum Beispiel aus Riezlern

(Kl. Walsertal), Schoppernau, Au, Bezau, Schnepfau, Parthennen, St. Gallen-
kirch, Schruns (Montafon), Lech, Sonntag, Blons, Raggall (Gr. Walsertal).
Kirchenchöre und Theatergesellschaften Vorarlbergs seien kooperativ zu den
Vorstellungen erschienen. Auch Landesbischof Dr. Sigmund Waitz hat der
Aufführung der Oper beigewohnt.[22]

Faßt man die Ergebnisse der Wagner-Rezeptionen im Bodenseeraum zusammen, dann kann man bereits vor und nach dem Ersten Weltkrieg ein
wachsendes Interesse an den Werken des Komponisten feststellen. Die gewiß
in manchen Teilen lückenhafte Untersuchung (vor allem bewirkt durch feh-
lendes Quellenmaterial) möchte als ein Beitrag zur Kulturgeschichte des
Bodenseeraumes und zugleich als ein Beitrag zum Wagner-Gedenkjahr 1983
aufgefaßt werden. Aus der trotzdem vorhandenen Fülle des Quellenmaterials
konnten nur Beispiele gebracht werden, die vermutlich durch weitere Beschäftigung mit dem Thema und bisher unbekannte Quellen ergänzt werden
könnten.

---

[22] E. S c h n e i d e r, *Musikalischer Volksbildner: Der Dornbirner Musikpionier
Franz Offermanns zum 100. Geburtstag,* in: Vorarlberger Nachrichten vom 18. März
1983; *Franz Xaver Westerop vollendet das 70. Lebensjahr,* in: Vorarlberger Nachrichten vom 2. Januar 1952, Vorarlberger Volksblatt vom 31. Dezember 1951. — Ferner
Artikel im Vorarlberger Volksblatt vom 11. und 24. April 1928 sowie in der Vorarlberger Landeszeitung vom 11. April 1928.

Eugen Brixel, Graz

## RICHARD WAGNERS BEZIEHUNG ZUR MILITÄRMUSIK

Der Versuch, Richard Wagners künstlerisches Verhältnis zur Militärmusik zu durchleuchten wird verschiedene Fakten und Faktoren zu berücksichtigen haben: zum einen hängt diese Thematik ursächlich mit der Einstellung Wagners zum Blasorchester selbst zusammen, zum andern sind es persönliche Erlebnisse, Kontakte und Beziehungen Wagners zu Militärkapellmeistern, militärischen Musikdirektoren, Stabstrompetern oder Stabshoboisten, die dessen durchaus positive Grundeinstellung dieser Musiksparte gegenüber mitprägten. Die sich ebenfalls in diesem Zusammenhang anbietende politische Komponente, die Wagners militärische oder antimilitärische Geisteshaltung berührt, soll in diesen Ausführungen unberücksichtigt bleiben.

Trachtet man aus dieser Perspektive Einblick in Wagners Wesenszüge und Denkungsweise zu gewinnen, so finden sich Ansatzpunkte hiefür einerseits im kompositorischen Bereich, der auf dem Sektor der Instrumentalmusik bekanntlich fünf Werke für reine Bläserbesetzung (hauptsächlich Kompositionen für Blas- bzw. Militärorchester) umfaßt, andererseits in Wagners Autobiographie „Mein Leben" sowie in seiner umfangreichen Korrespondenz mit Musikverlegern, Dirigenten und Musikern im militärmusikalischen Bereich oder mit Persönlichkeiten des kulturellen und öffentlichen Lebens.

Daß sich unter den rund vier Dutzend Instrumentalwerken Wagners vier Werke für großes Blasorchester finden, die in Besetzung und Instrumentation überdimensionierte Militärorchester zum Vorbild haben, ist ebenso bezeichnend wie die Tatsache, daß alle diese Werke (formal zwar ebenso übersteigert wie in der Instrumentation) dem spezifischen Genre der Militärmusik, dem Marsch, gewidmet sind. Dazu kommt noch die Bayreuther Fanfare, die Wagner für Trompeter und Pauker des königlich 6. Bayrischen Cheveauleger-Regiments schrieb. Diese Werke verdanken ihr Entstehen, abgesehen von entsprechenden Aufträgen und Anlässen, zweifellos dem Eindruck, den Blasorchester und namentlich militärische Musikkorps auf Wagner ausübten. Hatte er, gemäß seinen autobiographischen Ausführungen, seine ersten blasmusikalischen Eindrücke neunzehnjährig von einer „aus der Stadt (Leipzig) bestellten Blechmusik"[1] empfangen, die „unausgesetzt polnische Lieder spielte" und damit Wagner zur Komposition seiner „Polonia-Ouvertüre" inspirierte, so dürfte die Pariser Aufführung der Trauersinfonie

---

[1] R. W a g n e r , *Mein Leben*, München 1911, Bd. 1, S. 78.

von Hector Berlioz im Jahre 1840 Wagner wohl am nachhaltigsten in dieser Hinsicht beeinflußt haben. Berlioz, dessen revolutionierende Instrumentationskunst vor allem hinsichtlich der Verwendung der Blasinstrumente in der Instrumentationstechnik des Operndramatikers ihren signifikanten Niederschlag fand, wurde auch in der souveränen Handhabung militärischer Musikkorps bei der Aufführung seiner Trauersinfonie (Symphonie funébre et triomphale) zum unleugbaren Vorbild für Richard Wagner, als dieser für die Beisetzung Carl Maria von Webers in Dresden seine Trauermusik, einen Trauermarsch nach „Euryanthe"-Themen für 80 Bläser und 20 Schlagzeuger, komponierte. Die Aufführung der Trauersinfonie, die Berlioz — nach Wagners Worten — „zur Feier der Beisetzung der Juligefallenen unter der Säule des (Pariser) Bastilleplatzes für eine ungeheure, auf das Geistvollste von ihm combinierte Militärmusik aufführte"[2] schlug Richard Wagner angesichts des kolossalen effektvollen Bläserklangs vollends in ihren Bann. Es braucht daher nicht Wunder nehmen, wenn Wagner sich diesen Effekt durch die Einbeziehung von Militärmusikkorps oder einzelnen Militärmusikern auch in seinen (frühen) Opern zunutze machte. Schon 1836/37 hatte Richard Wagner in seiner Ouvertüre „Rule Britannia" zusätzlich zu seinem großen Orchesterapparat eine „Starke Militärbande" gefordert um damit den klanglichen Effekt der Massenwirkung noch zu erhöhen. In ähnlicher Weise hatte Wagner während seiner Kapellmeisterzeit in Magdeburg zu bestimmten Aufführungen zusätzlich auch die Musiker der dort garnisonierten preußischen Musikkorps herangezogen. Im Zusammenhang mit der Dresdener Aufführung des „Rienzi" (1842) stellte er erstmals die Militärmusik auch in den Dienst übersteigerter Bühnenwirkung. Wagners „hemmungslose Tendenz zur großen Massenwirkung"[3] dokumentierte sich in einem Schreiben an Ferdinand Heine vom Januar 1842 in dem es heißt: „Von dem musikalischen Pomp auf der Bühne gehe ich in keinem Punkte ab; er ist zu notwendig und kann in Dresden mit Hülfe des Militärs und sonstiger Musikkorps sehr gut gestellt werden. Meine Ansprüche sind allerdings nicht gewöhnlich: ich verlange ein außerordentliches Musikkorps, welches nicht auf die Art der gewöhnlichen Musikbanden zusammengestellt ist; ... Sorgen Sie dafür, daß im ersten Act die den Kriegszug Colonna und Orsinis begleitenden Trompeter und Posaunisten von der Cavallerie genommen werden und zu Pferde sitzen ..."[4]

[2] Ebda., S. 230.

[3] Vgl. E. V o s s, *Richard Wagner und die Instrumentalmusik*, Wilhelmshaven 1977, S. 100 f.

[4] R. W a g n e r, *Sämtliche Briefe*, hg. v. G. S t r o b e l und W. W o l f, Leipzig 1967, Bd. 1, S. 589.

Wagners Hang zur suggestiven Massenwirkung, sein effektbetonter Monumentalstil, der namentlich in den Orchesterwerken für Bläser zum Ausdruck kommt, findet im militärmusikalischen Bereich eine besondere Parallele. Die klanglich übersteigerte Instrumentation und der feierlich-zeremonielle Charakter der Wagnerschen Blasorchester-Märsche erinnern sowohl an Leonhards oder Wieprechts Monsterkonzerte als auch an das Zeremoniell militärischer Paraden oder Tableaux. Hier wie dort sind „der lautstarke Optimismus und der Wille zum Großen"[5] elementare Charakteristika, wobei nach Egon Voss „durch eine ebenso sonore wie lärmende Instrumentation … Feierlichkeit und Größe, Erhabenheit und Gewalt"[6] suggeriert werden sollen. Einflüsse und Impulse der Militärmusik auf Wagners Kompositionstechnik und Instrumentationsstil sind unverkennbar: einerseits finden Fanfarenmelodik und Signalcharakter, offensichtlich durch militärische Signale inspiriert[7], in einer Vielzahl Wagnerscher Themenköpfe ihren Niederschlag, zum andern bilden Instrumentarium und Orchestrierungstechnik der Militärmusikkorps den Ausgangspunkt für Wagners Blasorchesterwerke. Militärmusik wird — aus der im 19. Jahrhundert besonders dominierenden Position der Militärmusik im Blasmusikwesen durchaus verständlich — für Richard Wagner zum Synonym und Inbegriff der Blasmusik: die meisten seiner Blasorchesterwerke instrumentiert Wagner für großes Militärorchester, wobei nach seiner Intention diese Kompositionen eben „in erster Linie nur von großem Militärorchester exekutiert werden"[8] sollen. Als Wagner 1865 seinem Verleger Franz Schott nach Mainz die Partitur seines Huldigungsmarsches sendet, führt er in einem Begleitschreiben aus: „Sie erhalten davon zunächst die Partitur für große kombinierte Militärmusik; ein geschickter Militärmusikmeister kann diese auch für kleinere Militärmusik reduzieren …"[9] Die Wagnerforschung hat, sicherlich nicht zu Unrecht, dem Komponisten sein Streben nach einem massiert-pompösen Orchesterklang, wie er speziell auch in seinen Werken für Militärmusik zutage tritt, zur Last gelegt. Adorno spricht in diesem Zusammenhang von Wagners Tendenz „zum Überinstrumentieren", und seine Absicht, „Ereignisse für mehr auszugeben, als sie musikalisch sind", wobei allenfalls durch die Verdopplung im Unisono „ein Element des Überflüssigen, Falschen und Aufgeschmückten in die Instrumentation gerät".[10] Daß dies „auf Kosten der kompositorischen Integrität"[11],

---

[5] E. Voss, a.a.O., S. 100 f.

[6] Ebda.

[7] Th. W. Adorno, *Versuch über Wagner*, Frankfurt/Main 1974, S. 144.

[8] E. Voss, a.a.O., S. 104.

[9] R. Wagner, *Briefe*, hg. W. Altmann, Leipzig o. J., Bd. 2, S. 268.

[10] Th. W. Adorno, a.a.O., S. 74 f.

[11] Ebda.

der musikalischen Substanz, geht, hebt in gleicher Weise auch Egon Voss hervor, indem er unter Bezugnahme auf die Blasorchesterwerke Wagners ausführt: „... die Diskrepanz zwischen Rhetorik und Substanz, zwischen Tonfall und kompositorischer Qualität ist unverkennbar und erweist die große Geste als Fassade ...“[12]

Wenn Wagner mit seinen Werken für großes Militärorchester auf eine gewisse Breiten- und Massenwirkung spekulierte, die er gerade auf diesem Gebiet nur sehr bedingt und teilweise erreichte, so wurde diese erstrebte Popularisierungsabsicht in höchstem Maß von den Blas- bzw. Militärorchestertranskriptionen Wagnerscher Opernfragmente erreicht. Wagner selbst hatte zwar zeitlebens keine seiner Opernmelodien selbst für Militärorchester transkribiert, wenngleich er es im Hinblick auf die damit verbundene Publizitätssteigerung mit Überzeugung begrüßte, wenn Militärkapellmeister, Musikmeister oder ambitionierte Hautboisten seine Melodien für Militärmusik bearbeiteten und zur Aufführung brachten. Damit erfüllten die Militärkapellen und militärischen Musikkorps in verschiedenen Ländern etwa jene Funktion, die ein Jahrhundert später die audio-visuellen Massenmedien für die Verbreitung zeitgenössischer Kompositionen übernehmen sollte: noch lange bevor Wagners Musikdramen die Spielpläne der europäischen Bühnen beherrschten, waren deren Melodien, durch die Militärmusikkorps verbreitet, bekannt und beliebt. Eduard Hanslick — obzwar ein erklärter und militanter Gegner Wagners — anerkannte diese „missionarische Funktion der guten Militärmusik“[13] und unterstrich die bahnbrechende Bedeutung der Militärorchester für das zeitgenössische Musikschaffen. Die Blasmusikgeschichte selbst überliefert eine Fülle von Beispielen, die die Popularisierung Wagnerschen Musikguts dokumentieren.

Die Rezeptions- und Bühnengeschichte von Wagners „Tannhäuser, oder der Sängerkrieg auf Wartburg“, dessen Melodien jahrzehntelang das Repertoire der Militärkapellen beherrschten, besitzt auch ihren blasmusikgeschichtlichen Aspekt. Als Wagner nämlich, nach der Uraufführung dieser Oper in Dresden (1845) sich um eine Aufführung am Berliner Hoftheater bemühte, riet ihm der Intendant der königlichen Hofmusik, Friedrich Wilhelm von Redern, die Musik dieser Oper „so weit als möglich für Militärmusik arrangiert, dem König etwa bei einer Parade zu Gehör zu bringen ...“, was der Komponist jedoch ablehnte.[14] Im Jahr darauf wandte sich Wagner, offenbar nun doch auch von dieser Möglichkeit überzeugt, nochmals brieflich an

---

12 E. Voss, a.a.O., S. 101.

13 E. Hanslick, *Österreichische Militärmusik*, in: Aus dem Konzertsaal, Wien 1870, S. 52.

14 R. Wagner, *Mein Leben*, a.a.O., S. 401.

Graf von Redern, um zur Frage der Transkription von Teilen seines „Tannhäuser" konkret Stellung zu nehmen: „Ob sich viele Stücke in meiner Oper zur Aufführung durch Militärmusik gut eignen, muß ich fast bezweifeln. Deshalb erlaube ich mir vorzüglich nur auf ein Stück aufmerksam zu machen, welches auch hier in Dresden auf Paraden sich recht gut ausgenommen hat: dies ist das erste Stück der 4ten Scene des zweiten Aktes (Einzug der Gäste auf Wartburg), — eine Art Marsch mit Chor — H-Dur, welcher sich auf entsprechende Art zu einer effektvollen (!) Militair-Musiknummer verwenden läßt. Sollte zu diesem noch ein Gegenstück wünschenswerth erscheinen, so könnte dazu vielleicht der Pilgerchor in der ersten Scene des dritten Aktes gewählt werden, für dessen Uebersetzung in die Sprache der Militärmusik ich den Arrangeur auf das erste Tempo der Ouverture verweise, wo dieser Chor für Instrumentalmusik allein verwendet ist . . ."[15] Dieser Anregung, den „Einzug der Gäste" für Militärorchester zu bearbeiten, scheint in der Folge kein geringerer als Wilhelm Wieprecht selbst nachgekommen zu sein, der seit 1838 als Nachfolger Abraham Schneiders die Position eines Musikdirektors der preußischen Gardechöre bekleidete. In Wieprechts Werkverzeichnis[16] finden sich tatsächlich auch drei Wagner-Transkriptionen für Militärorchester, darunter das oben genannte Stück. In verschiedensten Blasmusikbearbeitungen blieb Wagners „Tannhäusermarsch" vielgespieltes Repertoirestück zahlreicher Militärorchester, erfreute sich ungeheurer Popularität und vergrößerte allenthalben die Poularität seines Komponisten.

Wagner selbst hatte, allerdings vergeblich, getrachtet, mit seinem Huldigungsmarsch an die Popularität des „Tannhäusermarsches" anzuknüpfen, was er in einem Schreiben an den Verleger Schott zum Ausdruck brachte: „Ich schicke Ihnen ein Stück, welches nach der Meldung derer, die es hörten, an die Stelle des ,Tannhäusermarsches' treten wird. Wir wollen es ,Marsch des jungen Königs von Bayern' nennen . . . Ich rechne auf Gartenkonzerte und Militäraufführungen und demzufolge bei dem Charakter des Stücks . . . auf eine sehr populäre Verbreitung . . ."[17] Diese, von Wagner angestrebte populäre Verbreitung wurde, neben seinem „Tannhäusermarsch", vornehmlich seiner „Rienzi-Ouvertüre" zuteil, die in ungezählten handschriftlichen Militärmusik-Fassungen bei Militärmusikkorps in- und außerhalb des deutschen Sprachraums kursierte und zu einem der beliebtesten militärmusikalischen Repertoirestücke avancierte.

---

[15] R. W a g n e r, *Sämtliche Briefe*, a.a.O., Bd. 1, S. 515.
[16] A. K a l k b r e n n e r, *Wilhelm Wieprecht*, Berlin 1882, S. 72.
[17] R. W a g n e r, *Briefe*, a.a.O., Bd. 1, S. 268.

Zu den vielen, die Wagners „Rienzi-Ouvertüre" dem Militärorchester und damit dem Publikum bei Platz- und Standkonzerten erschlossen, gehörten u. a. auch Wilhelm Wieprecht und der Kapellmeister der österreichischen Marinemusik Josef Rudolf Sawerthal (1829—1893). Als letzterer mit seiner nahezu 100 Mann starken Marinemusik in Gegenwart Richard Wagners bei einem Konzert in Venedig am 23. Oktober 1858 die „Rienzi-Ouvertüre" zur Aufführung brachte, richtete der Komponist ein in herzlichen Worten gehaltenes Dankschreiben an den Marinekapellmeister, das — von Emil Rameis 1972 erstmals publiziert[18] — Wagners Grundhaltung in der Frage der Transkription widerspiegelt und darüber hinaus aufführungspraktische Direktiven enthält:

Venedig, 24. Oct. 58

Geehrtester Herr Kapellmeister!

Ich konnte Sie gestern nicht mehr auf dem Platze finden, um Ihnen meinen Dank für die schöne Aufführung der Rienzi-Ouvertüre zu sagen, und hole es demnach heute schriftlich nach. Es macht mir große Freude, daß Ihre Musiker sich alles so gut gemerkt hatten und richtig herausbrachten. Der Anfang sogleich war ganz vortrefflich. Mit dem Tempo vollkommen einverstanden. Nur (4 Takte vor dem Allegro) mehr Trommeln und sehr stark. Die Stelle war matt. —

Nochmals — schönsten Dank, und die Versicherung, daß Sie mir viel Freude gemacht haben. Auf Wiedersehen.

Ihr ergebenster                                              Richard Wagner.

Bezeichnenderweise verlangt Wagner in den letzten Takten des ersten Teils dieser Ouvertüre für die Steigerung des Fortissimo-Effekts forcierten Schlagzeugeinsatz, was an die dynamische Übersteigerung des ebenfalls für Freiluftkonzerte instrumentierten Huldigungsmarsches mit seinen Forte-Fortissimo-Passagen denken läßt. Bei der konzertanten Aufführung von Teilen seiner Bühnenwerke ist für Wagner somit — analog seinen Originalkompositionen für Militärorchester — die dynamische Übersteigerung, die Mobilisierung kolossaler Klangmassen ein stilprägendes Kriterium.

Pompöse und monumentale Grundzüge, Kriterien des Wagnerschen Personalstils und essentieller Wesenszug der Kunstauffassung der Gründerzeit schlechthin — in Th. W. Adornos Kulturideologie als „Existentialien des Faschismus" apostrophiert[19] — kommen somit im Bereich der militärmusikalischen Wagner-Rezeption besonders augenfällig zum Ausdruck.

---

[18] E. R a m e i s, *Richard Wagner und die k.u.k. Militärmusik,* in: Österr. Blasmusik-Zeitung 1972, H. 3, S. 5.

[19] Th. W. A d o r n o, a.a.O., S. 11.

Die Beziehung des Operndramatikers zur Militärmusik dokumentiert sich nicht zuletzt auch in den persönlichen Kontakten Wagners zu prominenten Exponenten dieser Musiksparte. Von dem bedeutendsten Repräsentanten der preußischen Militärmusik, Wilhelm Wieprecht (1802—1872), war in diesem Zusammenhang schon die Rede. Obwohl von den Wagner-Biographen kaum berücksichtigt und selbst in Wagners Autobiographie[20] nicht erfaßt, ist Wieprecht, mit dem Wagner seine eklatante Aversion gegenüber den arrivierten französischen Instrumentenbauer Adolph Sax teilt, für Wagner eine der Schlüsselgestalten in seiner Beziehung zur Militärmusik. Wenn auch Mitteilungen über persönliche Beziehungen zwischen beiden, sowohl in Wieprechts Dresdner Zeit als auch aus der Zeit seines Berliner Wirkens, gänzlich fehlen und der Briefwechsel zwischen Wagner und Wieprecht (bisher nur) fragmentarisch vorliegt, lassen doch die wenigen einschlägigen Quellen auf eine besondere wechselseitige künstlerische Wertschätzung und menschliche Achtung schließen. An Wieprecht, mit dem er u. a. auch bezüglich der von Wagner initiierten Alt-Oboe korrespondierte, war Wagner zufolge einer Briefstelle an Karl Eckert „natürlich alles gelegen"[21], was den künstlerisch keineswegs kompromißbereiten Komponisten sogar zu personellen Konzessionen veranlaßte.

Mehr persönlichen Kontakt als zu den preußischen Musikmeistern pflegte Wagner allerdings zu den Musikmeistern bayrischer, speziell Münchner, Regimenter. So ist Wagners Beziehung zu Generalmusikmeister Peter Streck (1779—1864), der mit einem 80 Mann starken militärischen Auswahlorchester 1864 Wagners Huldigungsmarsch in Hohenschwangau zur Uraufführung bringen sollte, in der einschlägigen Literatur bezeugt.[22] Aufgrund widriger Umstände fand die Uraufführung dieser Ludwig II. zugedachten Komposition unter Obermusikmeister Johann Wilhelm Siebenkäs (1824—1888), dem Dirigenten der Musikkapelle des 1. Infanterie-Regiments „König" in München, statt. Wagner, der selbst die Proben zu dieser Aufführung geleitet hatte, war mit Siebenkäs zwar persönlich bekannt, hatte aber gewisse Vorbehalte gegen dessen musikalische Fähigkeiten. Robert Münster faßt diese folgend zusammen: „Was Siebenkäs betrifft, so hat Wagner im April 1866 gegenüber Ludwig II. geäußert, seine Bevorzugung durch ihn sei durch dessen amtliche Stellung als Obermusikmeister bedingt, er halte jedoch den Musikmeister (Karl) Klapproth — der wohl nicht in München gewirkt hat — „für den geschickteren und feinsinnigeren Musiker" und auch dessen Arrangements seiner Musik für besser als diejenigen von Siebenkäs. Im Jahr 1872

[20] R. W a g n e r , *Mein Leben,* a.a.O.
[21] R. W a g n e r , *Briefe,* a.a.O., Bd. 1, S. 153.
[22] Vgl. R. M ü n z e r , *Ludwig II. und die Musik,* Rosenheim 1980.

hat er jedoch dem Musikmeister des in Bayreuth stationierten 13. Infanterie-Regiments geraten, sich wegen einer brauchbaren, in der Besetzung reduzierten Bearbeitung des Huldigungsmarsches an Siebenkäs in München zu wenden . . .[23] Zum persönlichen Bekanntenkreis Wagners zählten neben Siebenkäs Musikmeister Ludwig Schmittroth (1834—1907) vom Königlichen Infanterie-Leibregiment, der von 1863 bis 1895 zugleich auch als Dirigent der Bühnenmusik am Königlichen Hof- und Nationaltheater tätig war, weiters Max Högg (1854—1933), Musikdirektor im Bayrischen Infanterie-Leibregiment, dessen Transkriptionen Wagner besonders schätzte, Peter Göttling, Stabstrompeter des Bayrischen Cheveauleger-Regiments Nr. 6 in Bayreuth, für den Wagner seine Bayreuther Fanfaren schrieb, und vor allem Gottfried Sonntag (1846—1921), Stabshoboist beim Bayrischen Infanterie-Regiment Nr. 7 in Bayreuth (1870—1883), der — von Richard Wagner autorisiert — Themen aus dem „Ring des Nibelungen" zu dem einst vielgespielten „Nibelungen-Marsch" verarbeitete. Als Gottfried Sonntag an der Spitze seines Musikkorps am 22. Mai 1872 trotz strömenden Regens die Zeremonie der Grundsteinlegung des Festspielhauses in Bayreuth musikalisch umrahmte, bedankte sich Wagner noch am selben Tag mit einem Schreiben, das die besondere Hochachtung des Bayreuther Meisters vor dem Militärkapellmeister zum Ausdruck bringt:

„Mein geehrter Herr College!

Unter den glücklichsten Umständen, würde ich Ihnen, sowie den tüchtigen Musikern Ihres Corps für die mir gewährte Mitwirkung zur Feier der Grundsteinlegung des Festtheaters zu wahren und herzlichem Danke verpflichtet gewesen sein; daß ich hierbei nun aber den Übelstand der allerungünstigsten Witterung zu beklagen hatte, welchem Sie und die Herren Musiker so ausdauernd trotzten, — daß Sie es so möglich machten der eigentlich verunglückten Feier dennoch einen erhebenden und sehr erfreuenden Ausdruck zu geben, dies bewegt mich so ernstlich, daß ich mit dem Ausdrucke meines lebhaften Mitgefühls für die erlittene Beschwerde Ihnen meinen wahrhaft bewundernden Dank auszusprechen habe, welchen ich Sie ersuche zugleich den um mich so sehr verdienten Herren Musikern auf das Empfehlendste weiter mittheilen zu wollen. Mit Hochachtung Ihr sehr verbundener

Fantaisie, den 22. Mai 1872                    Richard Wagner."

Die österreichische Militärmusik, im 19. Jahrhundert dank dem Wirken profilierter Militärkapellmeister und vorzüglicher Bläser meist böhmischer

---

[23] Ebda., S. 74.

Abstammung international beachtet, erfreute sich im besonderen Maße auch Wagners künstlerischer Wertschätzung. Auf die Beziehungen zwischen Wagner und Josef Rudolf Sawerthal, dem Kapellmeister der k.k. Kriegsmarine und späteren Direktor der kaiserlich-mexikanischen Armeemusik, wurde oben bereits hingewiesen. In den Reihen der österreichisch-ungarischen Militärkapellmeister gab es, wie die Konzertprogramme der Militärkonzerte in der gesamten Donaumonarchie beweisen, eine Vielzahl ambitionierter Arrangeure, die sich die Bearbeitung Wagnerscher Opernfragmente für Militärmusik angelegen sein ließen. Ob Richard Wagner zu Armeekapellmeister Andreas Leonhardt, dem österreichischen Antipoden zu Wilhelm Wieprecht, persönliche Beziehungen pflegte, ist ungewiß und angesichts von Wagners revolutionärer Vergangenheit, die ihn auch in der Donaumonarchie zu einem „politisch gefährlichen Individuum"[24] stempelte, eher unwahrscheinlich. Immerhin ist ein persönlicher Kontakt zwischen beiden während Wagners Wiener Aufenthalt im Jahre 1861 nicht völlig auszuschließen, wenngleich sich konkrete Anhaltspunkte nicht finden lassen.

Drei Jahre zuvor, als Wagner aus seinem Schweizer Exil kommend Aufenthalt in Venedig nahm, stand er — obwohl politischen Attacken von österreichischer Seite ausgesetzt — dennoch mit dem Offizierskorps der in der (damals unter österreichischer Verwaltung stehenden) venezianischen Garnison stationierten österreichischen Regimenter in persönlicher Verbindung. Neben der Marinemusik unter J. R. Sawerthal hatte um diese Zeit auch die von Franz Tomann (1816—1867) dirigierte Regimentsmusik des Infanterie-Regiments Nr. 61 Wagner-Piecen auf dem Programm ihrer Platzkonzerte. Diese Platzkonzerte in Venedig, von der venezianischen Bevölkerung stark besucht, standen indes doch im Zeichen besonderer nationaler und politischer Spannungen. „Zu Tausenden" schreibt Wagner, „scharte man sich um die Musik und hörte ihr mit großer Spannung zu; nie aber vergaßen sich zwei Hände so weit, zu applaudieren, weil jedes Zeichen des Beifalls an einer österreichischen Militärmusik als ein Verrat am Vaterland gegolten haben würde ..."[25] Welchen Eindruck die Produktionen österreichischer Militärkapellen in Venedig auf Wagner selbst ausübten und welchen Kontakt er mit österreichischen Offizieren und Kapellmeistern, die — nach Wagners Worten — „in der venezianischen Öffentlichkeit wie Öl auf dem Wasser herumschwammen"[26], pflegte, beschreibt Wagner in einer Passage seiner Autobiographie mit der er der österreichischen Militärmusik ein ehrenvolles, anerkennendes Zeugnis ausstellt:

---

[24] H. S e e g e r , *Musiklexikon*, Leipzig 1966, Bd. 2, S. 532.
[25] R. W a g n e r , *Mein Leben*, in: Wagners Sämtliche Schriften und Dichtungen, Leipzig 1911, Bd. XV, S. 173.
[26] Ebda.

„Sonderbarerweise war es das recht deutsche Element der guten Militärmusik, wie es in der österreichischen Armee so vorzüglich gepflegt wird welches mich hier auch in eine gewisse Berührung mit der Öffentlichkeit brachte. Die Kapellmeister der beiden in Venedig kantonierten österreichischen Regimenter gingen damit um, Ouvertüren von mir, wie die zu „Rienzi" und „Tannhäuser", spielen zu lassen, und ersuchten mich darum, in ihren Kasernen den Einübungen ihrer Leute beizuwohnen. Hier traf ich denn auch ganze Offizierskorps versammelt, welche sich bei dieser Gelegenheit recht ehrerbietig gegen mich benahmen. Ihre Musikbanden spielten abwechselnd bei glänzender Beleuchtung in Mitte des Markusplatzes, welcher für diese Art von Musikproduktionen einen wirklich vorzüglich akustischen Raum abgab. Mehreremal wurde ich am Schlusse der Mahlzeit durch das plötzliche Erklingen meiner Ouvertüren überrascht; ich wußte dann, wenn ich vom Fenster des Restaurants aus mich dem Eindrucke hingab, nicht, was berauschender auf mich wirkte, der unvergleichliche, prachtvolle erleuchtete, von unzähligen sich ergehenden Menschen erfüllte Platz, oder die, alles dieses wie in brausender Verklärung den Lüften zutragende Musik . . ."[27]

Auch in den letzten Jahren seines Wirkens, da Wagner der Militärmusik als Vehikel zur Popularisierung seiner Werke nicht mehr bedurfte, behält die Militärmusik in Wagners musikalischem Weltbild ihren Stellenwert bei. „Um 1880 erfreut sich" wie Joachim Toeche-Mittler ausführt, „der alte Richard Wagner vor der Feldherrnhalle in München an seinen eigenen Kompositionen, die der Musikmeister Högg vom Leibregiment so trefflich für Militärmusik gesetzt hat"[28], und 1882, während seines Aufenthaltes in Palermo, läßt es sich Richard Wagner, trotz seines angegriffenen Gesundheitszustandes nicht nehmen, das dortige Militärorchester noch einmal persönlich zu dirigieren. Als im Februar 1883 die sterblichen Überreste Richard Wagners von Venedig nach Bayreuth überführt werden, ist es die Regimentsmusik des 6. Cheveauleger-Regiments, die dem Verstorbenen mit „Siegfrieds Trauermarsch" die letzte Ehre erweist. Ein von Richard Wagner in seinem Brief vom 15. November 1882 an Hans von Wolzogen angekündigter Aufsatz über Militärmusik für die Bayreuther Blätter blieb indes ungeschrieben.

Wenn auch, gemessen an seinem musikdramatischen Gesamtwerk, die Militärmusik in Richard Wagners schöpferischen Intentionen nur von unter-

---

[27] R. W a g n e r , *Mein Leben,* a.a.O., S. 172.
[28] J. T o e c h e - M i t t l e r , *Armeemärsche,* Neckargemünd 1975, Bd. III, S. 192.

geordneter Bedeutung sein mag, so verdankt doch gerade diese Sparte (militärischer) Blasmusik in Originalkompositionen und Transkriptionen, die jahrzehntelang deren Repertoire beherrsch(t)en, Wagner zu einem sehr wesentlichen Teil ihre künstlerische Emanzipation. Die Aufmerksamkeit und Anerkennung, die Richard Wagner zeitlebens der Militärmusik — und damit der Blasmusik schlechthin — zollte, verleiht dieser Musizierform musikhistorische Bedeutung. Ludwig Degele stellt unter Bezugnahme auf Richard Wagner in diesem Sinne fest: „Gerade diesem Meister der farbenprächtigen Instrumentation hat die Wesensverwandtschaft der Militärmusik mit dem von ihm geforderten symphonischen Orchesterkörper nicht entgehen können, ihm erschienen die Ausdrucksmittel der Militärmusik als vollauf ausreichend, einen großen Teil des Aufgabengebiets des neuzeitlichen symphonischen Orchesters mit Erfolg übernehmen zu können . . ."[29]

---

[29] L. D e g e l e , *Die Militärmusik, ihr Werden und Wesen, ihre kulturelle und nationale Bedeutung,* Wolfenbüttel 1937, S. 174.

Wolfgang Suppan, Graz

ANTON BRUCKNER UND DAS BLASORCHESTER

Für Walter Wiora
zum 30. Dezember 1981*

Zeitgenossen Anton Bruckners, ob Wagner- oder Brahms-Partei, ob Franzosen oder Italiener: sie alle haben mit einer Sonderentwicklung des Orchesters im 19. Jahrhundert geliebäugelt: mit dem symphonischen Blasorchester. Die Rede ist von jenen leistungsfähigen Militärblasorchestern, die mit der Vervollkommnung älterer und der Entwicklung neuer Holz- und Blechblasinstrumente entstehen konnten, die allerdings auch infolge der Variabilität ihrer Besetzungen äußerst schwierig auf einen Nenner zu bringen waren. Richard Wagner und Johannes Brahms, Felix Mendelssohn Bartholdy und Robert Schumann, Hector Berlioz und Gioacchino Rossini, Franz Liszt und Gasparo Spontini, Giacomo Meyerbeer und Nikolai Rimskij-Korsakow bewunderten Klang und Ausdrucksvielfalt dieser Orchester, doch blieb die Komposition und Bearbeitung von Werken für solche Orchester in der Regel jenen Militärkapellmeistern vorbehalten, die an ihrer Spitze standen und die die differenzierten Instrumentationspraktiken ständig erproben und kontrollieren konnten. Deshalb hatte auch Johannes Brahms seine „Akademische Festouvertüre" zwar dem Blasorchester zugedacht, ohne sich jedoch selbst an die entsprechende Instrumentation zu wagen. Hans von Bülow äußerte sich 1858 über die Bearbeitungen und Aufführungen klassischer und romantischer Meisterwerke durch den preußischen königlichen Musikdirektor Gottfried Piefke mit folgenden Sätzen: „Wir hatten bei mehrfachen Gelegenheiten das Vergnügen, größeren Leistungen seines Korps beizuwohnen und wurden aufs neue überrascht durch die technische Vollkommenheit, die sorgfältige Nuancierung aller Einzelheiten, die imposante Gewalt der Massenwirkungen und endlich den frischen, schwungvollen Geist, der in diesen Aufführungen herrschte. Die A-Dur-Sinfonie von Beethoven, die Ouvertüre zu Wagners Tannhäuser, das erste Finale, der Pilgerchor, das Gebet und die Romanze aus dem dritten Akt, sowie die sämtlichen übertragungsfähigen Fragmente aus Lohengrin, welche wir hörten, waren Leistungen, wie sie in dieser Sphäre meisterhafter nicht gedacht werden können, und gereichten dem Dirigenten wie der ganzen Kapelle zur höchsten Ehre. Die Wahl der 7. Sinfonie von Beethoven schien uns eine recht glückliche; diese Apotheose der künstlerischen und rein menschlichen Freude gestattet eine solche Tran-

---

* Der Aufsatz entstand im Jahr 1981 aus Anlaß des 75. Geburtstages von Walter Wiora — und sollte in einer leider Manuskript gebliebenen Festschrift erscheinen.

skription weit eher, als z. B. die c-moll-Sinfonie, deren Arrangement durch Wieprecht ein so grosses Renommee erlangt hat. Das Trio des Scherzo sowie der letzte Satz waren in dieser Bearbeitung von so überwältigender Wirkung, daß man die Instrumentierung des Originals wohl auf Augenblicke ganz zu vergessen vermochte."[1]

Ähnlich urteilte Artur Nikisch. Die Verbreitung und Popularisierung des Schaffens großer und kleinerer Meister zwischen Mozart und Richard Wagner ist untrennbar mit dem Blasorchester des 19. Jahrhunderts verbunden. Die Bearbeitung erschien damals allen Beteiligten, Komponisten wie Interpreten und Publikum, nicht allein legitim sondern höchst notwendig.[2]

Wie aber verhielt sich Anton Bruckner zum Blasorchester? Jener „Unzeitgemäße und darum Unverstandene, . . . der Einsame, der große Sonderling unter den Musikern seiner Zeit", dessen „unmittelbare Volksverbundenheit" so deutlich aus den Ländlern „in den Scherzos der Symphonien" spricht, ohne dabei konkret aus „dem Schatz vorhandener Melodien" zu schöpfen, der „zwar aus der Enge seiner heimatlichen Umwelt hinauswächst, aber ihre Stärke bewahrt" und der — als „der größte Orgelspieler des Zeitalters" — auf „der Ebene der Hochkunst . . . jene urtümliche ‚ekstatische Improvisation' (vollzieht), die einst Tertullian als Zeichen echten christlichen Betens gepriesen hatte" (alle Zitate Walter Wiora).[3]

---

[1] W. S u p p a n , *Lexikon des Blasmusikwesens*, Freiburg i. Br. 1973, [2]1976, mit weiterer einschlägiger Literatur; E. R a m e i s — E. B r i x e l , *Die österreichische Militärmusik von ihren Anfängen bis 1918*, Tutzing 1976 (Alta musica 2); D. W h i t w e l l , *Band Music of the French Revolution,* Tutzing 1979 (Alta musica 5).

[2] W. S u p p a n , *Blasorchesterbearbeitungen Liszt'scher Werke*, in: Liszt-Studien I = Kongreßbericht Eisenstadt 1975, Graz 1977, S. 179—202, eine Ergänzung zu diesem Aufsatz verdanke ich Mária E c k h a r d t , die in einer Rezension der Liszt-Studien I (in: Studia musicologica 20, 1978, S. 463—468) auf einen bislang unveröffentlichten Brief Liszts hinweist, in dem dieser einem Herrn „Walther, vom Königl. Sächs. Regiment 107" mitteilt: „Insbesondere erlaube ich mir, ihre sehr gewandte und verständige Instrumentirung des Marsch's der ‚drei Könige' [aus dem Oratorium ‚Christus'] zu loben, und wünsche, daß dieselbe im Druck erscheine, und somit auch den Aufführungen anderer Militär Musik Corps sich aneigne" (Budapest, Széchényi Nationalbibliothek); ders., *Werke von Richard Strauss in Bearbeitungen für Blasorchester*, in: Neue ethnomusikologische Forschungen = Festschrift Felix Hoerburger, Laaber-Verlag 1977, S. 61—70; K. J a n e t z k y , *Über die Problematik der Harmonie-Einrichtungen. Von Haydns „Ritter Roland" bis zu Webers „Der Freyschütz",* in: Alta musica 4 = Kongr.-Bericht Uster/Schweiz 1977, Tutzing 1979, S. 121—135; Chr.-H. M a h l i n g , *Arrangements für Blasinstrumente und ihr sozialgeschichtlicher Hintergrund,* ebda. S. 137—143; L. K. J o h n s o n , *The Wind-Band Compositions of Richard Wagner,* in: Journal of Band Research 15, 1980, Nr. 2, S. 10—14.

[3] W. W i o r a , *Anton Bruckner. 1824—1896,* in: Die Großen Deutschen = Neue Deutsche Biographie 4, Berlin 1936, S. 128—147, Zitate S. 128, 130, 135 und 145; vgl.

## I

Als Schulgehilfe und Volksschullehrer hatte Bruckner an seinen Dienstorten in Oberösterreich Organisten- und Chorleiteraufgaben mit zu erfüllen: So entstand um 1842 in Windhaag die der Solosängerin des Kirchenchores, Marie Jost, zugedachte Messe in C-Dur für Alt-Stimme, 2 Hörner und Orgel (WAB 25).[4] Zivile Blaskapellen bestanden 1841—43 in Windhaag bei Freistadt und an Bruckners weiteren Wirkungsstätten in Kronstorf bei Steyr, 1843—45, und in St. Florian, 1845—55, noch nicht, doch spiegelt sich die im Stift St. Florian bis in das 17. Jahrhundert zurückreichende geistliche Bläsertradition in einer Reihe von Gebrauchsmusiken: „Aequale" (WAB 114) für drei Posaunen, 1847 als Umrahmung von Begräbnisfeierlichkeiten geschrieben, „Psalm 114" (WAB 36) für fünfstimmigen gemischten Chor und drei Posaunen, 1852, „Auf, Brüder, auf zur frohen Feier" (WAB 61), für Vokalstimmen, 3 Hörner, 2 Trompeten und Baßposaune, ebenfalls 1852, „Vor Arneths Grab" (WAB 53), für vierstimmigen Männerchor und drei Posaunen, 1854, „Laßt Jubeltöne laut erklingen" (WAB 76), für vierstimmigen Männerchor, 2 Hörner, 2 Trompeten und 4 Posaunen, 1854, sowie „Auf, Brüder, auf! Und die Saiten zur Hand" (WAB 60), für Vokalstimmen, 2 Oboen, 2 Fagotte, 3 Hörner, 2 Trompeten und 3 Posaunen, 1855. Bruckner scheint in St. Florian vor allem drei verläßliche Posaunisten und darüber hinaus Oboer, Fagottisten, Trompeter, Hornisten zur Verfügung gehabt zu haben, um Vokalsolisten und Chor nicht allein zu stützen sondern darüber hinaus einen eigenständigen Bläserklang zu entfalten.[5]

Hatte die neue Mode der „türkischen" Musikbanden in St. Florian noch nicht Fuß gefaßt, so begegnete ihr Bruckner um so intensiver im militärischen und zivilen Bereich in Linz.[6] Im Jahr 1862 entstand der „Apollo-

ders., *Über den religiösen Gehalt in Bruckners Symphonien*, in: Religiöse Musik in nicht-liturgischen Werken von Beethoven bis Reger, Regensburg 1978, S. 157—184 (Studien zur Musikgeschichte des 19. Jahrhunderts 51).

[4] WAB = R. G r a s b e r g e r, *Werkverzeichnis Anton Bruckner,* Tutzing 1977 (Publikationen des Instituts für österr. Musikdokumentation 7). — Erst nach Fertigstellung des Manuskriptes dieses Aufsatzes begann zu erscheinen: W. K i r s c h, *Die Bruckner-Forschung seit 1945,* in: Acta musicologica 53, 1981, S. 157—170; ebda. 54, 1982, S. 208—261; ebda. 55, 1983, S. 201—244; ebda. 56, 1984, S. 1—29; ein Forschungsbericht, der bezeugt, daß die Frage nach den Blasorchesterbearbeitungen Bruckner-scher Werke bislang nicht beachtet wurde.

[5] In Windhaag wurde die Blaskapelle um 1859, in St. Florian 1877 gegründet; vgl. *120 Jahre Blasmusik in Windhaag bei Freistadt. Festschrift,* Windhaag 1979; *100 Jahre Musikverein Markt St. Florian. Festschrift,* St. Florian 1977.

[6] E. B r i x e l — W. S u p p a n, *Das Große steirische Blasmusikbuch,* Wien 1981, S. 75—79.

Marsch" (WAB 115) für die damals übliche Besetzung einer kleineren Militärkapelle (2 Flöten, 4 Klarinetten, 2 Flügelhörner, 3 Euphonien, 4 Hörner, 6 Trompeten, 3 Posaunen, kleine und große Trommel).[7] Dieselbe Besetzung weist ein „Marsch in Es-Dur" (WAB 116) auf, ebenfalls in Linz komponiert, mit 12. August 1865 datiert und der Militärkapelle der Jägertruppe in dieser Stadt gewidmet.[8] Daß Bruckner in diesen Linzer Jahren dem Bläserklang, vor allem für Freiluftaufführungen in Verbindung mit einem Chor, Beachtung schenkte, bezeugen das Offertorium „Afferetur regi" (WAB 1), für vierstimmigen gemischten Chor und drei Posaunen (Orgel ad lib.), 1861, die „Festkantate" (WAB 16) zur Grundsteinlegung des Maria-Empfängnis-Domes, von der Liedertafel „Frohsinn" und der Militärmusik unter der Leitung von Engelbert Lanz am 1. Mai 1862 uraufgeführt, der „Germanenzug" (WAB 70) für vierstimmigen Männerchor, 2 Cornetti, Tenorhorn, 4 Trompeten, 4 Hörner, 3 Posaunen, Baßtuba, 1863, dem 1. Oberösterreichischen Sängerfest in Linz 1865 gewidmet, das Offertorium „Inveni David" (WAB 19) für vierstimmigen Männerchor und vier Posaunen, 1868, die „Messe Nr. 2" (WAB 27) für achtstimmigen gemischten Chor, 2 Oboen, 2 Klarinetten, 2 Fagotte, 4 Hörner, 2 Trompeten, 3 Posaunen, 1866, jedoch erst 1869 in Linz zur Einweihung der Votivkapelle unter der Leitung des Komponisten uraufgeführt.[9]

In dem verhältnismäßig kleinen Gesamtschaffen Bruckners, vor allem der Vor-Wiener Jahre, nimmt demnach der Blechbläserklang neben dem Chorklang die wichtigste Stelle ein. Wiesehr diese Kompositionen an örtliche Aufträge und Besetzungen gebunden sind, bezeugen die Wiener Jahre ab 1868: Bruckner kehrt in neuer Umgebung nur zweimal zu dieser Verbindung von Chor- und Bläserklang zurück: Im Jahr 1878 entsteht „Abendzauber" (WAB 57) für vierstimmigen Männerchor, Tenorbariton-Solo, drei Fern-Frauenstimmen und vier Hörner, ein Werk, das Viktor Keldorfer nach dem Tod Bruckners, am 18. März 1911, mit dem Wiener Männergesangverein aus

---

[7] R. G r a s b e r g e r , wie Anm. 4, S. 128, weist darauf hin, daß Max Auer Bruckners Autorschaft an diesem Marsch anzweifelt. Der Obmann der Stadtmusik Vöcklabruck in Oberösterreich, Herr Josef S t e i n d l , teilt mit (Brief vom 20. 10. 1981), daß A. Bruckner den Apollo-Marsch der Vorgängerin der heutigen Stadtmusik, der K. u. K. privilegierten uniformierten Bürgerkorpskapelle Vöcklabruck, gewidmet hätte. Das Original des Marsches sei „seinerzeit" zum Zwecke der Neuinstrumentierung an Emil Rameis nach Linz gesandt worden; derzeit seien Original und Neuinstrumentierung nicht auffindbar.

[8] Verschollen ist eine „Litanei" (WAB 132) für vierstimmigen gemischten Chor und Blechbläser, um 1844 oder um 1858 entstanden.

[9] F. G r a s b e r g e r , *Das Bruckner-Bild der Zeitung „Das Vaterland in den Jahren 1870–1900*, in: Festschrift Hans Schneider zum 60. Geburtstag, hg. von R. E l - v e r s und E. V ö g e l , München 1981, S. 118 f.

192

der Taufe heben sollte; im Jahr 1892 „Das deutsche Lied. Der deutsche Gesang" (WAB 63) für vierstimmigen Männerchor, 4 Hörner, 3 Trompeten, 3 Posaunen und Baßtuba, beim Deutschen Akademischen Sängerfest in Salzburg am 5. Juni 1892 als Gesamtchor aller dort anwesenden Vereine benutzt.

Orgel und Blasorchester sind oft miteinander in Beziehung gebracht worden. Ob nun das letztere eine lebendige Orgel sei oder diese als Blasorchester-Ersatz verstanden werden mag, Tatsache bleibt, daß symphonische Blasmusik von der Orgel her vielfach Impulse empfangen konnte. Das Schaffen Bruckners ist daraufhin bislang nicht untersucht worden. Doch liegt die Aussage nahe, daß gerade seine starke Beschäftigung mit der Orgel, mit Vokal- und Blechbläser- (weniger Holzbläser-) Gruppen während der Entwicklungsjahre in St. Florian zu der späteren starken Betonung der Blechbläser-Register in den Symphonien geführt hat. Manche Passagen im Scherzo der zweiten Fassung der 4. Symphonie, im ersten Satz der 9. Symphonie sowie der strahlende Blechbläserglanz am Beginn des Finales der 8. Symphonie erscheinen als Blechbläsersätze konzipiert, in denen die Streicher nur Zusatz- und Begleitfunktionen übernehmen. Ebenso wie Richard Wagner benutzt Bruckner die im Zusammenhang mit dem Aufkommen der militärischen Blasorchester neu konstruierten Blechblasinstrumente. In der Themenfindung, Verarbeitung und Fortspinnung erkannten Zeitgenossen den Organisten Bruckner, wie aus den jüngst von Franz Grasberger veröffentlichten und kommentierten Berichten des Wiener Chorkomponisten, Dirigenten, Bruckner-Förderers und Kritikers der Zeitung „Das Vaterland", Franz Kremser, hervorgeht: „Herr Bruckner ist ein ausgezeichneter Organist. Zu den wesentlichen Eigenschaften eines guten Organisten gehört ... die Kunst des Modulirens und Präludirens, die Kunst, ein musikalisches Motiv durch immer neue, oft überraschende harmonische Wendungen in unaufhörlicher Weise fortzuspinnen. In dieser Kunst ist Herr Bruckner ein Meister. Diese seine Meisterschaft ist aber bestimmend für seine Compositionsweise, aus ihr ergeben sich die positiven wie die negativen Seiten derselben. Anton Bruckner behandelt das Orchester als Orgel, er präludirt und modulirt auf dem Orchester, und zeigt sich dabei als einen geistvollen Harmoniker, dafür treten aber auch seine musikalischen Gebilde nicht mit der nöthigen Abgeschlossenheit und Rundung hervor, sie sind nicht genug plastisch, sie spinnen sich in unendlicher Weise in immer neuen Wendungen weiter; man weiß nicht recht, warum kein Schlußpunkt eintritt, und da es denn endlich doch zu einem Schlusse kommen muß, so fragt man sich: Warum? Denn das Ding könnte ja wohl in alle Ewigkeit so weitergehen!".[9] Soweit Kremser. Der Grazer Musikschriftsteller Friedrich von Hausegger deutet Bruckners von der Orgel her bestimmte Kompositionsweise ähnlich, wenn auch nicht so dezidiert negativ: „Erscheint er [Bruckner] aber in seinen wuchtigen Themen unmittelbar erfaßt von ihrer Gewalt, sich gleichsam willenlos hingebend ihrem Flusse, so gewinnt in den kontrapunktischen Durchführungen nicht selten an Stelle des Genius der Meister Herrschaft über sie. Die Einheit der Gestalt verliert sich dann zuweilen hinter der kunstreichen Faltung des Gewandes".[10] Solche Aussagen stehen im Zusammenhang mit der Behandlung der Bläser im Bruckner-Orchester, eben weil das Blechbläser-Register vielfach als Nukleus des Gesamtklanges und der kontrapunktischen Entwicklung der Komposition gestaltbildend wirkt. „Für sein [Bruckners] Orchester ist im weiten Umfange das Ensemble der Blechbläser kennzeichnend. Sowohl als akkordliche Grundlage des Klanggebäudes wie als führender Komplex tritt es stark in den Vordergrund", bemerkt bereits Alfred Orel.[11]

Und nun erhebt sich die Frage, ob einzelne Werke Bruckners oder Ausschnitte daraus dem symphonischen Blasorchester zugeführt werden dürfen/ können.

Es fehlen Hinweise darauf, daß zu Lebzeiten Bruckners das eine oder andere seiner Werke für großes Blasorchester bearbeitet worden sei; aber dies hängt wohl damit zusammen, daß Bruckners Orchesterwerke im 19. Jahrhundert es insgesamt kaum zu Aufführungen brachten. Trotz starker Bindungen Bruckners an Heimat und an Tradition, wurde seine Musik doch nicht als populär empfunden — und daher auch nicht (wie die Werke Beethovens, Wagners, ja selbst Dvořáks und Richard Strauss') von den Militärblasorchestern aufgenommen und verbreitet: Ein Zwiespalt, der in Walter Wioras Bruckner-Bild so deutlich herausgearbeitet erscheint, wenn von dem tiefen Gegensatz die Rede ist, der den Meister von jenen Zügen der Epoche trenne, denen „der ständige Kampf der Ideenfreunde und Gotteskämpfer" gelte, jener Gegensatz „zwischen dem hochragenden Genius und dem flachen Land der Mitmenschen ... Bruckner ist der gesteigerte Mann aus dem Volk, der von innen heraus Melodien in der Art des vormärzlichen Landvolkes schafft", der „auch als Lektor und Professor ... in der Großstadt nichts von seiner volkhaften Urwüchsigkeit" verliert, der „volkhafte Melodien und Inhalte in die höchstorganisierten Gefüge der Musikgeschichte" trägt, — der damit aber doch „seiner Zeit recht fremd" bleibt; denn „Musik der gottnahen Stille kann nicht ‚zeitnah' sein".[12]

---

10 F. v o n H a u s e g g e r , *Gedanken eines Schauenden. Gesammelte Aufsätze*, hg. von S. v o n H a u s e g g e r , München 1903, S. 243.

11 A. O r e l , *A. Bruckner. Das Werk — Der Künstler — Die Zeit*, Wien-Leipzig 1925, S. 68.

12 W. W i o r a , wie Anm. 3, Zitate S. 128, 130, 135 f. und 138.

Ein Versuch, Bruckners Musik mit Hilfe von Militärblasorchestern breiteren Kreisen nahe zu bringen, fand im Rahmen des Linzer Brucknerfestes vom 24. bis 27. Juli 1935 statt. Die vereinigten Regimentskapellen von Linz und Wels spielten Bearbeitungen des Adagios aus der 7. Symphonie, WAB 107, des „Germanenzuges", WAB 70, des Intermezzos zum Streichquintett, WAB 113, sowie den Marsch in Es-Dur, WAB 116. Die Kapellmeister Handl (Wels) und Anton Dewander (Linz) dirigierten abwechselnd. Die Linzer Tagespost vom 29. Juli 1935 berichtete: „ Das Monsterkonzert der beiden Regimentskapellen Wels und Linz, am Samstag, 27. Juli 1935, 19 Uhr auf dem Franz Josefs-Platz hatte viel Publikum angezogen. Auf dem Balkon die Ehrengäste. Um tönende Kunst volkstümlich zu machen, bediente man sich eben auch der einst in hoher Blüte stehenden populären Garten- und Platzkonzerte der Militärkapellen. Wir wissen, daß es sogar ein Richard Wagner nicht verschmähte, Arrangements seiner Werke durch gute Militärkapellen zu propagieren ... Das große Publikum war von den Leistungen und dem Gebotenen sehr begeistert und gab seiner Dankbarkeit durch starken Beifall Ausdruck."[13]

In der zweiten Hälfte der dreißiger Jahre tauchen in deutschen Verlagen Blasorchesterfassungen Brucknerscher Werke auf: die Ouvertüre in g-Moll, WAB 98, das Jagd-Scherzo der zweiten Fassung der 4. Symphonie, WAB 104, das Trio der 7. Symphonie, WAB 107, „Erinnerung", WAB 117, vor allem den leistungsfähigen Musikkapellen der deutschen Wehrmacht zugedacht. Mit dem Aufschwung des zivilen Blasmusikwesens nach dem Zweiten Weltkrieg sind einerseits Ausgaben kurzer festlicher Stücke, wie Ave Maria, WAB 6, Phrygischer Choral, WAB 33, Antiphon, WAB 46, Perger Präludium, WAB 129, verbunden, andererseits wagen sich vor allem die Symphonic Bands amerikanischer und japanischer Universitäten an „Vier Orchesterstücke", WAB 96 und 97, die Ouvertüre in g-Moll, WAB 98, einzelne Sätze der vierten, siebten und neunten Symphonie, WAB 104, 107 und 109.[14]

---

[13] Linzer Tagespost Nr. 173, 29. 7. 1935. — Für den Hinweis auf diesen Bericht bin ich Herrn Prof. Sepp F r o s c h a u e r , Linz, zu Dank verpflichtet. — Das „Monsterkonzert" von 1935 hat einen zeitspezifischen Nachfolger in der Linzer „Klangwolke" gefunden, die in diesem Jahr (1981) mit Bruckners Siebenter die Bewohner der Stadt beschallte; dazu F. E n d l e r , *Eine Nuance von Krampf. Die Linzer „Klangwolke" diesmal vor 30.000 Besuchern*, in: Die Presse, Wien, 16. 9. 1981, S. 5.

[14] Vgl. *Band Music Guide*, 5. Aufl., Evanston, Ill. 1970; D. W h i t w e l l , *A New History of Wind Music*, Evanston, Ill. 1972, S. 52; *Wind Ensemble Literature*, 2. Aufl., Madison, Wisc. 1975, Univ. of Wisconsin Bands, S. I-11, II-4, III-4, IV-2, mit Hinweisen auf Schallplatteneinspielungen.

## II

In Bruckners Schaffen erscheint die Instrumentation als entscheidendes kompositionstechnisches Element. Bearbeitet man eines seiner Werke für Blasorchester und verzichtet man damit auf den Streicherklang, so tritt die Frage auf, ob die dafür erweiterten Holz-Blechbläser-Register den spezifischen Klangfarben des Bruckner-Orchesters nahekommen — oder ob neue Qualitäten entstehen, die einer denkbaren Konzeption Bruckners zumindest nicht widersprechen, möglicherweise aber ihr neue Perspektiven eröffnen. Im 19. Jahrhundert galten Transkriptionen grundsätzlich nicht als Sakrileg. Heute, da die Phase eines historisierenden aufführungspraktischen Purismus' überwunden erscheint, darf man die Frage der Arrangements zur Diskussion stellen.[15]

Bruckners Scherzo aus der Neufassung 1878/80 der 4. „romantischen" Symphonie, „welches die Jagd darstellt", liegt in zwei sehr unterschiedlich gehaltenen Blasorchester-Transkriptionen vor: einmal durch Martin Schröder zwischen den beiden Weltkriegen im Verlag Oertel in Hannover, dann durch den Amerikaner Lee Dytrt aus dem Jahr 1979 in der Edition Peters, New York. Während Dytrt sich formal genau an die von Leopold Nowak 1953 in der Kritischen Bruckner-Gesamtausgabe vorgelegte Fassung hält[16], versetzt Schröder einzelne Abschnitte willkürlich und läßt längere Passagen völlig weg. Schröder beginnt korrekt und überträgt bis Takt 34 die einzelnen Stimmen genau nach der Vorlage auf die entsprechenden Instrumente des Blasorchesters. Dann bildet er aus den vorgegebenen Jagdhorn- und Trompetenmotiven einen 17taktigen Überleitungsteil, der im Original etwa den Takten 239 bis 259 entspricht, um sogleich mit dem Trio einzusetzen. Das Trio wird vollständig übertragen. Nach dem Trio beginnt das Scherzo nicht da capo, sondern Schröder setzt nach zwei Takten Vorbereitung mit

---

[15] Interpreten der Gegenwart weisen in verstärktem Maß darauf hin, daß jene Notengläubigkeit, die die verlorengegangenen Selbstverständlichkeiten vergangener Jahrhunderte nicht in Rechnung stellt, unvollkommene, blutleere Aufführungen hervorbringt: Nikolaus H a r n o n c o u r t in: Die Zeit, 13. 2. 1981; Ivo P o g o r e l i c h in: Der Spiegel, 13. 7. 1981; aber auch Georg P i c h t , *Die Dimension der Universalität von J. S. Bach*, in: ders., *Hier und Jetzt. Philosophieren nach Auschwitz und Hiroshima* I, Stuttgart 1980, S. 260—272. Nach Abschluß des Manuskriptes dieses Aufsatzes erschienen dazu: N. H a r n o n c o u r t , *Musik als Klangrede. Wege zu einem neuen Musikverständnis*, Salzburg 1982; W. S u p p a n , *J. S. Bach und J. J. Fux. Zur Funktion und Semantik barocker Musik*, in: Tagungsbericht Bach-Fest Graz 1983, Kassel u. a. 1985.

[16] *Anton Bruckner. Sämtliche Werke. Kritische Gesamtausgabe, IV. Symphonie Es-Dur. Fassung von 1878/80*, Studienpartitur, 2. revidierte Ausgabe, vorgelegt von Leopold N o w a k , Wien 1953. Taktangaben im folgenden Vergleich nach dieser Edition.

den Takten 151 ff. des Originals fort. Es fehlen daher in dieser Transkription die Takte 35—150, und das bedeutet für die Entwicklung der Motivik und Thematik, daß die Logik des musikalischen Aufbaues zerstört erscheint. Die Themen bei K (Takt 195) werden unvorbereitet eingeführt und zudem der durchbrochen Satz an dieser Stelle nicht erkannt; denn Schröder verbindet die auf verschiedene Instrumente verteilte Kurzmotivik zwischen K und L (Takte 195—210) zu einer weitausschwingenden, geradezu Brahmsschen Klarinetten-Melodie. Der Schlußteil ab O (Takt 239) wird bei Schröder durch mehrere Wiederholungen unnötig verlängert und durch die dicke Besetzung allzu lärmend. Der Bearbeiter hat damit formal in einer Weise in die Konzeption des Originals eingegriffen, die nicht allein den Sinn des Trios im Scherzo in Frage stellt, im vorliegenden Fall lt. Bruckners Eintragung im Nebenautograph als „Tanzweise während der Mahlzeit auf der Jagd" zu verstehen[17], sondern die Intention des Komponisten grundsätzlich verändert. Die Bewertung eines solchen Vorgehens erübrigt sich.

Eine ebenso zeitgemäße und blasorchestergerechte wie das original respektierende Transkription legt dagegen Dytrt vor. Die Symphonic Band, für die er instrumentiert, weist folgende Besetzung auf:

Holzblasinstrumente

Piccolo
1. und 2. Flöte (meist je vierfach besetzt)
1. und 2. Oboe (meist je doppelt besetzt)
Es-Klarinette
1., 2. und 3. B-Klarinette (je sechsfach besetzt)
Es-Alt-, B-Baß- und Es-Kontrabaß-Klarinette
1. und 2. Fagott (meist je doppelt besetzt)
1. und 2. Es-Alt-Saxophon (meist je doppelt besetzt)
B-Tenor- und Es-Bariton-Saxophon

Blechblasinstrumente

1., 2. und 3. Trompete (meist je zwei- bis vierfach besetzt)
1., 2., 3. und 4. Horn in F (zumindest das 1. Horn doppelt besetzt)
Bariton (meist doppelt besetzt)
Tuba (meist doppelt besetzt)
(Streich-Kontrabaß)

---

[17] R. H a a s, *A. Bruckner* = Die großen Meister der Musik, Potsdam 1934, S. 127.

Schlaginstrumente

Pauken
Kleine Trommel
Hänge-Becken
Xylophon
Marimba

Der Beginn des Scherzos bis einschließlich T. 34 ist in Bruckners Instrumentation von Jagdmotiven in den Hörnern getragen, zu denen sich Trompeten, Posaunen und schließlich auch die Holzbläser gesellen. Den Streichern kommt bordunartige Begleitfunktion zu. Dytrt kann daher die Bläserpartien in diesem Bereich original übernehmen und hat nur den vom Pianissimo zum Fortissimo sich steigernden und von der Tiefe zur Höhe hin sich aufbauenden Streicherklang zu ersetzen: Da aber das Tremolo der Violinen, Bratschen und später auch Violoncelli durch die Haltetöne der Klarinetten nicht adäquat dargestellt werden kann, läßt er dazu anfangs nur durch Marimba, ab T. 11 auch durch Xylophon ein Zweiunddreißigstel-Klangband darunter legen. Ein instrumentationstechnischer Kunstgriff, der nicht von dem Zwang getragen ist, dem Original möglichst nahe zu kommen, sondern der die spezifische Möglichkeit des Blasorchesters nutzt, um „die Vorstellung einer im Wald dahinziehenden Jagd" hervorzurufen.[18] (Notenbeispiel 1, S. 199)

T. 35 wechselt Bruckner abrupt die Stimmung. Dem Fortissimo-Abschluß des Jagd-Themas folgt eine lyrische Übergangsphase, in der jedoch bald wieder Jagd-Rufe aufklingen. Dytrt übernimmt den Streichersatz in das Klarinettenregister und beläßt Flöten und Oboen sowie das langsam in den Vordergrund rückende Blech in originaler Lage. Das Wechselspiel des durchbrochenen Satzes, original zwischen Streichern und Bläsern konzipiert, verlagert sich auf Holz- contra Blechblasinstrumente. Ab T. 71 ist wieder jene Situation erreicht, in der die Streicher auf Begleitakkorde beschränkt sind, im Blasorchester vertreten durch Klarinetten, Saxophone, Marimba, Xylophon und — im ff — Wirbel der Kleinen Trommel sowie (ab T. 87) des Hängebeckens.

---

[18] Zitat nach A. O r e l , wie Anm. 11, S. 72. — In einer vergleichbaren Situation in Bedřich Smetanas Vorspiel zu „Tajemství" („Das Geheimnis") wird die Umwertung des Tremolos in den Streichern vom Bearbeiter (Jan Fadrhons) durch ein sog. wallendes Tremolo, d. h. durch trillerartigen Wechsel von Akkordtönen in den B-Klarinetten und durch gehaltene Töne der Saxophone darzustellen versucht. Dem Verf. erscheint jedoch Dytrts Lösung klarer. Das Smetana-Beispiel in: J. P r a v e č e k , *Instrumentationslehre für Blasorchester*, Leipzig 1981, S. 217 und 226 f.

## Original

## Transkription

Notenbeispiel 1

Wegen ihrer Beweglichkeit und wegen ihres Tonumfanges gilt in der Regel, daß die Streicherstimmen im Blasorchester von den Flöten und Klarinetten ersetzt werden. Dytrt weicht im folgenden „Etwas langsamer"-Teil, ab T. 93, von dieser Regel ab, indem er die Streicher-Passage T. 97 f., einen ppp-Einsatz (!), von Trompeten, Hörnern und Posaunen gedämpft spielen läßt, um die anschließende Holzbläser-Partie im Original zu belassen, das bedeutet: den von Bruckner erstrebten Kontrast der Klangfarben auf anderer Ebene beizubehalten:

Original

Notenbeispiel 2/1

Original

Notenbeispiel 2/2

# Transkription

Notenbeispiel 2/3

Ein bläserspezifischer Mischungseffekt ergibt sich in den Takten 123—131: Im Original wird die in Triolen dahinstürmende Violoncello-Melodie von einem dreistimmigen Posaunensatz beruhigend kontrapunktiert. Statt der Violoncelli läßt Dytrt Alt- und Tenor-Saxophone zusammen mit den Hörnern die raschen Melodiebewegungen ausführen. Problematisch für den Bearbeiter wird es ab T. 143, wo die Effekte von spiccato- und pizzicato-Geigen und Bratschen „transkribiert" werden sollten: Der Bearbeiter löst diese Aufgabe dadurch, daß er zu den Staccato-Holzbläser-Figuren das Xylophon mit einem weichen Schlägel und die Marimba mit einem halbfesten Schlägel die Triolen ausführen läßt. Dadurch entsteht jener hüpfende Höreindruck, den auch das Original vermittelt. Bei Tempo I, ab T. 151, verzichtet Dytrt zunächst völlig auf den Ersatz der Haltetöne durch Holzblasinstrumente, um die zwischen Blechblas- und Holzblasinstrumenten hin- und hergeworfene Kurzmotivik klanglich nicht einseitig zu gewichten; er läßt daher nur Xylophon und Marimba begleiten. Aus der Kombination von Marimba und Klarinetten in Tenorlage (als Bratschen- und Violoncelli-Ersatz) einerseits, Oboen, Klarinetten in Alt- und Tenorlage, Xylophon und Marimba (als Ersatz für den vollen Streicherklang) andererseits entstehen Gegensätze, die der Dreiklangsmotivik in Hörnern und Trompeten oder in den Flöten jeweils eigengeprägte Klangfarben vermitteln. Ist das Seitenthema der Geigen in T. 97 f. von Blechbläsern ausgeführt worden, so setzt Dytrt nun, T. 195 f., an der entsprechenden Stelle die Klarinetten ein; es geht hier nicht mehr um Kontraste sondern um den Beginn einer Steigerungsphase, in der Horneinwürfe und Flöten-Oboen-Fagott-Überleitung (T. 203—206) sowie durchführungsartige thematische Arbeit den Blecheinsatz hinauszögern sollen, der zunächst zaghaft mit Dreiklangsmotiven (ab T. 231), jedoch im fff (bei T. 239) die Schlußbestätigung zu einem strahlenden Ende führt.

Zwar haben im Bruckner-Orchester Holzbläser nicht jene Bedeutung, die ihnen bei Schubert, Weber, Schumann und Mendelssohn Bartholdy zukommt. „Für sein [Bruckners] Orchester ist im weiten Umfange das Ensemble der Blechbläser kennzeichnend. Sowohl als akkordliche Grundlage des Klanggebäudes, wie als führender Komplex tritt es stark in den Vordergrund. Von der einstigen Verwendung z. B. der Trompete zu bloßen rhythmischen und dynamischen Zwecken ist keine Rede mehr."[19] Das Trio im vorliegenden Scherzo der 4. Symphonie mag jedoch als Zeugnis dafür gelten, daß Bruckner auch mit den Holzbläsern virtuos umzugehen versteht. Von den z. T. Haltetöne, z. T. pizzicato spielenden Streichern begleitet, entfalten Flöten, Klarinetten und Oboen ein Geflecht von Ländler-Themen, in denen

---

[19] A. O r e l , wie Anm. 11, S. 68.

„etwas vom Geiste Schuberts lebt", um Wilhelm Kienzl zu zitieren.[20] Dytrt kann in seiner Übertragung den Streicherklang nur durch die Klarinetten ersetzen, er hat jedoch zudem die Möglichkeit, für den pizzicato-Effekt den Kontrabaß zu nutzen. Beginnen im Original bei Bruckner 1. Flöte und 1. Klarinette im Unisono die Melodie, so führt Dytrt die 1. Oboe solistisch, um die Melodie vom Klarinetten-Hintergrund besser abzuheben. Dafür übernimmt die Klarinette im Blasorchester dort die Melodie (Auftakt zu T. 19), wo die Geige im Symphonie-Orchester damit in Erscheinung tritt; das heißt in jener Phase der Entfaltung, in der die übrigen Klarinetten des Blasorchesters nicht eine volle Streicherbegleitung ersetzen müssen. Bruckner verzichtet in diesem Trio auf das Blech (mit Ausnahme der rhythmisch motivierten Trompeten-Einsätze in den T. 45—51). Ebenso hält es Dytrt. Auf diese Art wird eine Besonderheit Brucknerscher Instrumentationskunst in das Blasorchester übersetzt, die mit der Praxis der Orgelregistrierung zusammenhängt: Wie Register- und Manualwechsel auf der Orgel dazu dienen, die Klangfarbe schwächer oder stärker zu verändern, so lösen im Orchester verschiedene Klanggruppen einander ab. Es werden nicht allein Tonhöhenunterschiede und dynamische Wirkungen als Kontrast- und Steigerungsmittel herangezogen, sondern auch unterschiedliche und unterschiedlich kombinierte Klangfarben.[21] (Notenbeispiel 3, S. 205 f.)

Sieht man Bruckners Arbeit so, dann darf man dieser Blasorchesterfassung des Jagd-Scherzos aus der 4. Symphonie durchaus Berechtigung zubilligen. Unter strenger Beibehaltung der Form und der Tonartencharakteristik sind die wesentlichen Elemente der Instrumentationskunst des oberösterreichischen Meisters erkannt und in die Blasorchesterpraxis eingebracht worden.

---

[20] W. K i e n z l, *Im Konzert. Von Tonwerken und nachschaffenden Tonkünstlern empfangene Eindrücke*, Berlin 1908, S. 35. Über Kienzls Bruckner-Verständnis vgl. W. S u p p a n, *Kienzl — Savenau*, in: Bruckner-Symposion Linz 1984. Bruckner, Wagner und die Neudeutschen in Österreich, im Druck.

[21] Im Zusammenhang mit den Bemühungen um die Originalfassungen der Bruckner-Symphonien, weist Oswald K a b a s t a u. a. auf dieses Phänomen hin: „. . . solche Partituren konnte nur ein Organist schreiben . . . Typisch orgelmäßig das registerartige Zu- und Abtreten von ganzen Gruppen (Streicher, Holz- oder Blechbläser), der Verzicht auf die Klavierpedalwirkung und vor allem die ganz neuartige, konsequent durchgeführte Subitodynamik. Höchst selten, daß zwei Stärkegrade durch ein Krescendo oder Diminuendo miteinander verbunden werden (der erst durch den Roll- und Jalosieschweller möglich gewordene Schwellton ist an sich ja der Orgel fremd), ungleich häufiger aber die unvermittelte Aufeinanderfolge zweier Stärkegrade (beispielsweise pp und p). Auch der typisch Brucknersche oftmalige jähe Wechsel zwischen fff und pp, der gleichfalls von der mehrmanualigen Orgel herkommt, kam in all seiner Großartigkeit und niederschmetternden Wucht erst in der Originalfassung zu voller Wirkung": zitiert nach M. A u e r, *A. Bruckner. Sein Leben und Werk*, 6. Aufl., Wien u. a. (1967), S. 517.

Original

Notenbeispiel 3

# Transkription

206

In einer eben erschienenen Instrumentationslehre für Blasorchester bemerkt Jindřich Praveček: „Oberster Grundsatz beim Instrumentieren aus der sinfonischen Partitur muß die richtige Einschätzung und Wiedergabe der klanglichen Relationen der Instrumente und Sektionen des Sinfonieorchesters bei der Umwertung in die Partitur des Blasorchesters sein. Das schwierigste Problem ist die Übertragung der Streicher, sowohl in bezug auf ihre leichte Beweglichkeit und Farbigkeit als auch auf die klanglichen Beziehungen zu den anderen Instrumenten und Sektionen. Dieser schöpferische Prozeß darf niemals zu einer schematischen Übernahme bzw. Transposition der einzelnen Instrumente des Sinfonieorchesters in die Partitur des Blasorchesters werden. Das wäre keine Instrumentierung, sondern eine rein mechanische Übertragung der Stimmen."[22] Dytrts Blasorchesterfassung des Jagd-Scherzos von Bruckner befolgt diese Regeln — und mag daher als künstlerisch vertretbarer nachschöpferischer Akt gesehen werden, durch den vielen Musikern und Musikfreunden der unmittelbare Zugang zum Schaffen Bruckners erschlossen werden kann. Ein Aspekt, der in den letzten Jahrzehnten vor allem von amerikanischen Praktikern in den Vordergrund gerückt wird: „My primary reason for transcribing music for brass is to fulfill a desire to play the great music of the past ... The best transcriptions give the music new life, reveal subleties which were not apparent before, and allow the listener to hear the work from a fresh point of view."[23]

Bei der Instrumentation der Blasorchesterfassung des Scherzos der 9. Symphonie stellten sich dem Bearbeiter, Bruce McIntyre, vor allem technische Probleme. Nicht immer ist es möglich, die Beweglichkeit der Geiger durch Holzbläser vollwertig zu ersetzen. Die fortlaufende Streicher-Achtelbewegung T. 96—108 läßt sich in den Klarinetten und Saxophonen einmal wegen des begrenzten Tonumfanges dieser Instrumente, zum andern wegen der dazu erforderlichen Atemtechnik der Bläser nur „ratenweise" bewältigen[24] (Notenbeispiel 4):

Unisono der Streicher im Original (T. 97—106):

[22] J. Praveček, wie Anm. 18, S. 216.

[23] Ralph C. Sauer, *Transcription Fundamentals*, in: Brass Bulletin Nr. 31, Bulle/ Schweiz 1980, S. 55 f. — Vgl. dazu auch D. Dondeyne — F. Robert, *Nouveau traité d'orchestration à l'usage des harmonies, fanfares et musique militaires ... de G. Parès*, Paris-Bruxelles (1969), mit Bruckner-Beispielen S. 104, 289, 290 f. und 361.

[24] Taktangaben nach *Anton Bruckner. Sämtliche Werke. Kritische Gesamtausgabe, IX. Symphonie d-Moll. Originalfassung*, Studienpartitur, 2. revidierte Ausgabe, vorgelegt von L. Nowak, Wien 1951.

Dieselben Takte im Holzbläser-Register:

Im übrigen hält sich McIntyre korrekt an das Original, er überträgt schematisch und tonartengetreu Takt für Takt, ohne sich irgendwelche Freiheiten zugunsten des spezifischen Blasorchesterklanges zu erlauben. Das bedeutet: statt der Streicher erklingen in der Regel Holzbläser, sieht man vom Scherzo-Beginn ab, in dem die schwirrenden pizzicato-Akkorde der 2. Violinen von gestopften (Straight mute) Cornets und Trompeten vertreten werden.

Hat der Bearbeiter eines Orchesterwerkes die Instrumentierung im Original zu beachten, so möchte der Bearbeiter eines Kammermusik-, Klavier-, Orgelwerkes oder Chorsatzes der Vorlage weitere Aspekte abgewinnen. Bruckners „Ave Maria", WAB 6, für siebenstimmigen gemischten Chor a cappella gedacht, verteilt in der Fassung von Willy Müller-Medek nicht die einzelnen Stimmen vom Sopran bis zum Baß schematisch auf die einzelnen Stimmlagen des Blasorchesters, sondern vermag zudem die Klangfarben der einzelnen Register miteinander zu koppeln oder gegeneinander auszuspielen. Den Sopran-Alt-Beginn des Stückes läßt Müller-Medek von drei Trompeten blasen, in T. 10 wechselt er gleichsam das Manual und führt die Melodie mit Flügelhörnern, Waldhörnern und Posaunen (Saxophone, Tenorhörner ad lib.) weiter. Im Tutti T. 19 f. treten zwar alle vorhandenen Instrumente in Erscheinung, doch spart der Bearbeiter den Holzbläsereinsatz für das ff in T. 25 auf, um dann in T. 31 die Piano-Bewegung auf das Holz zu beschränken und den Schlußchoral mit T. 37 beginnend um so wirkungsvoller aufzubauen. Feierliche Stücke dieser Art werden auch von leistungsschwächeren Amateurkapellen bewältigt und bei zahlreichen Festlichkeiten das Jahr über gebraucht, so daß Verleger in der Bundesrepublik Deutschland, in Österreich, in der Schweiz und in den USA entsprechende Blasorchesterausgaben bereit halten. Die Fassungen des „Phrygischen Chorals", WAB 33, der „Antiphon", WAB 46, beide von J. F. Baumgartner instrumentiert, und des „Ecce sacerdos" (Hymn of Praise), WAB 13, von Philip Gordon eingerichtet, nutzen die unterschiedlichen Klangfarben der einzelnen Bläserregister.

Eine entscheidende Rolle bei der Einrichtung von Vokal- und Instrumentalstücken für Blasorchester fällt der Wahl der Tonart zu. Die zumeist auf den Grundton B oder Es eingestimmten und in der Naturtonreihe überblasenden Blechblasinstrumente fügen sich um so schlechter in die temperierte Stimmung ein, je weiter man sich im Quintenzirkel von B- oder Es-Dur entfernt.[25] Dies gilt nicht allein für Amateure sondern auch für professionelle

---

[25] In den USA ist es üblich geworden, die Orgelwerke J. S. Bachs dem Blasorchester zu erschließen, vgl. dazu D. R. H u n s b e r g e r , *J. S. Bachs ,Prelude in E-Flat' and the ,Passacaglia and Fugue in C-Minor' in Transcriptions for Wind Ensemble*, Diss. Univ. of Rochester 1963; J. M. B u r k , *Band Transcriptions of the Organ Music of J. S. Bach: A Development of a Methodology for Transcribing, and Appraisal of Available Transcriptions and Three Model Transcriptions*, 2 Bände, Diss. Univ. of Oklahoma 1967.

Bläser (die allerdings eher die Möglichkeit des Instrumentenwechsels nutzen können). Der Bearbeiter einer Blasorchesterfassung wird daher bestrebt sein, ein Stück in jene Lage zu bringen, die von der Tonart und von den Tonumfängen der zur Verfügung stehenden Instrumente her günstig erscheint.

Die aus der Zeit Haydns und Mozarts geläufige Einrichtung von Kompositionen für „Harmonie-Besetzungen" wird in leicht modifizierter Form von Max Schönherr aufgegriffen, um Bruckners „Steiermärker", WAB 122, der Bläserpraxis zugänglich zu machen. Original für Klavier geschrieben, ein Stück aus Bruckners Jugendzeit, um 1850 dem Frl. Aloisia Bogner, Tochter des Schullehrers Michael Bogner in St. Florian gewidmet, übersetzt es den Dialekt der steirisch-oberösterreichischen Ländlermelodik in sehr einfacher und klarer Form in die kunstvolle Ausdruckswelt des Klaviers. Bruckner, der nach Art damaliger Dorfschullehrer auch als „Geiger beim bäuerlichen Tanz"[26] sich verdingte, beherrschte Melodien und Improvisationstechniken der Volksmusik. Die Weise des „Steiermärkers" gehört jenem weitverbreiteten Typus zu, den Walter Wiora sowohl im österreichisch-süddeutschen Tanz wie in Josef Haydns Abschiedssymphonie, in Mozarts „Figaro" und bei Beethoven („Ich liebe dich") nachweisen konnte[27], die aber auch in dem steirischen Lied „Das Dirndl im Tannenwald" sich findet.[28] Max Schönherr[29] macht daraus ein „konzertantes Bläsersextett", das die Originaltonart beibehält, obgleich ein Bauernmusikant diese Melodie nie in A-Dur auf der Klarinette spielen würde und auch für gelernte Instrumentalisten die Grifftechnik und Melodiegestaltung durch den ständigen Registerwechsel behindert wird.

Andererseits bringt Schönherr eine Reihe „Harmoniemusik"-spezifischer und zugleich alpenländischer Instrumentationspraktiken ein. Er stellt dem Ländler eine viertaktige Einleitung voran, in der akkordlich-rhythmisch die Thematik vorbereitet wird, die zunächst in der Klarinette nicht zu der üblichen Klavierbegleitung mit Vorschlag und zwei Nachschlägen sondern über Hörner-Fagott-Akkorden erklingt. Mit der Übernahme der Melodie durch die Flöte beginnt die eigentliche Walzer-Begleitung, die jedoch durch die Haltetöne der Fagottstimme doch nicht zu eckig gerät. Schönherr führt Flöte und Klarinette teilweise in Oktaven und ergänzt die bei Bauernmusikanten übliche zweite Stimme in der Oboe. Die durch die Besetzung ermöglichte weite Lage des Satzes bedingt Akkord-Umkehrungen und damit Ver-

---

[26] W. W i o r a , wie Anm. 3, S. 141.

[27] W. W i o r a , *Europäische Volksmusik und abendländische Tonkunst,* Kassel 1957, S. 224, Tafel 10.

[28] A. S c h l o s s e r , *Deutsche Volkslieder aus Steiermark,* Innsbruck 1881, S. 452.

[29] Über ihn W. S u p p a n , Artikel *Schönherr* in: Steirisches Musiklexikon, Graz 1962—66, S. 516 ff.

änderungen in den Klangfarben, die den eigenwertigen Klangeindrücken eines Bläsersextettes entsprechen. Im Trio fügt Schönherr zu der Hauptstimme in Klarinette und Oboe Motivimitationen durch die Flöte: aus der Spielfreude von Tanzmusikanten heraus verständliche und oft zu beobachtende Praxis mündlich tradierter Musik. Zudem werden vom Bearbeiter Phrasierungen und dynamische Zeichen ergänzt, die Bruckner wohl als unnötig empfand und dem Geschmack des Pianisten überlassen wollte. Eine dreitaktige Coda, Schlußbestätigung nach Art der Ländlermusikanten, beschließt bei Schönherr den „Steiermärker" (Notenbeispiel 5):

Original (Klavier)

In der Musikwissenschaft ist seit etwa sechzig Jahren von Werktreue die Rede. Die Aufführungspraxis hat sich als eigenständiger Zweig entfaltet, mit dem Ziel, die „verlorengegangenen Selbstverständlichkeiten" (Hugo Riemann), die nicht mit Hilfe der Notenschrift überlieferbaren Musizierpraktiken vergangener Jahrhunderte zu ergründen.[30] Die Erinnerung an Bruckner ist jedoch noch frisch, es gibt im Bereich der Orchesterinstrumente kaum Neuerungen seit dem ausgehenden 19. Jahrhundert, die Atmosphäre des bürgerlichen Konzertlebens hat sich nicht wesentlich verändert, es sind z. T. die gleichen Säle, in denen Bruckners Symphonien heute noch so erklingen können wie vor einhundert Jahren. Wirft man zudem in die Waagschale, daß die Zahl der reifen Werke Bruckners zwar geringer ist als die Werkzahl anderer Komponisten, daß der Meister aber ungemein sorgfältig gearbeitet hat: „die Skizzen zeigen, wie er feilt und durchstreicht und nochmals feilt und so oft erst nach vielen Versuchen Teile des Ganzen vollendet — und nach einiger Zeit, oft nach vielen Jahren, pflegt er das Werk noch einmal umzuarbeiten"[31], — dann mögen Bedenken gegen Bearbeitungen und Transkriptionen nicht unangebracht sein. Bruckner selbst unterscheidet sehr genau, ob er Be- und Umarbeitungen seiner Symphonien sanktioniert oder ob er einer dadurch gegebenen Aufführungschance wegen seine Freunde gewähren läßt. Das würde gegen Bearbeitungen sprechen. Andererseits geht es — noch heute — um die Verbreitung, um nicht zu sagen: Popularisierung, des Schaffens von Anton Bruckner. Darum, daß durch Transkriptionen mehr Musiker, Amateure, den Wert seiner Kunst unmittelbar erfahren können; denn trotz Schallplatte, Rundfunk und Fernsehen erscheint der Zugang zum Schaffen eines Meisters noch immer über das Selbstmusizieren pädagogisch am sinnvollsten.[32] Die in mancher Hinsicht lockerere Haltung US-amerikanischer Fachkollegen (wie oben, Anm. 23, von Ralph C. Sauer ausgesprochen) ist nicht von der Hand zu weisen.

Bruckner selbst hat zu diesem Thema keine Aufzeichnungen hinterlassen. Aber vielleicht dürfen wir uns an einen jüngeren Zeitgenossen Bruckners halten, der zwar heute beinahe vergessen ist, der aber entscheidend dazu beigetragen hat, die neue, dem 20. Jahrhundert gemäße Ästhetik zu entwickeln: Ferruccio Busoni. In dessen Essay über den „Wert der Bearbeitung" lesen

---

[30] Dazu W. S u p p a n , *Musiknoten als Vorschrift und als Nachschrift*, in: Symbolae Historiae Musicae = Federhofer-Festschrift, Mainz 1971, S. 11—18; ders., *Musik und Schrift. Was kann und was soll Musiknotenschrift (in der Pädagogik) leisten?*, in: Tagungsbericht. Eröffnung des Bayerischen Schulmuseums Ichenhausen 1983, im Druck.

[31] W. W i o r a , wie Anm. 3, S. 146.

[32] Dazu grundsätzlich W. W i o r a , *Komponist und Mitwelt,* Kassel u. a. 1964 (= Musikalische Zeitfragen 6).

wir u. a.: „So sind Bearbeitungen im virtuosen Sinne eine Anpassung fremder Ideen auf die Persönlichkeit des Vortragenden. Bei schwachen Persönlichkeiten wurden solche Bearbeitungen zu schwachen Bildern eines kräftigen Originals, und die zu allen Zeiten bestehende Mehrheit der Mittelmäßigen brachte zur Virtuosenzeit auch eine Überzahl mittelmäßiger, ja geschmackloser und entstellender Bearbeitungen zutage, durch welche diese Gattung der Literatur in Verruf und in eine ganz untergeordnete Stellung geriet ... Von ihm (Johann Sebastian Bach) lernte ich die Wahrheit erkennen, daß eine gute, große ‚universelle‘ Musik dieselbe bleibt, durch welches Mittel sie auch ertönen mag. Aber auch die zweite Wahrheit, daß verschiedene Mittel eine verschiedene (ihnen eigene) Sprache haben, in der sie diese Musik immer wieder etwas anders verkünden ... Jede Notation ist schon Transkription eines abstrakten Einfalls ... Regeln [wie zu transkribieren sei] gibt es keine, wohl aber Vorbildliches ...“[33]

ANHANG[34]

Ergänzungen von Blasorchester-
und Bläserwerken
zu WAB

WAB 6    *Ave Maria*
    (1)  Bläsersatz von Willy M ü l l e r - M e d e k , München o. J.,
         Philipp Grosch Musikverlag (Das Bläserschiff 478),
    (2)  siebenstimmige Bläserbearbeitung von Fridolin S e i d e l ,
         Ms. im Archiv des Musikvereins Neukirchen/Oberösterreich,

---

[33] F. B u s o n i , *Von der Einheit der Musik. Verstreute Aufzeichnungen,* Berlin 1922, S. 147—153 (Max Hesses Handbücher 76).

[34] Für Hinweise und Hilfe bei der Materialbeschaffung habe ich zu danken: B e l w i n  M i l l s  Publishing Corp., H. Willard  G r a y , Melville, NY, USA; Albert B e n z , Luzern; Friedrich  D e i s e n r o t h , St. Augustin, BRD; Musikhaus D o b l i n g e r , Dr. R. H.  F ü h r e r , Wien; Charles Th.  D r o m s o n , Straßburg; Alois  F i n t l , Hall in Tirol; George P.  F o e l l e r , Illinois State University, Normal, Bloomington, USA; Sepp  F r o s c h a u e r , Linz; Musikverlag Helbling, Adi  R i n n e r , Innsbruck; Paul  H u b e r , St. Gallen, Schweiz; Edwin F.  K a l m u s & Co., Inc., Opa-Locka, Florida, USA; Theodore  P r e s s e r  Co., Bryn Mawr, Pennsylvania, USA; Rhythmus-Verlag, Roman  H a u r i , Rothenburg, Schweiz; Musikverlag Emil  R u h , Viktor  R u h , Adliswil, Schweiz; Musikverlag Fritz S c h u l z , Klaus  S c h u l z , Freiburg-Tiengen, BRD; Fridolin  S e i d e l , Neukirchen, Oberösterreich; Josef  S t e i n d l , Vöcklabruck, Oberösterreich; Universal Edition, F. Werner  S c h e m b e r s , Wien; David  W h i t w e l l , California State University, Northridge, USA; Werner  Z i n t g r a f , Egenhausen, BRD.

214

(3)  unter dem Titel „Hymnus" für Blasorchester bearbeitet von
Philip G o r d o n , Delevan, New York 1976, Kendor
Music, Inc.

WAB 11  *Christus factus est (III)*
Unter dem Titel „Antiphon" für Blasorchester bearbeitet von
Philip G o r d o n , Bryn Mawr, Pa. 1976, Theodore Presser Co.
(115-40134).

WAB 13  *Ecce sacerdos*
Unter dem Titel „Hymn of Praise" für Blasorchester bearbeitet
von Philip G o r d o n , New York 1969, Carl Fischer Inc.
(J 645).

WAB 23  *Locus iste*
(1)  Als Nr. 2 der „Two Bruckner Miniatures" für Blasorchester
bearbeitet von Philip G o r d o n , New York 1970, Alfred
Music C., Inc.,
(2)  unter dem Titel „Sacred Music" für Blasorchester bearbeitet
von Henk v a n L i j n s c h o o t e n , Wormerveer/Hol-
land 1982, Verlag Molenaar N. V.,
(3)  unter dem Titel „Bruckner — Chorale" (Locus iste) für Blasorchester bearbeitet von Walter T u s c h l a , Friedrichshafen o. J., Studio-Verlag R. Seifert.

WAB 27  *Gloria* aus der *Messe Nr. 2*
(1)  Für gemischten Chor und Blasorchester bearbeitet von
Elmer S c h o e t t l e , New York 1958, Edward B. Marks
Music Corp. (Belwin-Mills) (Marks Band Library CB 55.
13750-90),
(2)  Neuausgaben der vollständigen Messe Nr. 2 in den Verlagen
Theodore Presser, Bryn Mawr, Pa./USA, sowie C. F. Peters
Corp., New York.

WAB 33  *Pange lingua et Tantum ergo*
(1)  Unter dem Titel „Phrygischer Choral" für Blasorchester bearbeitet von J. F. B a u m g a r t n e r , Adliswil-Zürich
1966, Verlag Emil Ruh,
(2)  als Nr. 1 der „Two Bruckner Miniatures" für Blasorchester
bearbeitet von Philip G o r d o n , New York 1970, Alfred
Music Co., Inc.

WAB 42  *Tantum ergo,* für gemischten Chor und sechsstimmige Bläserbegleitung bearbeitet von A. P i e c h l e r , Augsburg o. J., Verlag
Böhm & Söhne.

WAB 46 *Antiphon (Tota pulchra es)*, für Blasorchester bearbeitet von J. F. B a u m g a r t n e r, Adliswil-Zürich 1964, Verlag Emil Ruh.

WAB 52 *Virga Jesse*, für Blechbläserquartett bearbeitet von Ralph G u e n - t h e r, San Antonio/USA 1984, Southern Music Co.

WAB 70 *Germanenzug*, Themen daraus unter dem Titel „In Odins Hallen ist es licht", für Blasorchester bearbeitet von Hans S t r a s s e r, 1935, Ms. im Blasmusikarchiv der Linzer Magistratskapelle (Froschauer-Archiv).

WAB 88 *Trösterin Musik*
(1) Für Blasorchester bearbeitet von Leopold D a x p e r g e r, Ms. im Blasmusikarchiv der Linzer Magistratskapelle (Froschauer-Archiv),
(2) vier- bis sechsstimmige Bläsersätze zum Chor, eingerichtet von Friedolin S e i d e l, Ms. im Archiv des Musikvereins Neukirchen/Oberösterreich.

WAB 96 *Marsch*, als Nr. 4 der „Vier Orchesterstücke", für Blasorchester bearbeitet von Franz B u r k h a r t, Wien o. J., Musikwissen-schaftlicher Verlag (Doblinger).

WAB 97 *Drei Orchesterstücke*, als Nr. 2, 3 und 1 der „Vier Orchester-stücke", für Blasorchester bearbeitet von Franz B u r k h a r t, Wien o. J., Musikwissenschaftlicher Verlag (Doblinger).

WAB 98 *Ouvertüre in g-Moll*
(1) Für Blasorchester bearbeitet von Max V i l l i n g e r, Mainz 1937, Verlag B. Schott's Söhne (B.S.S. 35040),
(2) für Blasorchester bearbeitet von Otto Z u r m ü h l e, Rothenburg 1970, Rhythmus-Verlag.

WAB 104 *4. Symphonie*
(1) 3. Satz (Scherzo) der Fassung 1878/80, für Blasorchester bear-beitet von Martin S c h r ö d e r, Hannover o. J., Verlag Louis Oertel (L 72150),
(2) Hunt Scherzo, für Blasorchester bearbeitet von Lee D y t r t, hg. von Leopold N o w a k, New York u. a. 1979, C. F. Peters (Edition Peters 66585).

WAB 105 *5. Symphonie*, daraus „Bläserstücke" für 3 Trompeten, 4 Hörner, 3 Posaunen und Tuba bearbeitet von Vinzenz G o l l e r, Ms. im Archiv Pizka, Linz.

WAB 107   7. *Symphonie*
  (1) Trio, für Blasorchester bearbeitet von Martin S c h r ö d e r , Hannover o. J., Verlag Louis Oertel,
  (2) Adagio, für Blasorchester bearbeitet von Hermann R a m - e i s , am 27. Juli 1935 in Linz aufgeführt, Ms. im Archiv der ESG-Musik Linz, A-4020 Linz, Museumstraße 4—8.
  (3) Themen aus dem Adagio, für Blasinstrumente bearbeitet von Paul H u b e r , St. Gallen/Schweiz 1942, Ms.-Kopie beim Verf.[35],
  (4) Adagio, für die Stadtmusik Bern bearbeitet von Otto Z u r - m ü h l e , Ms. im Archiv der Stadtmusik Bern,
  (5) Adagio, für Blasorchester bearbeitet von Philip G o r d o n , Toronto 1976, E. C. Kerby Ltd.,
  (6) Trauermusik, für Flöte, Oboe, Klarinette, 2 Hörner und Fagott bearbeitet von Max S c h ö n h e r r , Wien 1979, Musikverlag Ludwig Krenn (L.K. 1480 A).

WAB 109   9. *Symphonie*, Scherzo und Trio für Blasorchester bearbeitet von Bruce McIntyre, Opa-Locka/USA 1977, Verlag Edwin F. Kalmus (B 3045).

WAB 113   *Intermezzo* (Streichquintett), für Blasorchester bearbeitet von Anton D e w a n g e r , am 27. Juli 1935 in Linz aufgeführt, Ms. verschollen.

WAB 115   *Apollo-Marsch*
  (1) Für Blasorchester bearbeitet von Otto W i m m e r , Ms. im Archiv der Musikkapelle des Landesgendarmeriekommandos Oberösterreich in Linz,
  (2) für Blasorchester bearbeitet von Erik L e i d z é n , Bryn Mawr, Pa./USA 1951, Theodore Presser Co.

WAB 116   *Marsch in Es-Dur*
  (1) Für Blasorchester bearbeitet von Franz B u r k h a r t , Wien o. J., Musikwissenschaftlicher Verlag (Doblinger),

---

[35] D. L a r e s e , *Paul Huber zum 60. Geburtstag,* Amriswil/Schweiz 1978, S. 49. — Paul Huber schreibt dazu an den Verf. (Brief vom 16. 10. 1981): „Wie Sie sehen, habe ich (die Partitur) vor beinahe vierzig Jahren während meiner Studienzeit verfaßt, und zwar aus reiner und großer Bruckner-Begeisterung heraus. Wenn Sie meine Bearbeitung mit der Original-Partitur vergleichen, so werden Sie feststellen, daß ich nichts ‚dazukomponiert' habe. Ich habe lediglich gekürzt und Figurationen weggelassen. Der Satz mußte ja von einer reinen Blechbesetzung gespielt werden können. Die Aufführungen haben jeweils tiefen Eindruck gemacht. Aus Pietät und Ehrfurcht vor dem großen Bruckner und seinem Werk habe ich diese ‚Bearbeitung' nie veröffentlicht."

(2) für Blasorchester bearbeitet von Erik L e i d z é n , Bryn Mawr, Pa./USA 1951, Theodore Presser Co.

WAB 117 *Erinnerung,* für Blasorchester bearbeitet von Max V i l l i n g e r , Mainz 1939, Verlag B. Schott's Söhne (B.S.S. 35513).

WAB 122 *Steiermärker,* für Flöte, Oboe, Klarinette, 2 Hörner und Fagott bearbeitet von Max S c h ö n h e r r , Wien 1979, Musikverlag Ludwig Krenn (L.K. 1480 B).

WAB 129 *Perger Präludium*
(1) Für Bläserquartett bearbeitet von Karl M o s e r , in: Album Geistlicher Lieder, Linz o. J., im Selbstverlag des Bearbeiters,
(2) für Blasorchester bearbeitet von Karl T r e b s c h e , Oberneukirchen/Oberösterreich o. J. (um 1979), Verlag S. Reischl,
(3) für Bläserchor und Orgel instrumentiert und bearbeitet von Heino S c h n e i d e r , Augsburg o. J., Verlag Anton Böhm[36].

WAB 131 *Vorspiel und Fuge,* davon das Vorspiel für Bläserchor und Orgel instrumentiert und bearbeitet von Heino S c h n e i d e r , Augsburg o. J., Verlag Anton Böhm.


B l a s o r c h e s t e r b e a r b e i t u n g e n   u n t e r   V e r w e n d u n g
v e r s c h i e d e n e r   T h e m e n   a u s   W e r k e n   B r u c k n e r s :

*Festliche Musik über Themen von Anton Bruckner,* für Blasorchester bearbeitet von Sepp T a n z e r , Innsbruck 1979, Edition Helbling (3814-b).

*Festfanfare über Themen von Anton Bruckner,* bearbeitet von Vinzenz G o l l e r , aufgeführt am 17. Juni 1977 anläßlich eines Jubiläumskonzertes in St. Florian; lt. *100 Jahre Musikverein Markt St. Florian,* St. Florian 1977, S. 7.

*Bruckneriana,* Bläsersätze für 2 Trompeten und 2 Posaunen von Franz Kinzl, Ms. z. T. verschollen, z. T. im Nachlaß F. Kinzl in Linz.

---

[36] G. P. K ö l l n e r , *Bruckner-Klänge im Mainzer Dom. Zwei originale Orgelsätze Anton Bruckners, instrumentiert und bearbeitet für Bläserchor und Orgel von Domorganist Heino Schneider, Mainz. Versuch einer Analyse,* in: Musica sacra 91, 1971, S. 106—109.

*Hermann Kronsteiner, Missa Anton Bruckner,* Wien 1973, Ludwig Doblinger (D. 14.589), daraus Kyrie unter dem Titel „Präludium und Fuge in c" für Blasorchester bearbeitet von Fridolin S e i d e l , Ms. im Archiv des Musikvereins Neukirchen/Oberösterreich.

*Musica sacra. Fünf kleine geistliche Stücke* (nach Melodien) *von Purcell, Beethoven und Bruckner,* für Blasorchester bearbeitet von Hermann *Egner,* Rot an der Rot (1983), Musikverlag Siegfried Rundel.

*In die Ferne,* für Horn und Klavier, lt. L. S a n s o n e , *French Horn Music Literature,* New York 1962, S. 17.

Zoltán Falvy, Budapest

## BLASMUSIK-MATERIALIEN
## IN DER UNGARISCHEN NATIONALBIBLIOTHEK ZU BUDAPEST

Die Ungarische Nationalbibliothek wurde 1802 in Budapest durch eine großzügige Stiftung des Grafen Ferenc Széchényi gegründet. Anfangs bildeten das Nationalmuseum und die Bibliothek eine Einheit, weil nicht nur Handschriften und Bücher zu der Stiftung gehörten, sondern auch Kunstdenkmäler. Die große nationale Sammlung wurde im 19. Jahrhundert und zu Beginn des 20. Jahrhunderts noch durch weitere Schenkungen und Ankäufe erweitert. Auch die Musiksammlung blieb in den Anfangszeiten zusammen. 1952 war das Museumsmaterial und die Bücher- und Handschriftensammlung derartig angewachsen, daß eine Trennung sinnvoll erschien. Seit dieser Zeit wird der Bibliotheksteil als Széchényi-Nationalbibliothek bezeichnet. In den Rang einer Nationalbibliothek war die Sammlung in den 150 Jahren schon früher, noch in den Museumszeiten, aufgestiegen, weil von jeder ungarischen und auf Ungarn bezogenen Ausgabe mehrere Pflichtexemplare gesammelt wurden. Deshalb übersteigt die Bücher- und Drucksammlung heute die Drei-Millionengrenze.

Die Musikabteilung der Széchényi-Nationalbibliothek enthält sehr wichtige Handschriften und Noten. Es genügt auf Haydns Handschriften, zeitgenössische Abschriften und alte Ausgaben, oder auf Süßmayers Handschriften, sowie fast alle Handschriften der ungarischen Komponisten aus dem 19. Jahrhundert hinzuweisen. Hier werden die Orchestermaterialien von mehr als 100 Stücken der Esterházy-Oper aus dem 18. Jahrhundert aufbewahrt, in denen sich häufig Haydns Anmerkungen finden (z. B. Einlage-Arien). Die Széchényi-Nationalbibliothek ist nicht nur eine Bibliothek — und die dort befindlichen Noten spiegeln nicht nur die Ankaufstätigkeit einer Bibliothek. Die 180jährige Geschichte der Széchényi-Nationalbibliothek ist ein Spiegelbild der ungarischen Musikkultur. Alle Musikstücke, die für Ungarn wichtig sind, in Ungarn gebraucht und gespielt wurden, sind dort zu finden. In der Musikabteilung der Széchényi-Nationalbibliothek wurde hauptsächlich seit Beginn des 19. Jahrhunderts planmäßig gesammelt.

Die informative Mitteilung zur Blasmusik kann jedoch nicht umfangreich sein, weil in Ungarn während des 19. und 20. Jahrhunderts die Blasmusik nicht allgemein typisch gewesen ist. Vor dem 19. Jahrhundert spielte sie in der städtischen Turmmusik und bei den städtischen Festzügen eine wichtige Rolle. Fast alle Städte hielten sich bezahlte Blasmusiker. Zum 19. Jahrhundert hin verlor dieser Brauch seine Funktion.

Es ist möglich, das Blasmusikmaterial der Bibliothek in verschiedenen Gruppen vorstellen. (Die Gruppen beziehen sich in erster Linie auf die Kunstmusik und die städtische Unterhaltungsmusik und schließen nicht die Volksmusik und auch nicht die Blasmusik bei den Bergmannskapellen ein, der heute noch eine grundlegende Rolle zukommt.)

I. Drucke, Familiensammlungen, Ausgaben für Blasorchester von Verlagen, die Rózsavölgyi-Ausgaben vor dem Krieg, die Rózsavölgyi-Ausgaben nach dem Krieg, die neueren ungarischen Ausgaben aus den fünfziger und sechziger Jahren.

II. Werke von Komponisten aus dem 19. und 20. Jahrhundert für Blasorchester (hauptsächlich ungarische Komponisten).

Aus den Verlagsausgaben und Drucken der Gruppe I heben sich die Noten heraus, die in Wien zusammengestellt wurden. I/a. Unter den alten Ausgaben finden sich vom Beginn des 19. Jahrhunderts solche mit dem Impressum „Chemische Druckerey am Graben", etwa die „Schweizerfamilie. Eine Lyrische Oper in 3 Acten" aus dem Jahr 1810 für 2 Oboen, 2 Clarinetten, 2 Corni, 2 Fagotte und Contra Fagott ad lib. von Joseph Weigl. Aus der gleichen Druckerei stammen zwei Opern von (Gaspare) Spontini, „Ferdinand Cortez, Große Oper in 3 Acten" für die eben genannten Instrumente und „La Vestale. Große Oper in 2 Acten" für fast die gleiche Besetzung.

Zu einer beliebten Gattung des 19. Jahrhunderts, zu dem Melodrama, entstanden gleichfalls in der Wiener Druckerei Orchesterstimmen für Blasinstrumente. In der Széchényi-Nationalbibliothek befindet sich Ignaz Xaver Seyfrieds Melodrama „Saul, König in Israel" in 3 Akten für 2 Oboen, 2 Klarinetten, 2 Hörner, 2 Fagotte und für Contra Fagott ad libitum. In der gleichen Gruppe ist das große pantomimische Ballet von Louis Antoine Duport „Der blöde Ritter oder die Macht der Frauen" zu finden, dessen Orchesterpart Sedlak für ein neunstimmiges Bläserensemble bearbeitet hat. Der gleiche Wiener Verlag gab Blasmusik mit französischem Impressum heraus. Bei diesen Werken wird der Verlag so bezeichnet: Vienne, Imprimerie chimique. Unter diesen Ausgaben gibt es interessantes Stück in ungarischer Hinsicht, Friedrichs „Duett für zwey Csakans". Der Csakan hatte schon längst seine Beliebtheit als Instrument eingebüßt. Vordem wurde der Csakan aus einem Spazierstock als Holzblasinstrument hergestellt, heute ist er ein Werkzeug bei der Feldarbeit (Spitzhacke). Ebenfalls mit französischem Impressum erschienen in Wien Georg Lickls „Deux harmonies pour 2 clarinettes, 2 cors, et 2 bassons" sowie vier weitere Werke von François Krommer, die alle zu dem Stammaterial der Széchényi-Nationalbibliothek gehören.

Von weiteren Wiener Ausgaben seien einige Merkwürdigkeiten genannt: Bei Glöggl erschien Philipp Fahrbachs „Vollständige Militärparade-Musik für Blasorchester", bei Mechetti (Industrie comtoir zu Pest) Adalbert Gyrowetzens Werk „Der Augenarzt" in der Bearbeitung von Franz Starke für 9 Stimmen. Einige Werke des 19. Jahrhunderts stammen aus Leipzig. Unter ihnen ist Joseph Weigls Bühnenstück „Die Schweizerfamilie" in der Bearbeitung für Blasorchester durch Wilhelm Leberecht Barth interessant, das bei Hoffmeister erschienen ist. Das Stück mag in Ungarn beliebt gewesen sein; denn es wurde in vielen Variationen aufgeführt.

I/b. In der Bibliothek werden mehrere Familiensammlungen gesondert aufbewahrt. So können wir das Notenmaterial aus dem Schloß in Tata des gräflichen Zweigs der Esterházy-Familie kennenlernen, wo eine interessante Musik gepflegt wurde. In diesem Fall wird nicht die Ausgabe oder der Verlag zur Grundlage der Einordnung, sondern die Zugehörigkeit der Noten zu einer bestimmten Familie. Tata liegt 50—60 Kilometer von Budapest entfernt. Dort lebten die musikalischen Traditionen des 19. Jahrhunderts noch in der ersten Hälfte des 20. Jahrhunderts. Zur Pflege der Kammermusik für Bläser liegen seit dem Ende des 18. Jahrhunderts Berichte vor. Wenn wir die alten Noten in eine chronologische Ordnung bringen, dann ist das früheste Werk die Bearbeitung der „Pièces d'harmonie à 6 parties" von Ignaz Pleyel durch Bisch aus dem Jahr 1792, bei André Offenbach erschienen. Die Bearbeitung für Blasorchester des Bühnenwerks von Peter Winter „Das unterbrochene Opferfest" durch Johann Stumpf vom Jahr 1798 bei André Offenbach folgt dem Werk von Pleyel. Ebenfalls in der Bearbeitung durch Stumpf ist aus dem Jahr 1801 das Werk von Fernando Paër „Il morto vivo" erhalten. In Tata wurden viele Werke für Blasorchester von François Krommer gespielt, der für jedes Werk eine schöne Oboenstimme geschrieben hat, z. B. „Six marches pour 2 hautbois, 2 clarinettes, 2 cors, 2 bassons, trompette et grand bassons", Vienne 1803, oder „Harmonie pour 2 hautbois, 2 clarinettes, 2 cors, 2 bassons, et grand fagotte (op. 57)", Vienne 1809, usw. Die Werke Krommers erschienen außer in der französischsprachigen Wiener Imprimerie chimique ebenfalls in Wien in einem anderen französischsprachigen Verlag, z. B. 1803 in dem Bureau d'Arts et d'Industrie. Die Familiensammlung von Tata enthielt auch mehrere Hoffmeister-Werke, darunter die „12 pièces favorites pour 2 clarinettes, 2 cors, 2 bassons", die 1804 in Leipzig bei Hoffmeister et Kühnel ebenfalls mit französischem Impressum erschienen sind. Unter den französischsprachigen Ausgaben findet sich auch die Bearbeitung der Egmont-Ouvertüre von Beethoven für Blasorchester zu 9 Instrumenten von Friedrich Starke aus dem Jahr 1812. Beethovens originale Werke für Blasinstrumente wurden jedoch nicht gespielt, vielleicht waren sie auch unbekannt. Es ist nicht unsere Aufgabe, Zahlen zu geben, doch wollen wir erwähnen, daß vom Hauskomponisten und Dirigenten der Esterházys in Tata, Bernát Menner, 15 Originalwerke für Blasorchester in Handschriften erhalten sind, darunter z. B. „Todten Marsch für 3 Waldhörner", mehrere Romanzen und viele Märsche. Menners Handschriften tragen teils deutsche, teils italienische, teils französische Titel. Das thematische Werkverzeichnis der Notensammlung veröffentlichte Kornél Bárdos unter dem Titel: A tatai Esterházyak zenéje 1727—1846 (Die Musik der Esterházys in Tata. 1727—1846), Akademie-Verlag Budapest 1978.

I/c. Von den neuzeitlichen Ausgaben ist besonders wichtig die Reihe Armonia, die, von Gyula Klökner betreut, in Budapest erschienen ist. Sie hat ein deutsches Titelblatt: „Sammlung der schönsten und neuesten Tänze, Märsche, Lieder und Arien für zwölfstimmige Blas-Harmonie in zehn Heften." Nach dem Titel enthält sie hauptsächlich aktuelle Unterhaltungsmusik für Promenaden-Konzerte. Darunter gibt es einen „Souvenir de Budapest-Walzer", den „Menyecske-Csárdás" und viele englische, deutsche, französische, polnische, russische Tänze. In der Reihe werden nur die Komponisten genannt, die Bearbeiter jedoch niemals.

I/d. Vom Beginn des 20. Jahrhunderts kennen wir zwei größere Reihen für Blasorchester. Die eine, die *Nádor*-Blasorchester-Reihe, brachte in den dreißiger Jahren und zu Beginn der vierziger Jahre viele Märsche ungarischer Komponisten, die andere heißt der *Bárd* (Verlag), wo hauptsächlich Unterhaltungsmusik veröffentlicht wurde. Besonders soll der vorzeiten größte ungarische Verlag Rózsavölgyi erwähnt werden, der sich sowohl vor als auch nach dem Krieg mit der Herausgabe von Blasmusik befaßt hat. Die Széchényi-Nationalbibliothek besitzt seit den zwanziger Jahren die Ausgaben dieses Verlages. Einer der ausgezeichneten Mitarbeiter des Verlags war Jósef Pécsi, der für Blasorchester instrumentierte. Eine seiner wichtigen Ausgaben, „Der ungarische Liederkranz für Blasorchester" (1943), entstand unter Verwendung zahlreicher ungarischer Kunstlieder. „Der Blumenkranz" erreichte mehrere Ausgaben. Der Verlag Rózsavölgyi lebte noch nach dem Krieg bis 1949, doch nun instrumentierte József Pécsi, der vor dem Krieg Kunstlieder in mehreren Reihen bearbeitet hatte, einige Werke von Béla Bartók für Blasorchester.

Der staatliche Rechtsnachfolger des Rózsavölgyi-Verlags wurde das Zenemükiadó Vállalat, im Ausland als Edition Musica bekannt.

Der Bestand der Bibliothek spiegelt gut die gesellschaftlich-politische Veränderung, die heute schon Geschichte ist, doch bei einer Durchsicht der Blasmusikwerke erneut lebendig wird. In den fünfziger Jahren gab der Verlag Bläser-Bearbeitungen kleiner Abschnitte aus Werken von Rimski-Korsakoff, Prokofieff, Mussorgski (Lied aus der Oper Schneewittchen, Marsch aus der Oper Die Liebe zu den drei Orangen, Gopak) neben einigen ungarischen Nationalmärschen (z. B. Erkel) oder den Russischen Galopp von Franz Liszt heraus. Zu dieser Zeit instrumentierte György Geszler sehr viel. In den sechziger Jahren entstanden Bearbeitungen mit neuen Zielsetzungen. Dabei spielte die Schulmusik (Schul-Bläserensemble) eine wichtige Rolle. In dieser Gattung leistete der bekannte ungarische Komponist Rudolf Maros eine sehr wichtige Arbeit, indem er Werke von Bach, Mozart und Bartók für Schul-Bläserensembles instrumentierte. Neben den Bearbeitungen wurden auch Originalkompositionen moderner ungarischer Komponisten für Blasorchester im Verlag Editio Musica gedruckt: von Hidas, Járdányi, Kocsár, Imre Lubik, Rudolf Maros, András Mihály, Ferenc Farkas usw., sowie von István Máriássy, Frigyes Varasdy, György Zilcz: „Blechblasinstrumente".

Außer der Editio Musica gab es nach dem Krieg noch einen anderen Verlag, das Volksbildungsinstitut. Da das Institut eine breite volksbildende Tätigkeit entfaltete, sollte es auch jene Orchester mit guter Musik und Noten versorgen, die hauptsächlich in den Provinzstädten und Bergwerksdörfern tätig waren. Schon in den fünfziger Jahren wurden Bearbeitungen von Mendelssohn, C. M. von Weber, Tschaikowski, Mihály Mosonyi und Bartók für Blasorchester herausgegeben, doch daneben erschienen auch Werke neuerer Komponisten, wie das „Intermezzo" von Erzsébet Szönyi oder mehrere Ausschnitte aus der Oper „Palkó Csinom" von Ferenc Farkas. Die gleiche Tendenz setzte sich in den sechziger und siebziger Jahren fort. Neben vielen Bearbeitungen erschienen stets ungarische Werke wie die „Volksliedsuite" von Lajos Bárdos oder die „Musica piccolo" von Árpád Balázs.

Da diese Konferenz sich mit Richard Wagner beschäftigt, möchte ich noch eine Bearbeitung des „Tannhäusers" für Blasorchester erwähnen, deren Handschrift die Bibliothek besitzt. Der Bearbeiter war Ivo Bach, der Titel: Tannhäuser, Großes Potpourri für Orchester.

Mein Bericht kann nicht alle Werke und Bearbeitungen für Blasorchester in der Bibliothek erfassen. Ich kann jedoch nicht abschließen, ohne daß ich die Tätigkeit des Militärkomponisten und -dirigenten Joseph Gungl erwähnt habe. Wie allgemein bekannt ist, wurde Gungl in Zsámbék bei Budapest 1810 geboren und starb 1889. Lange Zeit lebte er in Graz. Die Österreichische Blasmusikzeitung brachte in einer ihrer Reihen, in der 27. Folge von „Altösterreichs Militärkapellmeister", unter dem Titel „Joseph Gungl, der Grazer Strauß" einen ausführlichen Lebenslauf. Von seinen 436 bekannten Werken besitzt die Bibliothek kaum fünfzig. Von zehn Werken sind die zeitgenössischen handschriftlichen Kopien des vollständigen Orchestermaterials vorhanden: Franz Liszt hat Gungls erstes Werk, op. 1, den „Ungarischen

Marsch", als Grundmotiv für seinen „Ungarischen Galopp" verwendet. Mit Gungls Tätigkeit hat sich jüngstens Pál Karch in seinem Buch „Pest-Buda katonazenéje 1848-ban" (Regimentsmusik und Militärkapellmeister in Pest und Ofen im Jahre 1848), erschienen im Musikwissenschaftlichen Institut der Ungarischen Akademie der Wissenschaften, Budapest 1983, S. 17 und 99, beschäftigt.

Dieser kurze Bericht mag ein Bild von der Blasmusikkultur in Ungarn vermitteln, die sich im 19. und 20. Jahrhundert unausgewogen entwickelt hat, aber immer ein Teil, eine Begleiterscheinung des ungarischen Musiklebens gewesen ist.

Wolfgang Schmidt-Brunner, Detmold

ARNOLD SCHÖNBERGS „PÄDAGOGISCHE" MUSIK: SUITE FÜR
STREICHORCHESTER (1934) UND THEMA UND VARIATIONEN
FÜR BLASORCHESTER OP. 43 A (1943)

„Dieses Buch habe ich von meinen Schülern gelernt." Arnold Schönberg,
der mit diesem Satz das Vorwort eines seiner bedeutendsten theoretischen
Werke, der „Harmonielehre" beginnt, war ein begeisterter und begeistern-
der Lehrer, wie in zahlreichen schriftlichen Äußerungen seiner Schüler bezeugt ist.[1]

Kann bei einem solchen Pädagogen und Komponisten, der einem Ruf als
Leiter einer Kompositions-Meisterklasse an die Preußische Akademie der
Künste in Berlin vor allem deshalb folgt, weil er sich in seinem „Ehrgeiz als
Lehrer gepackt" sieht[2], erwartet werden, daß, wie bei Paul Hindemith und
Béla Bartók, auch in seinen Kompositionen pädagogische Intentionen eine
Rolle spielen, daß neben theoretischen auch kompositorische „Lehrwerke"
entstehen?

Wenn die Anstrengungen des Schönbergjahres 1974 nicht einmalige, auf die
Feier des hundertsten Geburtstages beschränkte europäische Wiedergutma-
chungsexerzitien gewesen sind, sondern wenn dessen Impulse weiter tragen
sollen, so ist zu hoffen, daß Schönbergs Oeuvre nicht nur durch die Gesamtausgabe, sondern auch in den Konzertsälen und durch Medienvermittlung
einem breiteren Publikum bekannt wird. Noch ist aber Schönbergs 1934 ge-
schriebene „Suite im alten Stile für Streichorchester" in G im Gegensatz
etwa zu Benjamin Brittens im selben Jahr überarbeiteter „Simple Symphony"
so gut wie unbekannt bei denjenigen, für die sie komponiert ist, nämlich bei
Studenten- und Liebhaberorchestern, und noch weisen die Schallplattenkata-
loge keine europäische oder deutsche Einspielung von „Thema und Variationen für Blasorchester" in g op. 43 A auf.[3]

---

[1] Vgl. Die Beiträge von E. W e l l e s z, H. J a l o w e t z, A. W e b e r n und
A. B e r g in dem Piper-Band *Arnold Schönberg*, München 1912, S. 75 ff. — Vgl. auch
aus der großen Anzahl amerikanischer Schüler: W. L a n g l i e, *Arnold Schoenberg
as an Educator*, in: E. H i l m a r (Red.), *Arnold Schoenberg Gedenkausstellung 1974*,
Wien 1974, S. 92 ff.

[2] Weil man „mir meine Verpflichtung, mein Wissen zu verbreiten, vorhielt; und
weil ich wußte, was ich Schülern zu leisten imstande bin." *Arnold Schönberg, Berliner Tagebuch*, hrsg. von J. R u f e r, Berlin 1974, S. 53.

[3] Es liegt nur eine Aufnahme des Eastman Symphonic Wind Ensemble unter Frederick Fennell vor in den Mercury Olympian Series, MMA 11026 (MG 50143).

Diese Negativbilanz mag einen Grund darin finden, daß beide Werke eng mit Schönbergs Schicksal im amerikanischen Exil verbunden sind, mit seinem Freund und Förderer Carl Engel, dem Präsidenten des New Yorker Schirmer-Verlages, und mit den speziellen Gegebenheiten amerikanischer Hochschulorchester, doch verdiente diese nach besonderen pädagogischen Intentionen geschaffene Musik auch bei uns größere Beachtung. Läßt nämlich bereits die Wahl der Suitenform — Tanzsätze nehmen bei Schönberg schon immer eine zentrale Stellung ein, wie z. B. in den frühen Zwölftonkompositionen[4] — und der Variationenfolge[5] auf ein besonderes Anliegen schließen, so beseitigen Schönbergs eigene Worte jeden Zweifel an seinen pädagogischen Absichten.[6] Während die Streichersuite an dem Leistungsstand der amerikanischen Hochschulorchester orientiert ist, sollte mit dem Variationenzyklus den großenteils auf mehr oder weniger gelungene Arrangements angewiesenen Blasorchestern „Besseres" zu spielen gegeben werden[7]: „Als ich zusagte, ein solches Stück zu schreiben, erkannte ich gleich, daß meine übliche Art zu schreiben viel zu schwierig sein würde, ausgenommen für eine kleine Zahl der besten Bands und ihrer Dirigenten. Daher entschloß

---

[4] Vgl. den Walzer aus op. 23, die Serenade op. 24 (mit Marsch, Menuett, Tanzszene), die Suite op. 29 (mit Tanzschritte, Gigue) und zahlreiche weitere unveröffentlichte Kompositionen mit Tanzcharakter bzw. ähnliche Werke ohne Opuszahl, wie sie in J. R u f e r , *Das Werk Arnold Schönbergs*, Kassel 1959, S. 60 ff., aufgezählt sind.

[5] Vgl. die Variationen für Orchester op. 31 und die Variationen über ein Rezitativ für Orgel op. 40.

[6] In dem „Entwurf eines Vorworts" zur Suite für Streichorchester heißt es unter anderem: „Zur Komposition dieses Stückes veranlaßten mich erfreuliche Eindrücke und Perspektiven ... über Bestrebungen, Leistungen und Erfolg der amerikanischen Hochschulorchester ... Ich gewann die Überzeugung, daß an der Förderung solcher Bestrebungen jeder Komponist, insbesondere jeder moderne und ganz besonders ich interessiert sei ... Ich hatte folgendes zu leisten: Ohne die Schüler vorläufig einer Schädigung durch das ‚Gift der Atonalität' auszusetzen, sollte hier in einer Harmonik, die zu modernen Empfindungen leitet, auf moderne Spieltechnik vorbereitet werden ..." Mitgeteilt bei J. R u f e r , *Das Werk Arnold Schönbergs*, Kassel 1959, S. 64.

[7] Den Anstoß zu den Blasorchestervariationen gab Carl Engel. Schönberg schreibt (bei J. R u f e r , ebd.): „Obwohl der Mangel an Ausgeglichenheit, der dieser Kombination von Instrumenten anhaftet, einer der wesentlichsten Faktoren des schlechten, unklaren und trivialen Klangs ist, weiß ich aus eigener Erfahrung, daß die Instrumentationstechnik sich darin während der letzten sechzig Jahre nicht sehr geändert hat ..." Diese „eigenen Erfahrungen" Schönbergs dürften bis in seine früheste Jugend zurückreichen, da seine ersten eigenen Kompositionsversuche in „Imitationen der ihm damals zugänglichen Musik, also Violinduetten, Operarrangements und dem Repertoire von Militärkapellen" bestand. Zit. nach E. F r e i t a g , *Schönberg*, roro Bildmonographien, Reinbek 1973, S. 8.

ich mich zur Lösung einer pädagogischen Aufgabe und mit diesem Entschluß wurde auch eine Anzahl anderer Probleme entschieden."[8]

Den musikalischen Ergebnissen dieser „pädagogischen Aufgabe" wird im folgenden nachzugehen sein, doch legitimieren Schönbergs eigene Worte bereits jetzt die These von seiner „pädagogischen" Musik, ohne daß Adornos mißverständliche, aber fruchtbare Attacke gegen die sogenannte „musikpädagogische Musik" beschworen werden muß.[9]

Die zwischen September und Dezember 1934 komponierte, am 18. Mai 1935 durch die Los Angeles Philharmonie unter Otto Klemperer uraufgeführte Suite umfaßt fünf Sätze.[10] Der herkömmliche Streichersatz wird häufig durch Stimmteilungen bis zu neun und elf Stimmen aufgefächert und trägt der Hochschulorchestersituation insofern Rechnung, als durch schwierigere Soloparts für einzelne hervorragende Instrumentalisten besondere Aufgaben vorgesehen sind.

Die Ouvertüre in G-Dur entspricht im Prinzip der französischen Ouvertüre[11], jedoch in der speziellen From einer abwechslungsreichen mehrmaligen Verschränkung von Largo- und Allegroteil. Dadurch gelingt es Schönberg, sein Lehrbeispiel einer Fuge für den Nachvollzug von Stimmführung und formalem Ablauf durch Spieler (und Hörer!) insofern zu erleichtern, als die strenge fünfstimmige Fugenexposition und längere Durchführungsteile durch die Largoabschnitte getrennt werden, so daß eine Auflockerung der konzentrierten kontrapunktischen Arbeit mit Themenumkehrung (T. 48 ff. — hier sogar mit „Austerzung" des ursprünglichen Themas), Engführung (T. 66 ff.), Augmentation (T. 117 ff.) bis zum zwölftaktigen Schlußorgelpunkt auf G gewährleistet ist.[12]

---

[8] Zit nach J. R u f e r , ebd.

[9] Vgl. Th. W. A d o r n o , *Thesen gegen die „musikpädagogische Musik"*, abgedr. in: W. H e i s e / H. H o p f / H. S e g l e r (Hrsg.), *Quellentexte zur Musikpädagogik*, Regensburg 1973, S. 273 ff. — Nach Adorno ist „die musikpädagogische Musik ein Ableger der Jugendbewegung . . . Falsch und schlecht wird die pädagogische Musik durch ihre ideologische Verselbständigung, den Pharisäismus, mit dem sie die ihr notwendigen Beschränkungen als höheres Ethos proklamiert".

[10] Die für den März 1935 unter Schönbergs eigener Leitung geplante Uraufführung kam wegen fehlerhaften Materials nicht zustande. — Angesichts der pädagogischen Absichten hätte man eine Uraufführung durch ein Hochschulorchester erwarten können, doch scheint für den in Amerika ständig von finanziellen Nöten heimgesuchten Komponisten ein durchschlagender künstlerischer und in dessen Gefolge ein erhoffter pekuniärer Erfolg wichtiger gewesen zu sein.

[11] Vgl. H. H. S t u c k e n s c h m i d t , *Schönberg*, Zürich 1974, S. 353.

[12] Vgl. H. H. S t u c k e n s c h m i d t , ebd.

Das Fugenthema selbst zeugt nicht von größter Originalität[13], doch ist es mit seinem exponierten Auftakt, seinen Pausen, Tonrepetitionen und kleinen Intervallschritten gut geeignet für kompositorische Demonstration von Komplementärrhythmik und kanonischen Imitationen.

Der Adagiosatz in e-Moll besticht durch satztechnische Meisterschaft und klangliche Phantasie, die einem Studentenorchester durch Stimmteilung und Stimmkoppelungen, Doppelchörigkeit und Soloparts, durch streicherspezifische Artikulationsarten wie Pizzicato, Tremolo, Staccato, con Sordino, col legno, sul ponticello, ja sogar durch vorgeschriebenes Vibrato (mittels $><$ in T. 143) und durch dynamische Schattierungen von ppp-ff große klangliche Variabilität abverlangt und zugleich subtiles, auswägendes Klangempfinden in höchstem Maße schult.

Das graziöse auftaktige Menuett in G-Dur mit seinem in Artikulation und Begleitung etwas derberen Trio zeugt von Schönbergs Prinzip der motivischen Verknüpfung einzelner Sätze und verweist mit seiner Metronomangabe ♩. = 56 auf das Vorbild des „Kleinschritt"-Tanzes der Barockzeit.[14] Die „Leichtigkeit" dieses, Laienorchestern keine nennenswerten Schwierigkeiten bietenden Menuettsatzes wird zusätzlich erreicht durch ein dreimal

---

[13] Schönberg nahm diesen Umstand bewußt in Kauf, wie aus dem Postscriptum zu einem Brief an den Dirigenten Fritz Reiner hervorgeht: „Seien Sie nicht enttäuscht, wenn Sie auf den ersten Blick sehen, daß die Themen der ‚Suite‘ nicht meinen persönlichen Stil haben. Sie wissen, daß das Werk für Studentenorchester bestimmt war. Schließlich ist eine beträchtliche Anzahl der Themen wertvoll, und was die andern angeht, kann man sie als ein Thema für Variationen ansehen und die Frage ist dann nur: was kann ein Komponist mit ihnen machen. Und von diesem Standpunkt aus glaube ich nicht, Verachtung zu verdienen." Mitgeteilt bei J. R u f e r , a.a.O., S. 65.
[14] Vgl. R. S t e g l i c h , *Tanzrhythmen in der Musik J. S. Bachs*, Wolfenbüttel 1962, S. 15. — Die Mehrzahl seiner Menuettkompositionen orientiert Schönberg allerdings an dem bedächtigeren Tempo der Klassik, z. B. in der Serenade op. 24 mit ♩ = 88—82, oder in der Klaviersuite op. 25 mit ♩ = ca. 88.

(T. 200 ff., 231 ff., 243 ff.) anklingendes Motiv, das in seiner „Terzenseligkeit"
dem ein halbes Jahr später entstandenen „wienerischen" Thema im Alle-
gretto-scherzando-Teil von Alban Bergs Violinkonzert (T. 111) frappierend
ähnlich ist.

Die Gavotte in B-Dur ist weithin von solistischem Musizieren geprägt,
wobei vor allem im schnelleren Mittelteil durch die Aufteilung einer jeden
Stimmgruppe in vier Solostimmen ein verfeinerter kammermusikalischer
Pianissimoklang erzielt wird. Schönbergs Rücksichtnahme auf die unterschiedliche Leistungsfähigkeit der einzelnen Orchester dokumentiert sich
hier in einer Regieanweisung, die für die Mittelstimmensolisten „schwäche-
rer Orchester" Pizzicato („but still sounding") als Alternative vorsieht, falls
„ihr ,col legno' nicht klingt".[15] Die Tatsache, daß Schönberg als ersten Satz
der Suite die Gavotte (neben der Fugenengführung) vollendet hatte[16], bestätigt seine Vorliebe für diesen mit dem bekannten langen Auftakt beginnen-
den Tanzrhythmus.[17] Die um „Verständlichkeit" besonders bemühte Gestaltung des Mittelteiles unterstreicht zudem die These, nach der sich „in den
Mittelteilen [scil. von Tänzen wie Walzer, Menuett, Gavotte] der ,pädagogi-
sche' Anspruch des Komponisten festigt, nämlich im Verlauf seiner Komposition leichter faßliche Stellen zu formulieren, die im Sinne Fr. Blumes als
,Attraktionsstellen' wirken könnten".[18]

---

[15] Partitur zur Suite von G. Schirmer, Inc., New York, S. 32

[16] Am 11. Oktober 1934, wie J. R u f e r , a.a.O., S. 63, mitteilt.

[17] Vgl. *Gavotte und Musette im alten Style* aus dem Jahr 1897 (nach J. R u f e r ,
a.a.O., S. 82) und vor allem die zwölftönige Gavotte aus op. 25 mit der überaus reizvollen Musette, die die höheren Klavierlagen mit beinahe komischer Wirkung zur
Geltung bringt, wobei infolge entsprechender Strukturierung der Zwölftonreihe sogar das g als Bordunton der Unterstimme festgehalten werden kann.

[18] Vgl. das Kapitel *Tanzrhythmik* in: W. S c h m i d t , *Gestalt und Funktion
rhythmischer Phänomene in der Musik Arnold Schönbergs,* Diss. phil. Erlangen 1973,
S. 27 ff. — Die Häufigkeit von Suiten und von Tanzsätzen aus Barock, Klassik und aus
dem volkstümlichen Bereich der „Gebrauchsmusik" läßt sogar den Schluß zu, sie als
„Attraktionsstellen", d. h. als Zentrierungs- bzw. „Gravitationspunkte" (nach
Fr. B l u m e ) in Schönbergs Gesamtschaffen anzusehen.

Die Gigue in G-Dur, als Schlußsatz zugleich Zusammenfassung aller bisher „geübten" spiel- und kompositionstechnischen Aufgaben erweist sich trotz einfacher thematischer Grundsubstanz als der für Laienmusiker schwierigste Teil der Suite. Mit seinen zahlreichen Modulationen, seinen komplizierten rhythmischen Unterteilungen und Überlagerungen innerhalb des 12/8-Taktes, seinen durch Satztechnik und Kontrapunkt bedingten mannigfaltigen Phrasierungsaufgaben ist vor allem er dazu geeignet, die von Schönberg in dem zitierten Vorwort zur Suite geforderte „moderne Spieltechnik" zu schulen.[19]

Das pädagogische Anliegen dieser als Lehrstück für Spieler, Kompositionsschüler und Hörer gleichermaßen anzusehenden Suite ist über die Absicht, spielbare Musik für Laienorchester zu schaffen hinaus noch in umfassenderem Sinne zu verstehen: Zum einen ist es „als eine vorbereitende Einführung in meinen jetzigen Kompositionsstil" bestimmt[20] und als spätes tonales Werk daher geeignet, „die Lücke zwischen der Kammersymphonie und den atonalen Werken"[21] zu schließen, zum andern aber möchte Schönberg damit den „Kampf gegen diesen verruchten Konservatismus hier" beginnen.[22]

Gegen „jenen primitiv symmetrischen Bau, jene Variationslosigkeit und Unentwickeltheit" der Melodie, „welche das Wohlgefallen der Mediokrität aller Länder und Völker bildet"[23], wollte Schönberg auch mit seinen neun Jahre später geschaffenen Bläservariationen angehen.

Diese Folge von sieben in reizvollem Kontrast stehenden und doch in logischer Folge sich entwickelnden Variationen loten einschließlich des ausgedehnten Finales die intervallische und rhythmische Substanz der Grundidee des in 21 Takten vorgestellten Themas entsprechend Schönbergs als „Innuce-Phänomen"[24] erkannten Kompositionsprinzips aus und erbringen einmal mehr den Beleg für seine „Kunst, alles aus einem zu erzeugen".[25]

---

[19] „Fingersätze, Stricharten, Phrasierung, Intonation, Dynamik, Rhythmik, all das sollte gefordert werden, ohne unüberwindbare Schwierigkeiten zu bieten. Aber auch auf moderne Intonation, Satztechnik, Kontrapunkt und Phrasierung war hinzuweisen . . ." Zit. nach J. R u f e r , a.a.O., S. 64.

[20] J. R u f e r , a.a.O., S. 65.

[21] Zit nach R. S t e p h a n , *Über Schönbergs Arbeitsweise*, in: E. H i l m a r (Red.), *Arnold Schönberg Gedenkausstellung 1974*, Wien 1974, S. 122.

[22] Zit. in H. H. S t u c k e n s c h m i d t , *Schönberg*, Zürich 1974, S. 358: „Und so wird dieses Stück geradezu ein Lehrbeispiel werden für jene Fortschritte, die innerhalb der Tonalität möglich werden, wenn man wirklich Musiker ist und sein Handwerk kann . . ."

[23] Nach J. R u f e r , a.a.O., S. 64.

[24] Vgl. W. S c h m i d t , a.a.O., S. 93 ff.

[25] Th. W. A d o r n o , *Klangfiguren*, Frankfurt/M. 1959, S. 234.

Das Thema, dessen Nebenstimmen Schönberg trotz der Riesenbesetzung der vollen „Symphonic wind band" (einschließlich des obligaten Streichbasses) häufig nur kammermusikalisch-dezent instrumentiert, so daß man sich an Virgil Thomsons auf das Klavierkonzert op. 42 geprägte Urteil von der „Kammermusik für hundert Spieler" erinnert sieht[26], dieses Thema besteht in seiner ersten Neuntaktperiode aus mehreren 1½ bis 2½ Takte langen Phrasen, wobei sich Vorder- und Nachsatz in Takt 4 überlappen und die ungerade Taktanzahl aus dem „eingeschobenen" siebten Takt resultiert. Durch diesen leicht unregelmäßigen Phrasenaufbau ließe sich dieses Thema als Vorstufe eines bewußt gestalteten Beispiels von „musikalischer Prosa"[27] deuten, einem Phänomen, das Schönberg in der Nachfolge von Mozart[28] und Brahms

**Poco Allegro**

[26] Mitgeteilt bei H. H. S t u c k e n s c h m i d t, a.a.O., S. 421.

[27] Vgl. C. D a h l h a u s, *Musikalische Prosa*, in: NZfM H. 3/1964, S. 176 ff.; vgl. W. S c h m i d t, a.a.O., Kapitel *Musikalische Prosa*, S. 56 ff.

[28] Vgl. W. S c h m i d t, *Der „konservative Revolutionär" Arnold Schönberg, ein Schüler W. A. Mozarts*, in: Programmschrift zum 23. Deutschen Mozartfest, Augsburg 1974, S. 42 ff.

als kompositorisches Grundprinzip übernommen und weitergebildet hat und als dessen wesentlichste Merkmale irreguläre Gliederung wie bewußte Überwindung der Schwerpunkte des Akzentstufentaktes anzusehen sind.

Während die 1. Variation in Rhythmik und Intervallstruktur der Motive wie im Tempo dem Thema noch sehr eng verbunden ist, bringt die 2. Variation bei zahlreichen imitierenden Einsätzen und gleichzeitigen Themenkopfumkehrungen vor allem durch schnelleres Tempo und reizvollen Wechsel von Holz- und Blechsatz Auflockerung in die Variationenfolge. Bemerkenswert ist der Einsatz des Glockenspiels, dem eine neue Rolle insofern zugewiesen wird, als es nicht wie so häufig in Musiken des Blasmusikgenres mit penetrantem, intonationstrübendem Einheitsglitzer den vollen Bläsersatz übertönt, sondern indem es in zeitweiliger Kopplung mit Piccoloflöte und Altsaxophon kürzeste Motivpartikel zu unterstützen und hervorzuheben hat.

Im starken Kontrast hierzu steht die 3. Adagio-Variation mit ihrer überwiegenden Kammermusikbesetzung, den zarten Farben und der zurückhaltenden Dynamik des weichen Holz- und Saxophonsatzes. Die Verarbeitung des ursprünglichen Themenmaterials kennzeichnen Motivverkürzungen (T. 101), Verselbständigung der Intervalle (Sexte) sowie die längere Bindung der Hauptstimme[29] an ein einziges Instrument (gegenüber der häufiger und schneller „punktuell" wechselnden Instrumentierung in den vorhergehenden Abschnitten).

Die mit „Tempo di Valzer" überschriebene 4. Variation bestätigt Schönbergs bereits erwähnte Vorliebe für Tänze[30] und ist als „vorbereitende Einführung" in den „Kompositionsstil" z. B. des durch zusätzliche Aktenzeichen im herkömmlichen typischen Walzerrhythmus stark gestörten „Zwölfton"-Walzers aus op. 23 anzusehen, zumal der tänzerische Grundduktus (ohne Gegenakzentik) durch die dezente Tambourin- und Triangelbegleitung gewahrt ist.

---

[29] Die Haupt- und Nebenstimmen bezeichnet Schönberg seit den „Fünf Orchesterstücken" op. 16 mit den Zeichen H⎺ und N⎺, in Amerika entsprechend mit P (= principal part) und S (= secondary part) zu dem Zweck, „die Spieler über die jeweilige Bedeutung ihrer Stimme aufzuklären und sie zu veranlassen, bei den unbezeichneten Stellen begleitend zurückzutreten". Zit. nach der U. E. Taschenpartitur des 3. Streichquartetts op. 30.

[30] Gemessen an Schönbergs sonstigen mit ♩. = 72 fixierten Walzertempi (z. B. aus op. 23 oder dem „Vivace grazioso"-Teil aus dem Violinkonzert op. 36) scheint diese 4. Variation mit ♩. = 60 mehr in einem allgemeineren Sinn am Walzergestus orientiert zu sein. — Vgl. weiter die „langsamen Walzer" mit ♩. = 42 aus op. 29 (Coda der Variationen) und aus dem „Pierrot lunaire" op. 21 (Serenade; Valse de Chopin; Colombine).

In der 5. Variation herrscht größte kontrapunktische Disziplin, indem ein aus dem zweiten Teil des Ursprungsthemas gewonnener neuer Gedanke im strengen Kanon in der Umkehrung im Taktabstand zwischen Es-Klarinette und Bariton durchgeführt wird. Die zusätzlich zum Hauptstimmzeichen P eingeführten Begrenzungszeichen ⊐⊏ für Phrasenanfang und -ende sind als weiterer Beleg für die besonderen didaktischen Intentionen des Komponisten anzusehen.

Die Ökonomie der Instrumentierungskunst läßt sich im hier erst- und einmaligen Einsatz der Flatterzunge in den begleitenden Flöten und gestopften Hörnern für nur einen Überleitungstakt ebenso wie in der Verwendung von Xylophon und Beckenschlag in der 6. Variation nachweisen. Während in diesem Abschnitt Imitation und Engführung einer einfachen Themenvariante die musikalische Entwicklung bestimmen, stellt sich die 7. Variation als großangelegte Steigerung dar, die von einem geheimnisvoll umspielten wellenartigen Thema zum vollen Fortissimo des Blasorchestertuttis führt und anschließend sacht in das Finale einmündet, in dem das Urthema wieder in seiner Originalgestalt dominiert.

Schönbergs Hoffnung, daß die Variationen für Blasorchester „nach dem Krieg ... auch in Europa verlangt werden" würden[31], hat sich (noch) nicht erfüllt. Es hat sich nämlich herausgestellt, daß das Werk für die meisten der amerikanischen High School Bands zu schwer war, so daß der Komponist Konzessionen wie die Einarbeitung einer Hammondorgelstimme und die Streichung der schwierigsten Variationen in Erwägung zog. Schließlich wurden die Variationen in der Bearbeitung für großes (symphonisches) Orchester als op. 43 B unter Serge Kussevitzky am 20. Oktober 1944 in Boston uraufgeführt. Angesichts dieser Tatsachen stellt sich die Frage nach dem Verhältnis von pädagogischen Absichten und ihrer Realisierbarkeit. Trifft für die Variationen das zu, was Rudolf Stephan z. B. von den Gurre-Liedern und anderen zunächst bescheidener geplanten Werken feststellt, nämlich daß sie „sich dann aber unter der Hand zum Riesenwerk" auswuchsen?[32] Mit anderen Worten: Ist es möglich, daß in diesem Falle der Komponist Schönberg über den Pädagogen hinausgewachsen ist, obwohl doch gerade das geradezu ängstliche Bedachtsein auf „Faßlichkeit" als eine ausgsprochen pädagogisch-didaktische Komponente in Schönbergs gesamter Musik anzusehen ist?

---

[31] H. H. S t u c k e n s c h m i d t, *Schönberg*, a.a.O., S. 419.
[32] R. S t e p h a n, *Über Schönbergs Arbeitsweise*, a.a.O., S. 124.

Hat Schönberg mit seinem ausführlichen Vorwort und seinen Briefen an den Dirigenten Fritz Reiner[33] den spätestens seit Adornos Kritik negativ besetzten Begriff von der „musikpädagogischen Musik" zu stark provoziert, so daß Berufsorchester sich dieser Musik erst gar nicht annehmen, obwohl gerade sie die Verpflichtung dazu hätten angesichts der für Laienensembles teilweise erheblichen technischen Schwierigkeiten und angesichts des Mangels an leistungsfähigen Blasorchester?

Wenn heutige Spieler und Hörer Schönbergs pädagogisches Angebot nicht nutzen, liegt es etwa in seiner strengen musikästhetischen Haltung begründet, nach der „die alte Kultur in der Präsentierung eines Gedankens" zu tradieren sei, „Stil, Technik und Klang" hingegen „etwas völlig Äußerliches" darstellten, somit „nur im mentalen Bereich ... künstlerischer Ausdruck möglich" sei?[34]

Und gerade auf den Zyklus für Blasorchester, dieses Lehrstück entwickelnder Variation war Schönberg stolz wie auf ein kompositionstechnisches Meisterwerk, das „man schreibt, um sich an seiner eigenen Virtuosität zu erfreuen"[35], und das nach dem Prinzip des „integralen Komponierens"[36] gearbeitet ist, demzufolge das dem ersten Einfall, „der Idee innewohnende Gedankengut voll auszuschöpfen ist".[37]

Doch bei der speziellen Arbeitseinteilung zu diesen Variationen, bei der die Komposition am 10. Juni 1943 beendet, die Blasorchesterpartitur, die Instrumentierung also, aber erst am 24. August fertiggestellt worden ist, zugleich jedoch — auf Anraten des Schwiegersohnes Felix Greissle — bereits vom 20. Juni bis 3. Juli an der Fassung für großes Orchester op. 43 B gearbeitet wurde, erhebt sich die Frage, ob das Werk tatsächlich als „bläsertypisch" anzusehen ist. Nach einem Vergleich beider Fassungen (unter Berücksichtigung des reinen Höreindrucks) muß die Antwort positiv ausfallen, da die Bläser-Instrumentierung mit dem satztechnischen Strukturgewebe eng verwoben, von ihm gleichsam inspiriert ist und dieses überaus transparent macht, ja so überdeutlich mitunter, daß die Heraushebung eines Hauptge-

---

[33] „... es ist nicht eines meiner Hauptwerke; das kann jeder sehen, denn es ist keine Komposition mit zwölf Tönen". (Zu op. 43 in: J. Rufer, a.a.O., S. 55). „Beide [die zweite Kammersymphonie und die Streichersuite] können nur als eine vorbereitende Einführung in meinen jetzigen Kompositionsstil bezeichnet werden." (Ebd., S. 65).

[34] Aus Schönbergs Aufsatz *Tonality and Form*. Ref. bei H. H. Stuckenschmidt, a.a.O., S. 380.

[35] A. Schönberg in J. Rufer, a.a.O., S. 55.

[36] Th. W. Adorno, *Klangfiguren*, Frankfurt/M. 1959, S. 234.

[37] A. Schönberg in H. H. Stuckenschmidt, a.a.O., S. 379.

dankens durch Instrumentalfarbe und Hauptstimmenbezeichnung zur Tautologie werden und die Partitur als Regiebuch gleichermaßen für Spieler, Dirigenten und Tonmeister dienen kann. Anhand dieser letzten Beobachtung läßt sich auch diese „pädagogische" Komposition zu den Werken zählen, an denen Adorno feststellt, daß „die Farben von Schönbergs spätem Orchester die Kompositionsstruktur beleuchten wie die überscharfe Photographie ihre Objekte".[38]

Die interessanten und aufschlußreichen Ergebnisse des in den Vorarbeiten zu dieser Studie angestellten Vergleichs der Variationen op. 43 A und 43 B lassen eine weitere, umfassendere Untersuchung sinnvoll erscheinen, in der unter Einbeziehung von Schönbergs zahlreichen Bearbeitungen und Orchestrierungen wichtige Einblicke in seine Arbeitsweise ebenso zu erwarten sind wie notwendige und wünschenswerte allgemeine Kriterien zur Beurteilung der zahlreichen zeitgenössischen Bearbeitungen „klassischer" Musik.

Darüber hinaus ließen sich Grunderkenntnisse für die Fortführung des von Schönberg bevorzugten Unterrichts gewinnen, in welchem der Student den Klavierauszug eines Werkes nach dem Gehörseindruck der originalen Schallplatteneinspielung zu instrumentieren hatte, um seine Fähigkeit zu schulen, „Klangfarben nach dem Gehör wiederzugeben: als Vorübung dafür, mit dem inneren Ohr selbstgehörte — erfundene! — Klangfarben aufschreiben zu können. Denn Schönberg lehrte, daß ein guter Komponist nicht instrumentiert, sondern den instrumentalen Klang ebenso erfinde, wie Rhythmus, Melodie, Harmonie."[39]

Diese letzten Ausführungen machen deutlich, daß dem Komponisten wie dem Theoretiker und Lehrer Schönberg eine Fülle von Anregungen und Erkenntnissen zu verdanken ist, von Erkenntnissen zumal, die in seinen zahlreichen theoretischen Lehrwerken ihren Niederschlag gefunden haben und die die nicht zu verkennende Bedeutung des Pädagogen Schönbergs dokumentieren.

Darüber hinaus sei jedoch das Urteil des langjährigen Schönberg-Schülers, Assistenten und Nachlaßbetreuers Josef Rufer unterstrichen: „Weder ist der Mensch vom Künstler zu isolieren noch beide vom Lehrer. Der eine ist stets auch der andere."[40]

---

[38] Th. W. A d o r n o , *Philosophie der Neuen Musik,* Frankfurt/M. ²1958, S. 87.

[39] Vgl. Schönbergs Entwurf zu einer Instrumentationslehre mit der Aufschrift: „Pädagogische Übungsbeispiele als Instrumentationsaufgaben, ein unausgeführter aber guter Versuch . . .". Mitgeteilt in J. R u f e r , a.a.O., S. 126 f.

[40] *Arnold Schönberg, Berliner Tagebuch,* hrsg. von J. R u f e r , Berlin 1974, S. 77.

\*

Wiederabdruck aus der Valentin-Festschrift, mit freundlicher Erlaubnis des Gustav Bosse Verlages in Regensburg (Schreiben vom 22. November 1983).

Dimiter Christoff, Sofia

## DAS KONZERT FÜR KLAVIER UND BLASORCHESTER

Der Grund, daß ich dieses Thema wählte, ist einfach — und ich möchte ihn nicht verstecken: Im Jahr 1982 habe ich selbst ein solches Konzert geschrieben.[1] In diesem Referat möchte ich einige kompositionstechnologische Gedanken vortragen und keine Analyse vorführen. In der Musikforschung ist es relativ selten, den Komponisten selbst — das heißt, den Schaffensprozeß — zu beobachten, um selbst Schlußfolgerungen daraus ziehen zu können.

Erst die Tatsachen: Das Konzert nannte ich „Konzert Nr. 2 für Klavier und größtes Blasorchester"; Nr. 2, weil ich ein erstes habe, für Klavier und Symphonie-Orchester, aus dem Jahre 1956; für größtes Blasorchester, weil ich den Begriff „symphonisches Blasorchester" als nicht sehr glücklich betrachte. Er vernichtet das spezifisch Schöne und Besondere, das in dem Wort Blasorchester steckt, und mit dem Adjektiv „symphonisch", das vornehm klingen soll, wecken wir falsche Vorstellungen. So wählte ich die leicht neckische, die leicht närrische Ausdrucksform „größtes Blasorchester", die meinte „alle Instrumente des Blasorchesters, die wir haben, oder haben wollen". Seriöser gesagt, wäre es m. E. besser, wenn wir bei den Blasorchestern die älteren, überkommenen Begriffe ausnützten: großes Blasorchester, mittleres Blasorchester, kleines Blasorchester, auch Militärmusik, Signalmusik, Marschmusik (bzw. Militärorchester, Signalorchester, Marschorchester) u. a., auch Blechorchester (falls keine Holzinstrumente da sind), Fanfarenorchester u. a.[2] Wenn wir das, was jetzt als symphonisches Blasorchester bezeichnet ist, betonen wollen, dann könnten wir „großes Konzert-Blasorchester" sagen.[3] Ich verstehe das Gegenargument: heute spüren wir eine gewisse Unterschätzung dieser Gattung, aber Morgen, mit der Entwicklung unserer

---

[1] Ich kenne Konzerte für Klavier und Blasorchester von den Komponisten Serge Lancen, Frankreich, Ivan Patachich, Ungarn, Kaspar Diethelm, Schweiz, Meindert Boeckel, Holland, Bernard Schulé, Schweiz u. a. (Albert Häberling hat mir diese Informationen vermittelt). Das Konzert für Klavier und Bläser von I. Strawinskij betrachte ich, wie andere Autoren, als Musik für die Bläser des Symphonieorchesters und nicht als solche für Blasorchester.

[2] Diese notwendige Begriffsklärung ist in MGG, Band 9, Artikel *Militärmusik*, S. 305 ff., und in anderen Literaturquellen angedeutet. Georg Kandler, in MGG, a.a.O., führt die Analogie Streich-Holz-Blechgruppen (symphonisches Orchester), Holz-weiches-scharfes Blech (Blasorchester) durch, S. 333.

[3] Georg K a n d l e r spricht über Konzertblasmusik, MGG, a.a.O.

neueren Vorstellungen, werden wir das Blasorchester als gleichberechtigt betrachten, dann wäre das Besondere, das Spezifische bei dem Blasorchester, das Interessanteste — und das Adjektiv „symphonisches" würde stören.

Zurück zu den Tatsachen. Das Konzert Nr. 2 für Klavier und größtes Blasorchester, mein fünftes Instrumentalkonzert[4], besitzt echte Passagenstrukturen, Kantilenen, pp in schnellen Bewegungen, Oktaventechniken, kaum Akkorde in der Klavierstimme. Der erste der beiden Sätze, „In tempi ralentati", endet mit einem tiefen Morendo, der zweite Satz, „In tempi accelerati", beginnt nach einer Pause damit. Aleatorische oder andere Improvisationstechniken werden nicht angewandt, alle Noten sind ausgeschrieben worden. Das gesamte Werk dauert 20 Minuten.

Mein größtes Blasorchester hat folgende Besetzung: 12 erste Klarinetten, 6 zweite Klarinetten, 4 dritte Klarinetten, eine Es-Klarinette, eine As-Klarinette, 2 F-Klarinetten, eine Baß-Klarinette, 7 Flöten, 2 Oboen und ein Englisch-Horn, 3 Fagotte, ein Kontrafagott, 6 Saxophone (ein Sopransaxophon, 2 Altsaxophone, 2 Tenorsaxophone, ein Baritonsaxophon), 5 Hörner, 3 Trompeten, 4 Posaunen, 2 Tuben, 5 Kornette, 3 Tenöre, 2 Bariton-Hörner, 7 Kontrabässe, 4 Schlagzeugspieler.

Neben den üblichen ästhetischen, kompositorischen und inhaltlichen Problemen, welche jeder Komponist vor dem leeren Notenblatt hat, stellen sich zusätzliche Probleme der Begleitung ein.

Der Komponist hat zwei Wege vor sich. Der erste: er schreibt eine übliche, ich sage „normale" Begleitung, und dann stellt er sich die Frage, wie das für das Blasorchester zu instrumentieren ist. Ein fragwürdiger Weg, da kommen alle Komponistenkomplexe heraus. Weil er, der Komponist, für Blasorchester nie instrumentiert hat, bekommt er Angst und folgt den Klischeevorstellungen. Möglicherweise gibt er seinen Klavierauszug jemandem anderen, der für ihn instrumentieren soll. Dieser, vielleicht ein Meister der Blasorchesterinstrumentation, erledigt seine Aufgabe virtuos, das Blasorchester klingt wunderbar, aber — mit allen Klischee-Klangvorstellungen, die wir vom Blasorchester haben. Das ist schade! Denn wer für symphonisches Orchester instrumentiert, sucht das Spezifische, das Originelle. Wer wäre darüber glücklich, wenn er bei einer neuen Komposition die Kopie des Orchesters von Strawinskij oder Prokofiew hört? Wer lobt so etwas? Dieser erste Weg führt in die Katastrophe, auch wenn wir ihn heute ganz listig „retro" nennen.

---

[4] Nach den Konzerten für Klavier und Orchester Nr. 1, 1956, für Violine und Orchester, 1966, für drei kleine Trommeln und fünf begleitende Instrumente, 1968, für Violoncello und Orchester, 1970.

Der zweite Weg: Der Komponist hört das Blasorchester als eigenwertigen Klangkörper, und er probiert mit diesem Klangkörper auf seine Weise zu spielen. Auf diese Weise gewinnen wir heute, im 20. Jahrhundert, viele neue Erfahrungen. Wir schreiben für alle möglichen, manchmal seltenen, sogar kuriosen Ensemble-Besetzungen. Unsere orchestrale Technik ist unglaublich reich und grundsätzlich tief geworden, wir können jeden klanglichen Körper ausnützen. Das 20. Jahrhundert erinnert an die Situation im 17. und 18. Jahrhundert oder früher. Ich zitiere die Orchesterbesetzung in Venedig, 1685: 8 Violinen, 16 Bratschen, 1 Oboe, 1 Fagott, 2 Trompeten, 3 Posaunen, 4 Theorben, 1 Zink (insgesamt 36). Das Orchester in Dresden, 1697, hatte 6 Violinen, 6 Oboen, 3 Fagotte, 3 Trompeten, 1 Timpani, 1 Theorba, 6 andere (26). Das Orchester in Köthen, 1720, hatte 6 Violinen, 1 Violoncello, 2 Flöten, 1 Oboe, 1 Fagott, 1 Trompete, 1 Gambe (13).[5] Einer bestimmten Denkweise folgend, kann man fragen: ist das Orchester von Dresden (mit 6 Violinen) oder das Orchester von Köthen (mit 6 Violinen und 1 Violoncello) ein symphonisches Orchesters? Sind beide nicht Blasorchester mit Streichern? Oder sind sie überhaupt Orchester? Das bedeutet, daß jeder Begriff relativ und vieldeutig ist. Heute wird der Komponist so vorgehen: den Klangkörper (in unserem Fall das Blasorchester) vorher hören und sich mit ihm vertraut zu machen; es folgen die üblichen kreativen Probleme, vor allem aber dieses: den Klangkörper „Blasorchester" in individueller, eigener kompositorisch-stilistischer Art benützen, was immer und bei jeder Instrumentation die echte, die erste schöpferische Aufgabe ist. Das Problem, wohin wir die Saxophone in der Partitur legen und wie wir sie integrieren sollen — zwischen Holz und Blechbläser oder zwischen Hörner und andere Blechbläser usw. — fällt ab. Zunächst sind Saxophone allein und vor allem Saxophone, und dann werde ich ihre besonderen Klangmöglichkeiten erforschen und einsetzen.

Wie soll man einen Akkord klanglich balancieren? Die romantische, aus dem 19. Jahrhundert überkommene Vorstellung, daß die Streichergruppe in ihrer akustischen Stärke einem Horn egal sein soll, daß zwei Hörner akustisch, in der Stärke, einer Posaune gleichen, daß zwei Flöten akustisch, in der Stärke, einem Horn und vier Flöten einer Posaune entsprechen sollten, gilt heute nicht mehr.[6] Im 19. Jahrhundert galt das Gleichgewicht des Akkordes als Ideal. Heute ist das Ungleichgewicht, das Debalancieren unsere Macht. Ein Cluster erhält durch Gewichtsverlagerungen seiner einzelnen

---

[5] Zitiert nach Musikenzyklopädie, Moskau 1978, Band 4, S. 94, in russischer Sprache.

[6] Siehe N. R i m s k i - K o r s s a k o w , *Grundlagen der Instrumentation (1896—1908),* in deutscher Sprache 1928.

Töne hunderte von unterschiedlichen Klangvarianten. Wenn aus einer Klangmasse einige Instrumente oder Töne sich besonders herausheben, eröffnen sich immer neue Möglichkeiten. Deshalb wirkt jeder Klangausgleich zwar als ästhetisches Bewertungskriterium, es gibt aber keine Regeln oder Normen dafür. So sucht man alle denkbaren Blasorchesterkombinationen aus künstlerischen Erwägungen heraus zu erfassen und einzusetzen — und nicht Normen auszuführen, in denen die Eigenart des Komponisten verschwindet.

Heute verändert sich auch unsere Einstellung gegenüber dem einzelnen Instrument. Verband man gestern mit jedem Instrument feste Klangvorstellungen, so suchen wir heute nach neuen Farben auf den alten Instrumenten. Können wir sie finden? Ja, eine der möglichen Lösungen liegt in der Nutzung der extremen Lagen der Instrumente (sehr hoch, sehr tief). Deshalb nütze ich bei der As-Klarinette die Töne fis, g, gis in der dritten Oktave (realer Klang d, es, e in der vierten Oktave) und bekomme damit bei bestimmter Geschwindigkeit und Dynamik einen eigenen, seltenen Klangeffekt. Der schlechte Spieler schreit in dieser Lage, der gute aber artikuliert Töne, die zauberhaft in ihren Farben sind. (Die letzten Jahrzehnte zeigen weitere Möglichkeiten der Klangbereicherung. Eine davon ist: neue Instrumente zu bauen oder schon bekannte Instrumente zu verbessern und in neuem Kontext zu benützen. Im 18. Jahrhundert hatte diese Tendenz mehr korrektiven Charakter, sie wirkte bereichernd; damals waren die heutigen ästhetischen Probleme nicht bekannt. Eine zweite Möglichkeit besteht darin: neue Klänge durch neue Mischungen zu erhalten; solchen Bemühungen begegnen wir schon im 19. Jahrhundert. Drittens: durch strukturelle Veränderungen der Faktur neue Stimmpositionen und dadurch neue Klangphänomene zu erreichen. Viertens: durch Raumstereophonie und Raumbewegungen . . . usf.)

Das große Blasorchester bereichert die Klangpalette besonders durch die Dichte des Klanges. Wenn man zwölf erste Klarinetten hat, ist es eine Freude. Es kommt sofort die Idee: den Klang ständig zu wechseln, ständig zu variieren; z. B. wenn man eine Bewegung mit zwölf Klarinetten anfängt, mit vier bis fünf weiterführt, mit acht beendet; oder wenn dieselbe Linie langsam an Dichte verliert oder sich verdichtet. So bekommt die Partitur eine besondere Eigenschaft — als ob sie immer von wechselnden Quellen beleuchtet ist, als ob sie verdunkelt oder durchleuchtet wird. Dafür habe ich einige zusätzliche Notenzeichen entwickelt, so daß es nicht notwendig wäre, die Partitur in hunderten Stimmlinien auszuarbeiten und, wie bei Ligeti in den gigantischen Partiturblättern der „Atmosphères", sie auf dem Fußboden auszubreiten und auf Strümpfen auf ihr zu laufen.[7]

---

[7] Davon spricht selbst Ligeti, in: Ursula S t ü r z b e c h e r , *Werkstattgespräche mit Komponisten,* Köln 1971, S. 38.

Das sind Probleme des Materials, der notwendigen neuen Struktur des Klangkörpers. Der Komponist soll irgendwelche eigene Stellung zu solchen Voraussetzungen beziehen. Oft erzürnt über zuviel Denken, nimmt er den Bleistift und schreibt das Konzert.

In der Wagnerschen Zeit gehörte der große Orchesterklang zu den Träumen der Komponisten. Mehr und mehr Klang, gigantische Anhäufungen, Klangstärke, das sind Wertungen, die in den Ohren des späten 20. Jahrhunderts negativ zu klingen beginnen. Wagner schätzte die „Trauersymphonie" von Berlioz hoch, sicher auch wegen ihrer Monumentalitätscharakteristik. Die Idee erschien ihm stark und glücklich.[8] Aber was konnte Berlioz selbst anderes tun? Er hatte keine anderen Lösungen zur Verfügung; denn die Musiker sollten spielen und sich bewegen. Streicher sind dafür völlig ungeeignet. Bläser aber passen gut dafür. Wenige Instrumente sollten es nicht tun: beim Musizieren in freier Luft würden sie sich völlig verloren fühlen. Berlioz greift deshalb zu großen Massen von Beteiligten. War auf diesem Weg das Blasorchester geboren worden? Keineswegs. Jahrtausende vorher kennen wir Zeichnungen von Musiker-Massen an der Spitze von Soldaten oder Priester-Prozessionen. Berlioz kam zu diesem Resultat offensichtlich auf einem logischen, rationalen Weg. Im Prinzip war das eine Lösung, welche die ehemalige Praktik jeder Militärmusik wiederholte. Aber die Lösung war neu für Berlioz, neu für das gesamte 19. Jahrhundert — und wirkte als solche, — weil es sich um eine künstlerische Lösung handelte, die alle damaligen Vorstellungen über die rituale Funktion eines Militärorchesters weit überschritt. So hatte man Berlioz' Symphonie als ein revolutionäres Werk angenommen. All das ist noch heute aktuell: Die Blasmusik zu bereichern, das bedeutet, sie aus Klischees herauszunehmen und ihr höchste künstlerische Aufgaben zu delegieren. Die Frage lautet: Wie dies zu realisieren sei, mit welchen Mitteln, mit welcher technischen Problematik. Die Klaviersonaten Beethovens, Geniewerke von höchster Qualität, dienen sowohl dem Virtuosen (z. B. Op. 111) wie dem Klavierschüler (z. B. Op. 2).

Heute haben viele Komponisten Angst vor dem Blasorchester, vor allem wegen jener überkommenen Klischeevorstellungen, die heute wirksam sind. Fielen die Klischees ab, wäre eine neue Epoche der Blasmusik eröffnet, wäre das Feld der Blasmusik frei für alle schöpferischen Kräfte und Blasmusik stünde gleichberechtigt neben der symphonischen oder der Kammermusik.[9] Der Komponist schreibt fast immer für Instrumente (Flöten, Geigen, Vio-

---

8 Siehe das Referat von Eugen B r i x e l in diesem Tagungsband.

9 G. K a n d l e r schreibt u. a. über die „Befreiung der hochwertigen Blasorchester-Kunst von überalterten Vorurteilen und Schranken", in: MGG 9, 1961, S. 333.

loncelli, Streichquartett, symphonisches Orchesters etc.), die er nicht selbst spielt. Er ersinnt zunächst eine Klangvorstellung für den Klangkörper, den er benützen will, er überdenkt die Vorstellung mehrmals — und erst dann filtern sich Ideen heraus. Dann, und wenn er selbstverständlich auch viele Erfahrungen gesammelt hat, auch gute Klangvorstellungen, auch ein Talent für neues, auch ein gutes menschliches Verständnis, auch große emotionale Erfindungsmöglichkeit, auch einen starken Willen zum Konstruieren und Umkonstruieren, ja, wenn er das alles und noch einiges mehr besitzt, — ja, erst dann gerinnen bestimmte Resultate zu einer Komposition, eine Symphonie oder ein Blasorchesterwerk, Kammermusik für Streicher oder für Bläser.

Warum kann heute ein Komponist das Blasorchester und nicht das Symphonie-Orchester als Begleitkörper in einem Klavier-Konzert bevorzugen? Es gibt viele Gründe dafür, einer davon wäre: die unglaublich weite Palette von Farben, von dynamischen Stärken (von pp bis fff), von klanglicher Dichte. Besondere Aufmerksamkeit wende ich der Dichte des Klanges zu. Beim Blasorchester ist dies ein zusätzliches Ausdrucksmittel, realisiert durch die starken, satten, schönen, sehr klar definierbaren und deutlich voneinander abgrenzbaren Tembres der Blasinstrumente. Dasselbe wäre in dem Symphonie-Orchester nur durch Streicher oder durch den so genannten gemischten Klang möglich (d. h. durch verschiedene Farbqualitäten zusammen).

Ist das Blasorchester nicht zu stark für den Klavier-Solisten? Sicher nicht, weil das Blasorchester auch pp und auch sehr transparent spielen kann, weil Blasinstrumente auch pausieren können.

Wird das Blasorchester den Pianisten stören? Keineswegs. Wenn die Partitur gut ausgearbeitet ist, wird sich der Pianist wohl fühlen, unterstützt z. B. von Blechbläsern, kontrapunktiert von Holzbläsern, konkurriert im Passagenspiel von zwölf Klarinetten oder drei bis vier Saxophonen. Ich höre in meinen Träumen auch ein Violinkonzert mit Blasorchester[10], ein Violoncellokonzert mit Blasorchester, sogar eine Oper nur mit Blasorchesterbegleitung. Warum nicht? Ich habe es fast probiert: in meiner Oper „Spiel" ist der erste Aufzug für das Rossini-Orchester, der zweite nur für Flöten, Piccoli, Kontrafagott, 4 Hörner, 3 Trompeten, 3 Posaunen, Tuba, 3 Schlagzeuger und Violoncelli. Im dritten Akt bleiben nur Schlagzeuger, die Sänger begleiten sich selbst.

---

[10] Das Konzert für Violine, Bläser und Schlagzeug von Kurt Weill, op. 12, 1925, ist offensichtlich für die Bläser des Symphonieorchesters geschrieben, demnach nicht vergleichbar unserer Blasorchesterpartitur.

In der Musik ist alles möglich, nur das Schlechte, das Banale, das Konventionelle ist unmöglich. Ein geglücktes Konzert für Klavier und Blasorchester kann ein beneidenswertes Schicksal haben, gespielt von hunderten von kleineren und größeren Blasorchestern in verschiedenen Ländern, im Konzertsaal oder im Freien. Im Freien klingt das Klavier ebenso schön wie im Konzertraum.

Entscheidend für ein Konzert für Klavier und Blasorchester ist die Qualität: Welche künstlerische Qualität es hat! Das rettet oder verurteilt jedes Werk, auch ein Konzert für Klavier und Blasorchester. Das hebt es hoch oder tötet es. Und jeder Kompromiß im Namen eines besonderen Bedürfnisses, sei es im Namen eines geschlossenen Genres oder im Namen eines geschlossenen Publikumskreises, ist zeitbegrenzt. Eines Tages sieht man die Wahrheit.

Leon J. Bly, Stuttgart

# THE MARCH IN THE UNITED STATES OF AMERICA

March music has been a part of America's musical heritage since the time of the American Revolution. Marches have been used by not only the military but by schools, circuses, and a host of other American institutions. They have served to inspire patriotism, to relieve fatigue in marching soldiers, to excite spectators at sports events, and even as dance music. They have been composed to honor people, places, organizations, objects, and national events. They have been composed by all generations of Americans and reflect the tastes and standards of their times.

## The Slow March

The oldest of the various types of marches is the slow march. It was the common military march of the eighteenth century; in fact, the military manuals of the period normally referred to it as the common or ordinary march.[1] It was used by the regular line infantry units for most marching activities, both ceremonial and tactical. Light infantry units such as the grenadiers also used the slow march, but only for military ceremonies, the quick march, discussed below, being used for all regular activities.[2] In the nineteenth century, all United States infantry units were trained to function as both line units and as light infantry; consequently, all units were equally skilled in maneuvering in quick time and ordinary time. The quick march was used for more and more activities until the army finally discontinued the use of the slow march around 1890.[3]

The cadence of the slow march in Colonial America was sixty twenty-four-inch steps per minute, the same as the British cadence.[4] When Baron Fried-

---

[1] Baron F. W. v o n S t e u b e n , *Regulations for the Order and Discipline of the Troops of the United States* (Philadelphia: Styner & Cist, 1779), p. 13 *et passim;* William W i n d h a m , *A Plan of Discipline Composed for the Use of the Militia of the County of Norfolk* (London: J. Shuckburgh, 1759), p. 23; *General Regulations and Orders of His Mayjesty's Forces* (London: War Office, 1786), p. 5; *Rules and Regulations of His Majesty's Forces* (London: War Office, 1794), pp. 16—17.

[2] John H o l b r o o k , *Military Tactics* (Middletown, Conn.: E. & H. Clark, 1826), p. 143.

[3] The slow march is mentioned for the last time in Emory U p t o n , *Infantry Tactics: Double and Single Rank. Adapted to American Topography and Improved Fire-Arms* (New York: D. Appleton and Company, 1890), p. 18.

[4] W i n d h a m , *A Plan of Discipline*, p. 23.

rick William von Steuben took charge of the drilling of the American forces at Valley Forge in 1778, he increased the tempo of the slow march to seventy-five steps per minute in imitation of the Prussian tradition.[5] This continued as the cadence of the slow march until 1815, when it was changed to ninety twenty-eight-inch steps per minute, which remained the cadence until the military discontinued the use of the slow march.[6]

Although some marches composed in the nineteenth century are designated as slow marches, all marches composed before about 1875 with a time signature of $\frac{4}{4}$ or $\frac{2}{2}$ and the designation march, parade march, or grand march are slow marches. Because the light infantry units used the slow march only for military ceremonies, slow marches written for them were normally designated as parade or grand marches.

Ceremonies were an essential part of daily life in the military in the eighteenth and nineteenth centuries, and bands were constantly required to furnish music for them. During the Revolution, Washington required „Colonel Crane's Band of Musick . . . [to] attend the Grand Parade every morning"[7], while during the Civil War, the 26th North Carolina Regiment Band was required to play „every morning at 8 o'clock for guard mount, every night at dress parade, . . . at regimental inspections on Sunday mornings, and at brigade reviews."[8] Peace time duties were much the same, in that post bands were required to attend daily drills, guard mounts, and parades.[9] At each of these ceremonies the bands were originally required to perform marches.[10]

A typical ceremony was the military review, which was held in order that a visiting commander, official, or dignitary could observe the state of readiness of a unit. The nineteenth century review consisted of three sections, the presentation of honors or courtesies to the reviewing person-

---

[5] S t e u b e n , *Regulations,* p. 13.

[6] *Rules and Regulations for the Field Exercise and Manoeuvres of Infantry* (New York: T. & W. Mercein, 1815), p. 15.

[7] George W a s h i n g t o n , *The Writings of George Washington from Original Manuscript Sources, 1745—1799,* John C. F i t z p a t r i c k , editor, (Washington, D.C.: U.S. Government Printing Office, 1931), vol. XXII, p. 424.

[8] According to J. A. L e i n b a c h , member of the 26th Regiment Band, as quoted in H. H. H a l l , *A Johnny Reb Band from Salem* (Raleigh: The North Carolina Confederate Centennial Commission, 1963), pp. 12—13.

[9] William C. W h i t e , *A History of Military Music in America* (New York: Exposition Press, 1944), p. 90.

[10] H o l b r o o k , *Military Tactics,* pp. 207, 287—288, 290—291.

age, the standing review, and the passing review. The presentation of honors was described in the drill manuals of the period as follows[11]:

> When the reviewing personage ... [approaches the units to be reviewed, the commandant of the parade] will face about, and command, present — ARMS; resuming immediately his proper front, when the whole will salute ... The drums or band will beat or play, according to the rank of the reviewing personage; if it be the president or vice president of the United States, or the governor of the state, a march; if the secretary of war, or a major general, two ruffles; if a brigadier general, one ruffle.

The use of the indefinite article before the word „march" is most significant because the requirement was not for a specific conventionalized bugle signal, as in the modern review ceremony, but rather for any appropriate slow march. The importance of this is not only that a specific use of marches composed for presidents and governors is revealed but that this use was in itself reason enough for composers to write marches. When President James Monroe reviewed the garrison of Fort Independence, Massachusetts on 3 July 1817, the garrison band performed *President Monroe's Trumpet March*, composed especially for the occasion by I. Briljan[12], and when the Marquis de LaFayette visited the United States in 1824, the band of the Boston Independent Cadets performed *LaFayette's March*, which had been written especially for the review by Caroline Clark.[13]

In addition to the ceremonial uses of the slow march, it had its practical uses in the field in times of conflict. Originally, the drum cadence known as „the march" was used as the signal to advance into battle as well as for maintaining the cadenced pace during tactical maneuvers.[14] By the time of the American Revolution, „the march" had become the conventional signal for a unit to more.[15] Consequently, whenever a unit marched out of bivouac, „the march" was sounded by the drummers. In addition marches were often played by the band in order that the troops might start a long march in good spirits. This is not to imply that the drums or the band played all day as the troops marched. The main part of the journey was made at the uncadenced pace known as the route step. However, the initial movement was always made at the cadenced step.

---

[11] *Abstract of Infantry Tactics for the Use of Militia of the U.S.A.* (Philadelphia: Moss Brothers & Co., 1861), p. 136; cf. H o l b r o o k , *Military Tactics*, p. 191.

[12] I. B r i l j a n , *President Monroe's Trumpet March* (Boston: Gottlieb Graupner, n. d.).

[13] C. C l a r k , *LaFayette's March* (Boston: Published for the Author at No. 6 Franklin Street, 1824).

[14] Humphrey B l a n d , *A Treatise of Military Discipline* (London: W. Johnston, 1743), p. 156.

[15] S t e u b e n , *Regulations,* p. 53.

During the eighteenth and nineteenth centuries pseudo-military militia units were very popular in communities in the eastern and southern parts of the United States. These units were often the pride of the local communities. Fancy drills, flashy uniforms, and a good band were required as each unit vied for the public's favor. Unit pride dictated that each unit should have its own musical signature, i. e. a slow march or quick march or both. Although very few slow marches written for these militia units exist in their original band scoring many survive in piano editions, including *The New York Rangers March* by James Hewitt, the *March of the Baltimore Yagers* by Christopher Meineke, and *The Pelican Rifles March* by John Boning.[16]

As early as the seventeenth century, numerous European military officers were favored with their own marches.[17] By the time of America's War of Independence, the custom of writing marches for notable officers was widely practiced. Consequently, in the late eighteenth and early nineteenth centuries, many American military officers, including George Washington and Andrew Jackson, had their own slow marches.[18]

Just as military officers have been honored with their own marches, so have prominent civil officials. Presidents and governors in their dual roles as military and civilian leaders have naturally received the greatest attention, although marches have also been composed for congressmen, mayors, visiting foreign dignitaries, and a host of others.

One of the greatest civilian uses of the slow march during the late eighteenth and early nineteenth centuries was for street parades. Stately processions by the Free Masons date back to the colonial period and were most suited to the tempo of the slow march.[19] Other street parades employing the slow march were those held for religious and national holidays. Since the time of the American Revolution, Saint Patrick's Day has been celebrated in New York City with a parade.[20] During the procession held on 17 March

---

16 J. H e w i t t , *The New York Rangers March* (New York: Carr's Musical Repositories, n. d.); C. M e i n e k e , *March of the Baltimore Yagers* (Baltimore: Carr's Music Store, n. d.); J. B o n i n g , *The Pelican Rifles March* (New Orleans: P. P. Werlein & Halsey, n. d.).

17 H. G. F a r m e r , *16th—17th Century Military Marches* (*Journal of the Society for Army Historical Research,* Spring 1950), pp. 49—53.

18 J. T. H o w a r d , *The Music of George Washington's Time* (Washington, D.C.: United States George Washington Bicentennial Commission, 1931), pp. 41—45; F. A. W a g l e r , *General Jackson's Favorite March* (Baltimore: G. Willig Jr., 1829).

19 *Pennsylvania Gazette* (Philadelphia), 26 June 1755.

20 *New York Gazette and the Weekly Mercury,* 22 March 1779.

1859, „Dodworth's Band played for the first time a new march, composed by Thomas D. Sullivan."[21] One of the most elaborate Independence Day parades ever held took place in Philadelphia in 1788.[22] For this procession, which commemorated not only the signing of the Declaration of Independence but also the ratification of the Constitution by ten of the states, Alexander Reinagle composed the *Federal March*.[23]

Processional marches have also been used for commancement exercises at American colleges and universities since the eighteenth century, when „a Band of Musicians ... ushered the Trustees, Faculty and Graduates into the Hall" of the University of Pennsylvania on 4 July 1780.[24] Among the composers who have written marches especially for academic processions are Arthur Frackenpohl, D. W. Reeves, and Carl Engel.[25]

Throughout the nineteenth century wind bands provided the music at balls and social functions. As early as 1814, the Carabiniers Band of New Orleans played for five balls in a single month.[26] These formal balls normally commenced with a promenade for which the band played a grand march, and on occasions marches were composed for specific balls. For example, in 1824 Francis Johnson's Band played for the ball given for LaFayette at the New Theatre in Philadelphia; for this ball, Johnson composed *Honor to the Brave*.[27]

During the last half of the nineteenth century, bands frequently played for weddings, wedding receptions, and wedding anniversaries, for which wedding marches were needed. Among the wedding marches which were played by bands during that period are the *Beautiful Bride's Wedding March* by Charles D. Blake and *President Cleveland's Wedding March* by T. B. Boyer.[28] American patriotism and anti-German feeling during World War I

---

[21] *The New York Times*, 18 March 1859.

[22] F. H o p k i n s o n , *Account of the Grand Federal Procession* (Philadelphia: M. Carey, 1788).

[23] A. R e i n a g l e , *Federal March* (Philadelphia: Printed for A. Reinagle, n. d.).

[24] *Pennsylvania Journal and Weekly Advertiser* (Philadelphia), 12 July 1780.

[25] A. F r a c k e n p o h l , *Academic Processional March* (Delaware Water Gap, Pa.: Shawnee Press, 1966); D. W. R e e v e s , *Brown University Commencement March*, manuscript, Library of the American Band of Providence, R. I.; C. E n g e l , *Academic Processional March* (New York: G. Schirmer, Inc., 1938).

[26] H. A. K m e n , *Music in New Orleans: The Formative Years 1791—1841* (Baton Rouge, La.: Louisiana State University Press, 1966), p. 208.

[27] Francis J o h n s o n , *Honour to the Brave* (Philadelphia: T. Carr's, n. d.).

[28] C. D. B l a k e , *Beautiful Bride's Wedding March* (Boston: White, Smith & Co., 1882); T. B. B o y e r , *President Cleveland's Wedding March* (Philadelphia: J. W. Pepper, 1886).

inspired many composers to write wedding marches to replace the popular marches by Wagner and Mendelssohn. Although most of these marches were never used by bands, band editions of several were published, including John Philip Sousa's *The American Wedding March*, Reginald DeKoven's *American Wedding March*, and Mayhew L. Lake's *Wedding March*. [29]

The Quick March

Whereas in the eighteenth and early ineteenth centuries the slow march was the principal type of march, the quick march or quick step has been the dominant march type in the United States since the American Civil War. During the twentieth century, it has been the only march type, except for the funeral march, employed by the military.

Although most quick marches composed in the eighteenth and early nineteenth centuries are designated as quick steps, all marches composed before about 1875 with a time signature of $\frac{2}{4}$ or $\frac{6}{8}$ and the designation march, quick march, or quick step are quick marches. Marches composed after the mid 1870s in *alla breve* time are also quick marches; in fact most quick marches composed in the twentieth century use an *alla breve* time signature.

In the United States the tempo of the quick march has remained rather constant; it was 120 steps in a minute in the eighteenth century, the same as it is today. [30] In 1840 it was changed to 110 steps in a minute at which it remained until 1891, when it again became 120 steps in a minute. [31] In 1922 it was increased to 128 steps per minute but was reduced again to 120 in 1939. [32]

Just as military ceremonies made use of the slow march in the eighteenth and nineteenth centuries, they also made extensive use of the quick march. A little nineteenth century ceremony which used only the quick march was the Color Escort. When the colors were required for a battalion or regimental parade, a detachment consisting of one company, the color guard, and the

---

[29] J. P. S o u s a , *The American Wedding March* (New York: Sam Fox Publishing Co., 1918); R. D e K o v e n , *American Wedding March* (Boston: The Boston Music Co., 1918); M. L. L a k e , *Wedding March* (New York: Carl Fischer, Inc., 1919).

[30] W i n d h a m , *A Plan of Discipline*, p. 23; S t e u b e n , *Regulations*, p. 13.

[31] Winfield S c o t t , *Infantry Tactics* (New York: Harper & Brothers, 1840), vol. I, p. 29; Emory U p t o n , *Infantry Tactics* (New York: D. Appleton and Company, 1891), p. 27.

[32] *Infantry Drill Regulations, United States Army* (New York: D. Appleton & Co., 1922), p. 29; *Infantry Drill Regulations 1939* (Washington, D.C.: Army Navy Journal, 1939), p. 15.

band was sent to the colonel's quarters, where the colors were housed. The detachment marched to the colonel's quarters in quick time „without the sound of instruments". When the colors were brought out, the drums beat „To The Colors", after which the detachment escorted the colors to the parade as the band played a quick march.[33]

The military ceremonies of the nineteenth century which employed the slow march also employed the quick march. For dress parades and reviews „Adjutant's Call" was sounded ten minutes prior to the appointed time of the parade. The band would then assemble at the right of the parade field and play a quick march, to which the companies marched into line. At the conclusion of the parade, the band would play a quick march while the companies left the parade field, unless the parade concluded with the „Pass in Review". When the „Pass in Review" was used, the unit was required to march past the reviewing officer twice, first in common time and then in quick time.[34]

The military ceremonies most frequently employed today by the United States military are the dress parade, review, guard mount, and honor guard. These ceremonies have basically remained the same with regard to the use of quick marches since the time slow marches were discontinued.

A typical ceremony is the review ceremony, at which the band assembles at the right of the parade field just prior to the commencement of the ceremony and sounds „Attention!" and „Adjutant's Call", after which it plays a quick march as the units move on line. If the review ceremony is held for a general officer, he is greeted by the prescribed number of „Ruffles and Flourishes" and the „General's March", a stylized bugle call. Although the „General's March" is sounded in quick time today, it is written in common time and is a carry over from an earlier period when a slow march would have been played. During the following standing review, the band plays „appropriate inspection music", which today is rarely march music. The review ceremony concludes with the „Pass in Review", whereby the units march pass the reviewing officer in quick time.[35]

Discipline was very strict in the military during the eighteenth and nineteenth centuries, and persons who were court-martialed and found guilty

[33] H o l b r o o k , *Military Tactics,* pp. 91—92; cf. A. D o d w o r t h , *Dodworth's Brass Band School* (New York: H. B. Dodworth & Co., 1853), p. 24.

[34] D o d w o r t h , *Brass Band School,* pp. 24—25.

[35] *Department of the Army Field Manual FM 12—50: The Military Band* (Washington, D.C.: Headquarters Department of the Army, 31 December 1969), pp. 84—87.

were ceremonially punished in front of their regiments or divisions. When the crime was serious, the offender was „drummed out of the army". This ceremony consisted of the band marching the culprit along the front of the regimental parade to the entrance of the camp, where he was expelled with a kick from the youngest drummer and instructed never to return. The music traditionally used by the bands for this ceremony was the quick march known as the *Rogue's March*. Although the title was most appropriate, the music of this quick march was more suited to an elite regiment than the gruesome task of banishment.

Gentlemanly warfare of the eighteenth and nineteenth centuries dictated that certain honors and courtesies be granted a conquered foe. Upon surrendering, the defeated army was to march from its position through two lines formed by the victorious army onto an assigned field and surrender its arms. A normal courtesy was to allow the vanquished army to march out with „drums beating, fifes playing, matches lighted on both ends, [and] flying [the] colours . . ."[36]

Although the slow march would appear to have been more suitable than the quick march for use in a surrender ceremony, American troops normally used the latter. When Major Anderson surrendered Fort Sumter to General Beauregard on 14 April 1861, the Union troops marched out as the band played Yankee Doodle[37], and when General Lincoln surrendered his American forces to the British at Charleston, South Carolina in 1780, his troops withdrew from the city to the strains of „the Turk's march".[38]

In addition to the ceremonial uses of the quick march, it has been occasionally used by troops on long marches to help relieve fatigue and to bolster morale. Washington employed it on 24 August 1777, when he marched his army through Philadelphia on his way to engage General Howe.[39] When the Confederate forces under General John B. Hood crossed the Potomac in the middle of June 1863 on their way to Gettysburg, the band played *Dixie*, as

---

[36] Thomas S i m e s , *Military Guide for Young Officers* (Philadelphia: J. Humphrey's, R. Bell, and R. Aitkens, 1776), vol. I, pp. 158—160.

[37] *The New York Times*, 19 April 1861.

[38] William M o u l t r i e , *Memoirs of the American Revolution* (New York: D. Longworth, 1802), vol. II, p. 101; „Diary of Captain Johann Heinrichs" in *The Siege of Charleston*, translated and edited by B. A. U h l e n d o r f , (Ann Arbor, Mich.: University of Michigan Press, 1938), pp. 291—293.

[39] W a s h i n g t o n , *The Writings of General Washington*, vol. IX, pp. 124—127.

did a band belonging to General George E. Pickett's Brigade when it marched through Greencastle, Pennsylvania during the same campaign.[40]

America's most extensive civilian use of the quick march has been for street parades. Parades have been held across the country for numerous national and religious holidays, and many communities hold parades for local celebrations. Throughout the nineteenth and twentieth centuries, firemen's parades have also been very popular, and at the turn of the century, police parades were popular in large cities. Consequently, many fire and police departments have had their own marches, including the Chicago Fire Department, the Boston Fire Department, and the New York City Police Department.[41]

Just as in the eighteenth century street parades were held by the freemasons, parades have been held by various fraternal orders such as the Shriners during the nineteenth and twentieth centuries. Numerous quick marches have been composed for fraternal organizations, among which are T. M. Carter's *Boston Commandery March,* Sousa's *Nobles of the Mystic Shrine,* Harry L. Alford's *Call of the Elks,* and Henry Fillmore's *Noble Men.*[42]

Around the turn of the century, expositions and fairs provided good employment for professional bands, many bands playing for two or three expositions a year. For those engagements bandmasters often composed marches, most of which faded into oblivion at the close of the exposition. Of all the marches composed for expositions, those by John Philip Sousa, including *King Cotton, The Invincible Eagle,* and *Fairest of the Fair,* have gained the greatest popularity.[43]

---

[40] J. B. H o o d , *Advance and Retreat* (New Orleans: G. T. Beuregard Publisher, 1880), p. 54; G. E. P i c k e t t , *Soldier of the South: General Pickett's War Letters to His Wife,* Arthur I n m a n , editor, (Freeport, N.Y.: Books for Libraries Press, 1971), pp. 43—45.

[41] Paul Y o d e r , *Firehouse Special* (Park Ridge, Ill.: Neil Kjos Music Co., 1960); Fortunato S o r d i l l o , *Fire Fighters* (New York: Carl Fischer, Inc., 1937); Victor H e r b e r t , *The Finest* (New York: Music Printing Co., 1918).

[42] T. M. C a r t e r , *Boston Commandery March* (Boston: E. C. Ramsdell, 1892); J. P. S o u s a , *Nobles of the Mystic Shrine* (New York: Sam Fox Publishing Co., 1923); H. L. A l f o r d , *Call of the Elks* (Chicago: Harry Alford Music Studio, 1920); Henry F i l l m o r e , *Noble Men* (Cincinnati: Fillmore Bros., 1922).

[43] J. P. S o u s a , *King Cotton* (Cincinnati: John Church Co., 1895), *The Invincible Eagle* (Cincinnati: John Church Co., 1901), *Fairest of the Fair* (Cincinnati: John Church Co., 1908).

One of America's biggest civilian uses of the quick march has been in connection with athletic events, especially high school and college football games. When intercollegiate athletic competition developed in the late nineteenth century, college and university bands were organized to help inspire the teams. At first these bands played for all athletic events, including baseball games, basketball games, football games, and track meets. However, since the 1930s, college marching bands have participated almost exclusively at football games, although smaller non-marching bands, usually known as „pep bands", often play for college basketball games.

In imitation of the colleges, high schools began seriously to develop interscholastic athletic events in the early twentieth century, and after World War I, high school bands began to play an important part in these events. Between the two World Wars most high school bands played at all interscholastic athletic events, but since World War II, most high school bands have confined their appearances to football and basketball games.

Because of the great amount of marching band activity associated with college and university football games, many composers have written marches for various schools. The trios of these marches often contain lyrics and are sung as the schools' „fight songs". Karl L. King composed numerous marches for colleges and universities, including the University of Chicago, Northwestern University, the University of North Dakota, the University of Iowa, and the University of Michigan.[44] Mayhew L. Lake composed marches for Yale, Harvard, and Princeton, while Edwin Franko Goldman wrote marches for the University of Illinois and the University of Michigan.[45] Other composers of marches for colleges and universities include J. J. Richards, John Philip Sousa, and Howard E. Akers.[46]

---

[44] K. L. K i n g, *University of Chicago* (Fort Dodge, Iowa: King Music House, 1936), *Purple Pageant* (Fort Dodge, Iowa: King Music House, 1933), *University of North Dakota* (Fort Dodge, Iowa: King Music House, 1935), *Hawkeye Glory* (Fort Dodge, Iowa: King Music House, 1938), *Michigan on Parade* (Fort Dodge, Iowa: King Music House, 1938).

[45] M. L. K i n g, *March Blue* (New York: Carl Fischer, Inc., 1917), *March Crimson* (New York: Carl Fischer, Inc., 1916), *Orange and Black March* (New York: Carl Fischer, Inc., 1924); E. F. Goldman, *Illinois March* (New York: Boosey & Hawkes, 1953), *Michigan March* (New York: Chappell & Co., 1954).

[46] J. J. R i c h a r d s, *University of Kansas* (Oskaloosa, Iowa: C. L. Barnhouse, 1935); J. P. S o u s a, *Marquette University* (Cincinnati: John Church Co., 1924), *The Minnesota March* (New York: Sam Fox Publishing Co., 1927), *University of Nebraska* (New York: Sam Fox Publishing Co., 1928); Howard E. A k e r s, *Michigan State March* (New York: Carl Fischer, Inc., 1957), *Purdue March* (New York: Carl Fischer, Inc., 1955); *Oklahoma State* (New York: Carl Fischer, Inc., 1958).

At the turn of the century, the quick march was extensively used as dance music. The $\frac{6}{8}$ rhythm of Sousa's *Washington Post* was perfectly suited to the two-step dance, which was just being introduced at the time the march was written, and dance-masters immediately adopted the march for the new dance. For the next twenty years people in North America and Europa danced to this march, and when Sousa toured Europe with his band in 1900, he found that in some countries the two-step was known as the „Washington Post".[47] Not only was the two-step danced to $\frac{6}{8}$ marches, but around 1900 the one-step or turkey-trot emerged, which was danced to marches in $\frac{2}{4}$ meter. The cakewalk, rag, and eventually the foxtrot were also direct outgrowths of the march form.

Marches have long constituted a large portion of the music performed at American band concerts. John S. Dwight wrote in 1853 that the band concerts held on the Boston Common throughout the summer months consisted primarily of marches and opera choruses arranged as marches[48], and an unidentified newspaper article in the Henry Fillmore Museum at the University of Miami states that the radio concerts by the Fillmore Band, which were broadcasted over station WLW in Cincinnati during the 1920s and 1930s, had „a fifty per cent march content". Composers have thus written marches specifically for concert use. Several noted composers have written concert marches, including Samuel Barber, William Bergsma, and Douglas Moore. Among the other composers who have written popular concert marches are Clifton Williams, Robert Jager, and Donald I. Moore.

The Double Quick March

The double quick march was first employed in the early nineteenth century, when light infantry units, which normally marched at the quick step, desired a more rapid pace for certain tactical movements. Because the primary function of the light infantry units was the protection of the advance and retreat of large bodies of line troops, the utmost rapidity of movement was required. To this end, John Holbrook states in his *Military Tactics*[49]:

> ... all light infantry movements in close order, except formations from file, will be in quick time, (of one hundred and twenty paces per minute.)

---

[47] J. P. S o u s a , *Marching Along* (Boston: Hale, Cushman & Flint, 1928), p. 200.
[48] J. S. D w i g h t , „Music for the People" (*Dwight's Journal of Music,* 25 June 1853), p. 94.
[49] H o l b r o o k , *Military Tactics,* p. 143.

All formations from file, and from extended order, and all extensions, will be executed in double quick time, (of one hundred and sixty paces per minute.)

As the quick step became the normal cadence for line troops in the nineteenth century, elite European military units, such as the Italian Bersaglieri and the French Chasseurs Alpins, adopted the double quick step. However, United States military regulations never prescribed the double quick step as the normal step for any American troops. In the United States, the double quick march has been used primarily for tactical maneuvres rather than for ceremonial drill, and, consequently, the regulation tempo has always been rather fast. From its initial tempo of 160 steps per minute, the double quick march was increased to 165 steps per minute in 1862[50], and in 1888 it was increased to 180 steps per minute[51], the tempo at which it remains today.[52]

For a brief period in the 1890s, the battalion review ceremony included the use of the double quick march. By this time, the slow march had been dropped from the „Pass in Review", and the battalion first passed the reviewing officer in quick time and, when required, passed a second time in double quick time. The band stood still while the battalion passed the second time but was required to play „in double time".[53]

Although the United States military has made limited use of the double quick march, some nineteenth-century pseudo-military units, like the Zouaves, used it for all normal marching activities.[54] However, Dodworth's Brass Band School, which reserves the tempo of 160 beats per minute for the „run"[55], gives the tempo for the double quick march as 140 beats per minute.[56] It was this tempo, which is the same as that used by the British light infantry regiments[57], that the Zouaves and other irregular units probably used.

---

[50] *United States Infantry Tactics for the Instruction, Exercise and Maneuvres of the United States Infantry* (Philadelphia: J. B. Lippincott & Co., 1862), p. 24.

[51] William R. L i v e r m o r e , *Manoeuvres for Infantry* (New York: Charles Scribner's Sons, 1888), p. 85.

[52] *Department of the Army Field Manual FM 22—5: Drill and Ceremonies* (Washington, D.C.: Headquarters Department of the Army, 29 August 1958), p. 22.

[53] Hugh T. R e e d , *Abridgement of the Drill Regulations for Infantry* (Chicago: Hugh T. Reed, 1891), pp. 173—176.

[54] A. R. C a s a v a n t , *Exhibition Marching* (Chattanooga, Tennessee: ARC Products Company, 1973), vol. I, p. 139.

[55] D o d w o r t h , *Brass Band School,* p. 30.

[56] *Ibid.,* p. 25.

[57] F a r m e r , „March", *Grove's Dictionary of Music and Musicians,* 5th ed., Eric B l o m , editor, (New York: St. Martin's Press, 1954), vol. V, p. 556.

Musically, no distinction can be made between the quick march and the double quick march. Almost any quick march may be used as a double quick march, and it is the traditional use of a march rather than the music itself which determines whether it is classified as a quick march or a double quick march.[58]

In the United States, the most extensive use of the double quick march has been made by American circuses. Because the circus bands marched only during the „grand entries" which opened circus performances, the circus musicians regarded marches less as music to be marched than as compositions for generating an atmosphere of excitement. Consequently, the double quick march was the type most suited to their needs. Since the basic repertoire of the circus bands during the late nineteenth and early twentieth centuries was one developed by the circus musicians themselves, most of the marches used at that time were by circus musicians such as C. E. Duble, Karl L. King, Walter P. English, and Russell Alexander.

Double quick marches have also been used by rodeos and minstrel shows. It is interesting to note that although the music used for rodeos consists primarily of galops and double quick marches, few marches have been composed especially for rodeos, albeit Fred K. Huffer, W. Paris Chambers, and Al Sweet did contribute to this repertoire.[59] In contrast, the minstrel shows, which in the late nineteenth and early twentieth centuries made limited use of the march, often had their own musical signature in the form of a march.

The Funeral March

The United States military has borne its dead to the grave to the sound of funeral marches since the American Revolution. Although at that time fifes and drums normally provided the music, bands, when available, were employed for officers' funerals. A band was present at the funeral of Captain Michael Cresap in New York City in October 1775[60], and, at the obsequies

---

[58] Few marches exist with the indication „double quick march". The Salem [North Carolina] Band library contains six sets of manuscript partbooks which belonged to the 26th North Carolina Regiment Band during the Civil War. The fifth book contains a „Double Quickstep" by William H. H a r t w e l l , which, if compared with the quick steps in this book, demonstrates no stylistic difference.

[59] F. K. H u f f e r , *Queen of the Rodeo* (Chicago: M. M. Cole Publishing Co., 1940); W. P. C h a m b e r s , *Buffalo Bill's Equestrian* (New York: Carl Fischer, Inc., 1903); A. C. S w e e t , *The Broncho Buster* (New York: Carl Fischer, Inc., 1908).

[60] *New York Journal,* 26 October 1775.

for Brigadier General Enoch Poor on 10 September 1780, „a Band of Musick
. . . played a funeral dirge".[61] Concerning the latter, James Thacher wrote[62]:

> No scene can exceed in grandeur and solemnity a military funeral. The
> weapons of war reversed, and embellished with the badges of mourning,
> the slow and regular step of the procession, the mournful sound of the
> unbraced drum and the deep-toned instruments, playing the melancholy
> dirge.

The „melancholy dirge", which Thacher heard, was probably *Roslin
Castle*, which was frequently used as a funeral march in the late eighteenth
and early nineteenth centuries. William Rogers noted in his journal that this
eighteenth-century Scottish song, which has been attributed to James
Oswald[63], was played by Colonel Proctor's Band during the Revolution[64],
and Rocellus S. Guernsey states that it was always used as a funeral dirge
during the War of 1812.[65]

The „grandeur and solemnity" which Thacher attributed to the military
funeral were also observed by Reverend Ammi R. Robbins, who wrote,
„There is something more than ordinarily solemn and touching in our
funerals, especially an officer's[66]. The funerals, for which these writers held
such sentiment, consisted of a procession in which the officers wore black
crêpe on the hilts of their swords and around their left arms, as the troops
marched with their weapons reversed or inverted. The unit's colors were
draped in black, and its drums, emblazoned with unit's crest, were muffled
and shrouded in black.[67]

During the nineteenth century, bands played at funeral processions for all
military personnel, from privates to generals. On 25 August 1861, the body
of Private Honeywell of the Third Connecticut Regiment was escorted to
the grave by the New Canaan [Conn.] Cornet Band[68], and on 12 November

---

[61] James T h a c h e r , *Military Journal during the American Revolutionary War,
from 1775 to 1783* (Hartford, Conn.: Silas Andrus & Son, 1854), p. 212.

[62] *Ibid.*, pp. 212—213.

[63] M. E. S e a r s , *Song Index* (New York: H. W. Wilson Co., 1926), p. 435.

[64] William R o g e r s , *Journal of Rev. William Rogers, Journals of the Military
Expedition of Major General John Sullivan Against the Six Nations of Indians in 1779*,
Frederick C o o k , editor. (Freeport, N. Y.: Books for Libraries Press, 1972), p. 248.

[65] R. S. G u e r n s e y , *New York City and Vicinity During the War of 1812—1815*
(New York: C. L. Woodward, 1889—1895), vol. II, p. 143.

[66] A. R. R o b b i n s , *Journal of the Rev. Ammi R. Robbins, A Chaplain in the
American Army, in the Northern Campaign of 1776* (New Haven, Conn.: B. L. Ham-
len, 1850), p. 37.

[67] S i m e s , *Military Guide for Young Officers*, pp. 358—359.

[68] „Funeral of a Young Soldier" (*The New York Times*, 27 August 1861), p. 8.

258

1889 the Worcester [Mass.] Brass Band, playing *Our Illustrious Dead*[69], escorted the remains of General William Sever Lincoln.[70] During the twentieth century, bands have been present primarily at the funerals of officers and cadets[71], a military funeral procession for an officer consisting of an escort commander, a band, a military escort, honorary pallbearers, clergy, a caisson bearing the casket, active pallbearers, family, and mourners.[72]

The tempo of the funeral march, like that of the slow march, gradually increased over the course of time. Although military manuals in the eighteenth and nineteenth centuries did not specify a tempo for the funeral march, the tempo designated for the slow march was doubtlessly employed. This is substantiated by the fact that the Commandant of the Marine Corps, when ordering the execution of Private Joseph Wallis in 1815, wrote: „The execution party preceded by the band of music, will march in front of the prisoner, at ordinary time, the music playing the Dead March in *Saul*.“[73] Thus the tempo for the funeral march would have been sixty steps per minute prior to 1778, seventy-five steps in a minute from 1778 to 1815, and ninety steps per minute after 1815. During the twentieth century, the military has used „a cadence of from eighty to one hundred steps per minute“[74]; the cadence of one hundred steps per minute was used for the funeral procession for President Kennedy on 25 November 1963.[75]

As early as 1808, cemeteries were established for America's war dead. In that year, 11,500 Americans, who had died while prisoners on British warships during the American Revolution, were buried at the Wallabout on Long Island. For the obsequies, which took place on 26 May 1808, James Hewitt composed the *Grand March as Performed at the Funeral Procession at the Wallabout, Long Island*.[76]

---

[69] T. H. R o l l i n s o n , *Our Illustrious Dead* (Boston: W. H. Cundy, 1884).

[70] *Worcester* [Mass.] *Evening Gazette*, 12 November 1889.

[71] *Army Regulation No. 600—25: Salutes, Honors, and Visits of Courtesy* (Washington, D.C.: Headquarters Department of the Army, 15 May 1970), chap. VI, pp. 2—3.

[72] *Army Field Manual FM 12—50*, p. 94.

[73] *Marine Band Chronology* (unpublished typescript in Marine Band Office), p. 39.

[74] *Department of the Army Field Manual FM 12—50: The Military Band*, p. 94.

[75] *Leader Ledger* (unpublished manuscript in Marine Band Office), entry for 25 November 1963.

[76] J. H e w i t t , *Grand March as Performed at the Funeral Procession at the Wallabout, Long Island* (New York: J. Hewitt's Musical Repository & Library, [ca. 1808]).

In 1864, the United States Government purchased 420 acres of land in Arlington County, Virginia, across the Potomac River from Washington, D. C. for use as a national cemetery. Since that time, the military bands stationed in the Washington area have played for funerals at this cemetery, the largest national cemetery in the country. That a large number of funeral marches have been used there may be inferred from the fact that, during the years between the two World Wars, the Third Cavalry Band alone played for over 150 funerals annually at this cemetery.[77]

One of the more macabre uses of the funeral march in the eighteenth and nineteenth centuries was at military executions, as military prisoners were frequently escorted to their place of execution by a band playing a dirge. During the Revolution, George Washington assigned Henry Knox's Artillery Band the duty of marching deserters to their place of execution[78], and during the last year of the Civil War, the One Hundred and Fourteenth Pennsylvania Volunteer Regiment Band played for two executions.[79]

Bands have been present at the funerals of American presidents since 1799, when the Alexandria [Virginia] Band played for the funeral of George Washington. During the funeral procession, the band played a funeral march composed especially for the occasion.[80] Marches were also composed for the funerals of William Henry Harrison, Abraham Lincoln, James A. Garfield, and William McKinley.[81]

During the nineteenth century, when life insurance was not common, fraternal organizations, veterans associations, fire companies, and police departments provided burial services for their members, and such organizations normally escorted their dead to the grave to the sound of funeral marches. The only segment of American society, outside of the military, which continues to regularly use the funeral march is the Negro population of New

---

[77] D. C. M c C o r m i c k, *A History of the U. S. Army Band to 1946* (unpublished doctoral dissertation, Northwestern University, 1970), pp. 471—472.

[78] W a s h i n g t o n, *The Writings of George Washington*, vol. XVIII, pp. 22—23.

[79] Frank R a u s c h e r, *Music on the March 1862—'65, with the Army of the Potomac* (Philadelphia: Wm. F. Fell & Co., 1892), pp. 190—192.

[80] J. D e c k e r, *Funeral Dirge Adopted for & Play'd by the Alexandria Band at the Funeral of Genl. Geo. Washington* (n. p., n. d.).

[81] H. D i e l m a n, *President Harrison's Funeral March* (Philadelphia: Osbourn's Music Saloon, 1841); J. G. B a r n a r d, *Funeral March* (New York: Wm. A. Pond & Co., 1865); J. P. S o u s a, *In Memoriam: Garfield's Funeral March* (Philadelphia: J. M. Stoddart & Co., 1881); W. L e w i s, *President McKinley's Memorial March* (Philadelphia: Harry Coleman, 1902).

Orleans, where funeral marches are played as the deceased is escorted to the grave and quick marches in the jazz idiom are played following the funeral.

It should be noted that the use of the quick march following a funeral ceremony has long been standard practice. In 1826, Holbrook wrote that following a military funeral „the column will be re-formed . . . and marched off to music in quick time"[82], and in 1853, Allen Dodworth wrote, „In leaving, the band should not commence to play until the company is clear of the burying ground, and then in quick time".[83] Therefore, it is not the use of the quick march following a funeral which is unique to the Negro funeral, but the use of jazz, an idiom on which, according to Charles Edward Smith, „dirges and parade marches had a lasting effect".[84]

Hence funeral marches, although few in number when compared with slow and quick marches, were once an extensively used type of march, and during the nineteenth and early twentieth centuries, most bandmasters composed them, some composers like Francis Scala having written as many as thirty funeral marches.[85] The prominent place once held by funeral marches is further indicated by the fact that the reputation of two composers, Thomas Coates and W. S. Ripley, rested almost exclusively on their funeral marches.[86]

Conclusion

In conclusion, it may be stated that no single factor better attests to the status of march music in the United States than the fact that during the past one hundred years there have been at least forty American music publishers specializing in band music and publishing large quantities of marches, while at least twenty other music publishers have also regularly issued marches for band. The publication of music is expensive, especially the publication of band and orchestra music. Thus, the fact that many publishers' catalogues have contained literally hundreds of marches clearly indicates the popularity and extensive use of this versatile genre in the United States of America.

---

[82] H o l b r o o k , *Military Tactics,* p. 200.

[83] D o d w o r t h , *Brass Band School,* p. 25.

[84] C. E. S m i t h , *New Orleans and Traditions in Jazz, Jazz,* edited by Nat H e n t o f f and Albert J. M c C a r t y , (New York: Rinehart & Company, Inc., 1959), p. 33.

[85] The Scala Collection at the Library of Congress contains the manuscripts of thirty funeral marches by Francis Scala.

[86] J. C. P o h l , *Notes on Thomas Coates* (unpublished typescript, Easton Area Public Library, Easton, Pa., n. d.); obituary for W. S. R i p l e y , *Wakefield* [Mass.] *Daily Item,* 30 January 1924, p. 3.